L'oignon

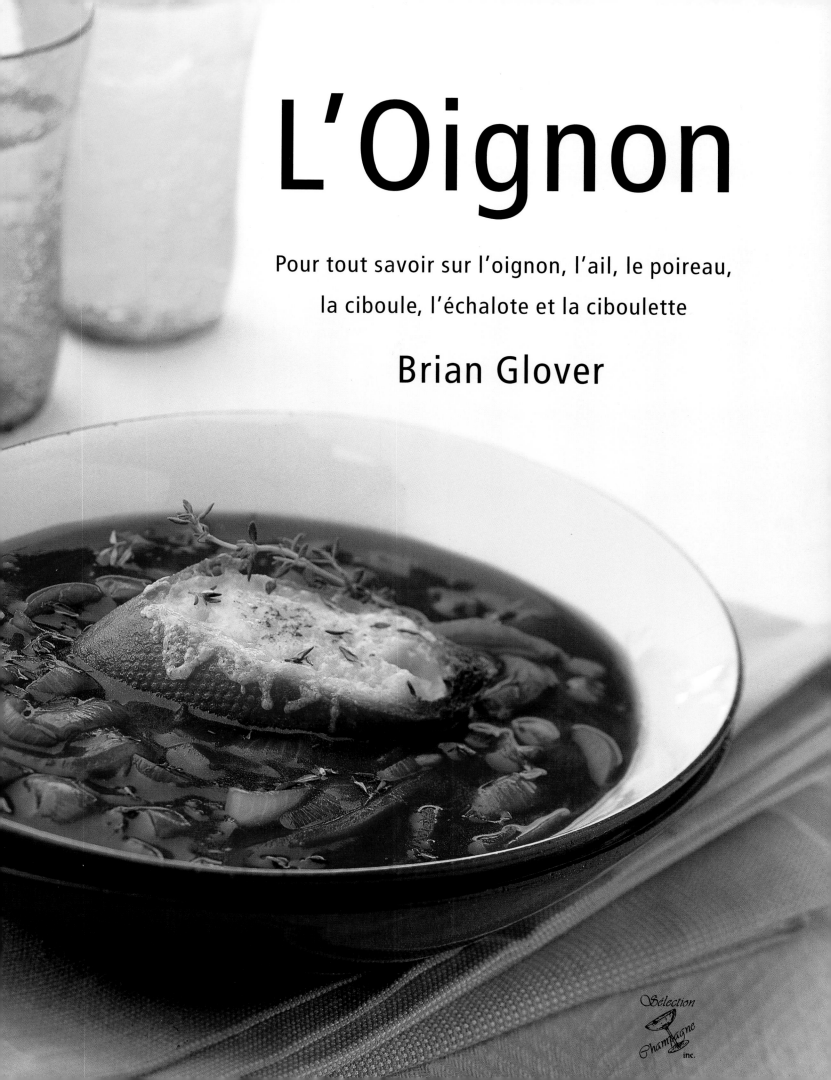

L'Oignon

Pour tout savoir sur l'oignon, l'ail, le poireau,
la ciboule, l'échalote et la ciboulette

Brian Glover

Sélection
Champagne
inc.

Édition originale publiée en 2001 au Royaume-Uni
par Anness Publishing Limited, Hermes House
88-89 Blackfriars Road, London SE1 8HA
sous le titre *Onion, the essential cook's guide to onions,
garlic, leeks, spring onions, shallots and chives.*

© Anness Publishing Limited 2001

Pour l'édition originale :
Réalisation: Joanna Lorenz
Responsable éditoriale : Linda Fraser
Éditrice : Susannah Blake
Assistante d'édition : Bridget Jones (recettes) et Gwen Rigby (références)
Index : Hilary Bird
Maquettiste : Isobel Gillan
Photographe : William Lingwood
Sujets à photographier : Sunil Vijayakar (recettes) et Tonia Hedley (références)

Pour l'édition française :
© 2002 Manise, une marque des Éditions Minerva
(Genève, Suisse)
Connectez-vous : www.lamartiniere.fr

Traduit de l'anglais par Gisèle Pierson

Distribué par
Sélection Champagne Inc.
Montréal, Québec
(514) 595-3279

ISBN : 2-84198-193-2
Dépôt légal : septembre 2002

Imprimé à Singapour

NOTES

Les mesures utilisées dans les recettes sont les suivantes :
1 cuil. à café = 5 ml ; 1 cuil. à soupe = 15 ml

Les œufs employés sont de taille moyenne, sauf indication contraire.

SOMMAIRE

INTRODUCTION

Depuis que les hommes forment des communautés et pratiquent l'agriculture, ils cultivent les membres de la famille des oignons. Mais bien avant cela les oignons sauvages étaient récoltés et consommés. Sauf quelques exceptions, les oignons sont utilisés partout dans le monde aujourd'hui. Cet indispensable légume est cultivé dans tous les pays, sous une forme ou une autre.

L'évolution des oignons sauvages primitifs en légumes cultivés tels que nous les connaissons reste cependant un mystère. De nombreuses variétés, comme l'oignon commun, n'existent apparemment que sous leur forme cultivée et sont inconnues à l'état sauvage. Il existe donc un « chaînon manquant » entre l'oignon sauvage et l'oignon cultivé actuel.

Le mystère entourant cette évolution semble indiquer que la culture des oignons est très ancienne. Les hommes ont dû s'apercevoir très tôt que les oignons étaient bons à manger et en conséquence, ils les cultivèrent comme légume condimentaire.

Les oignons appartiennent à la famille des liliacées qui contient plus de trois cents espèces. De nombreuses variétés sont cultivées dans les jardins, comme plantes d'ornement dans les plates-bandes, comme plantes condimentaires ou comme légumes dans les potagers.

Pendant longtemps certains botanistes classèrent les oignons et autres aulx au sein des liliacées et d'autres dans la famille des amaryllidacées, mais la plupart les regroupent aujourd'hui dans un genre propre, le genre *Allium*.

Pour le maraîcher, les alliums sont très faciles à identifier. Ils forment des bulbes composés de feuilles charnues, présentent de longues feuilles étroites, plates ou tubulaires, généralement bleu-vert, ont des fleurs rondes, globulaires, faites de nombreux bouquets individuels, et tous offrent plus ou moins la même odeur d'oignon caractéristique, en particulier si le bulbe ou les feuilles sont froissés ou cassés.

connotations péjoratives. Interdits dans certains groupes sociaux, ils sont parfois considérés comme tabous ou même maléfiques. Les gens raffinés les jugent vulgaires et inacceptables, en raison de leur effet sur l'odeur de l'haleine et la transpiration.

Les relations entre la famille des oignons et les hommes à travers l'histoire sont marquées par ces attitudes contradictoires. Si les oignons et autres aulx sont appréciés et populaires dans la cuisine du monde entier, ils sont également dénigrés et rejetés par de nombreuses cultures et groupes sociaux.

À gauche : Les alliums sont très cultivés en France et font partie de la cuisine traditionnelle, surtout les oignons et l'ail.

La saveur piquante des oignons est due à la présence d'une essence sulfurée dont le principe actif, l'allicine, se manifeste par l'action des enzymes dès qu'une partie de la plante est coupée ou endommagée. C'est cette essence volatile qui fait pleurer quand on épluche ou coupe des oignons et qui leur donne leur goût et leur parfum inimitables.

La signature chimique spécifique des alliums a attiré l'attention depuis les temps les plus reculés. Leur odeur et leur saveur leur ont donné une place particulière parmi les plantes potagères et dans l'évolution de la culture humaine.

Les oignons ont toujours été considérés comme un aliment essentiel et chargés d'une signification symbolique et religieuse. Ils étaient cultivés dans les meilleurs champs et ils figurent sur des peintures et dans des tombes de personnages importants. On leur attribue cependant aussi des

Page ci-contre : Les oignons sont cultivés depuis des milliers d'années. Ils sont faciles à reconnaître avec leurs feuilles bleu-vert et leurs fleurs rondes.

À droite : Les cébettes et les oignons blancs de printemps, très appréciés dans la cuisine vietnamienne, sont toujours présents sur les marchés.

LES OIGNONS ET AUTRES ALLIUMS À TRAVERS L'HISTOIRE

Louangée ou critiquée, la famille des oignons est sur la sellette depuis les temps les plus reculés. À diverses périodes de l'histoire, ces plantes ont pris un sens symbolique et spirituel. Elles sont aussi considérées comme essentielles en phytothérapie et dans la médecine des chamans. La place de l'oignon dans le folklore, la littérature et même la peinture est importante et il existe peu de familles botaniques dont l'histoire est aussi chargée de sens.

Les origines de l'oignon demeurent inconnues. Cependant, il semble faire partie des premiers légumes cultivés. Selon les documents anciens, la culture des oignons commença il y a 5 000 ans, vers 3000 avant J.-C., en Asie Mineure, région de l'Asie centrale qui comprend aujourd'hui des pays comme l'Iran, le Pakistan et l'Afghanistan. Ces oignons

devaient être de proches parents des variétés cultivées actuelles.

L'ail est probablement apparu dans la même région et fut importé plus tard en Grèce et en Égypte. Un type d'ail (*Allium sativum*) pousse encore à l'état sauvage dans certaines parties de la Méditerranée, en particulier en Sicile. Selon l'historien culinaire Alan Davidson, l'échalote, également originaire d'Asie centrale, était connue et utilisée aux Indes avant d'avoir atteint le Moyen-Orient.

Les oignons étaient aussi cultivés en Chine vers 3000 avant J.-C. Il s'agissait probablement d'oignons « bunching » ou cébettes (variétés d'*Allium fistulosum*) plus que d'oignons à bulbes. De même les Chinois cultivaient des poireaux issus d'*Allium ramosum*, une variété différente des poireaux européens. Au cours de la dynastie Han (206 avant J.-C. à

221 après J.-C.), les oignons à bulbes (*Allium cepa*) et l'ail vrai (*Allium sativa*) furent introduits dans l'agriculture chinoise, probablement à partir de l'Inde. L'oignon à bulbe est toujours connu en chinois sous le nom de *hu-t'sung* ou « oignon étranger ».

Les oignons et l'ail sont mentionnés dans les premiers écrits védiques de l'Inde antique. Les documents des scribes sumériens (2400 avant J.-C.) relatent également que les oignons et les concombres du gouverneur de la ville étaient cultivés dans « les meilleurs champs des dieux ». La mention des divers alliums dans ces textes primitifs montre leur importance.

Les oignons et l'ail sont depuis des siècles et dans de nombreux pays, comme le Brésil, un ingrédient essentiel.

LES OIGNONS DANS L'ÉGYPTE ANTIQUE

Les oignons, l'ail et les poireaux étaient cultivés et consommés en grande quantité par les Égyptiens de l'Antiquité. Les oignons figurent de façon marquante dans la décoration et les hiéroglyphes de l'un des trésors laissés par les Égyptiens, les pyramides. Ils sont présents sur les murs des pyramides d'Ounas (vers 2423 avant J.-C.) et de Pepi II (vers 2200 avant J.-C.), ainsi que dans les orbites de la momie de Ramsès IV, qui mourut en 1160 avant J.-C.

L'historien grec Hérodote, en 450 avant notre ère, relatant ses voyages en Égypte, évoque une inscription des murs des pyramides relative au coût

Ci-dessous : Les ouvriers des pyramides recevaient des rations d'oignons, d'ail, de poireaux et de bière. Les alliums étaient censés donner de la force et protéger des maladies.

de ces prestigieux monuments. Parmi les articles mentionnés, se trouve la somme dépensée pour du « radis noir, des oignons rouges et de l'ail » destinés aux ouvriers de la pyramide de Gizeh.

Des siècles plus tard, en 1699, l'Anglais John Evelyn remarque dans son journal, *Acetaria*, « combien ce noble bulbe fut vénéré par les Égyptiens… et que pendant qu'ils bâtissaient les pyramides, 90 tonnes d'or furent dépensées pour cette racine destinée aux ouvriers ». Quand on leur supprima leur ration d'oignons et d'ail, les ouvriers, dit-on, se mirent en grève.

À droite : Les orbites, les aisselles et les cavités du corps de certaines momies égyptiennes contenaient des oignons, probablement utilisés pour leurs propriétés antiseptiques ou parce qu'ils étaient censés posséder des pouvoirs surnaturels.

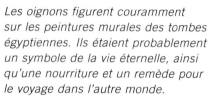

Les oignons figurent couramment sur les peintures murales des tombes égyptiennes. Ils étaient probablement un symbole de la vie éternelle, ainsi qu'une nourriture et un remède pour le voyage dans l'autre monde.

Les alliums avaient une signification très complexe pour les Égyptiens de l'Antiquité. Ces derniers mettaient des oignons dans les tombes, comme nourriture pour le voyage vers l'autre vie et comme symbole d'éternité, à cause de la structure en cercle du bulbe. Sur de nombreuses peintures, les oignons font partie du symbolisme religieux. Ils étaient également considérés comme de puissants antibiotiques et antiseptiques. Les ouvriers étaient nourris d'oignons, de poireaux et d'ail, pour leur donner les forces nécessaires à leur travail.

Les effets de l'oignon sur les odeurs corporelles avaient également une grande signification pour les Égyptiens qui les considéraient comme un signe de bonne santé et de fertilité chez les femmes. Certains prêtres, cependant, avaient l'interdiction de manger des alliums ou de sentir l'oignon ou l'ail.

La famille des oignons était aussi populaire chez les voisins des Égyptiens, les Hébreux. Dans la Bible (Nombres, ch. XI, v. 5), les Israélites menés dans le désert par Moïse se plaignent de la faim et se souviennent des « concombres, des melons, des poireaux, des oignons et des aulx » qu'ils mangeaient pendant leur captivité en Égypte.

L'association des alliums avec cette partie de la Méditerranée orientale resta marquée pendant des siècles. C'est pourquoi dans de nombreux pays européens, le nom de l'échalote (*Allium cepa*, groupe Aggregatum) a pour origine le port de l'ancienne Palestine, Ascalon, que l'on retrouve dans le vieux nom latin (*Allium ascalonicum*) donné par les Romains. Les premières échalotes importées à Rome venaient très probablement d'Ascalon et le

vocable est resté. Des siècles plus tard, l'oignon *Allium cepa*, groupe Proliferum, « *tree onion* » en anglais, garde encore son appellation d'origine d'« oignon égyptien ».

Les oignons et autres alliums sont mentionnés plusieurs fois dans la Bible. Le verset le plus connu, celui des Nombres (XI, 5), évoque les oignons, les poireaux et les aulx que les Israélites mangeaient avant leur fuite d'Égypte.

CHEZ LES GRECS ET LES ROMAINS

Les Grecs de l'Antiquité consommaient également des alliums. Hippocrate (vers 400 avant J.-C.), le père de la médecine moderne, parle des oignons, de l'ail et des poireaux cultivés dans les potagers ou récoltés à l'état sauvage. D'après Alan Davidson, historien de la cuisine, une partie du marché d'Athènes s'appelait *ta skoroda*, ce qui signifie « l'ail », démontrant ainsi l'importance du commerce des alliums pour les Athéniens. Les alliums sont même mentionnés dans l'*Odyssée* d'Homère.

Les Grecs prônaient également les vertus thérapeutiques de l'oignon pour restaurer la santé et la puissance sexuelle. Pour se préparer aux jeux, les athlètes mangeaient non seulement des oignons, mais se frottaient le corps de leur jus. Les soldats grecs mangeaient des oignons pour développer leur vigueur martiale et l'ennemi, disait-on, pouvait localiser l'armée grecque par la puissante odeur d'oignon qui précédait l'arrivée des troupes.

À Rome, le pain et les oignons formaient le régime courant des pauvres. À Pompéi, les archéologues ont trouvé dans la terre des jardins des cavités en forme d'oignon, comme le décrivait le naturaliste latin Pline l'Ancien (23-79) dans son *Historia Naturalis*.

L'oignon jouait un tel rôle dans l'alimentation des pauvres, à Rome, que les classes riches de l'élite le considéraient avec dédain. Les prêtresses de Cybèle, par exemple, refusaient l'entrée de leur temple de Rome à quiconque sentait l'ail. Pour le poète Horace, l'odeur de l'ail était la marque même de la vulgarité, « plus mortelle que la ciguë » disait-il, et Juvénal se moque des oignons en les appelant les « dieux de la cuisine ».

Les poireaux paraissent avoir été appréciés par toutes les couches de la société romaine, probablement parce qu'ils sont moins forts et plus inoffensifs pour l'haleine. De nombreuses recettes de poireaux figurent dans le *De Re Coquinaria* d'Apicius (25 av. J.-C.), livre de cuisine destiné à la classe moyenne. Les recettes montrent un grand amour des poireaux et à un moindre degré des oignons, avec toute une gamme de plats élaborés, dont les betteraves aux poireaux, sauce aux raisins secs, la sauce aux poireaux et poivre, et le ragoût de coings aux poireaux.

Comme les Grecs, les soldats romains étaient nourris d'oignons et d'ail. Ils importèrent l'oignon, l'ail et le poireau en Grande-Bretagne, en Allemagne et en Gaule.

L'empereur romain Néron avait pour surnom porrophagus ou « mangeur de poireaux », qu'il consommait en quantité pour conserver, croyait-il, sa belle voix de chanteur et d'orateur.

Le *De Re Coquinaria* contient peu de recettes d'ail cependant, ce dernier étant sans doute moins populaire dans la classe moyenne.

Les Romains non seulement cultivaient et cuisinaient les alliums, mais ils sont très probablement à l'origine de sa diffusion dans toutes les régions de l'Europe.

Les Romains aimaient les oignons et autres aulx, sans pour autant les vénérer comme les Égyptiens, dont le satiriste romain Juvénal (vers 60-140 après J.-C.) raille les croyances contradictoires :

L'Égypte se livre
à la superstition,
Comme chacun sait,
elle déifie des démons,
C'est un péché mortel
de manger un oignon,
Mais chaque gousse d'ail
possède un pouvoir divin.
C'est un pays pieux
aux belles maisons
Dont chaque jardin est gouverné
par les dieux.

LES ALLIUMS AU MOYEN ÂGE

Après que les Romains eurent introduit les alliums dans les autres pays d'Europe, ces légumes jouèrent bientôt un rôle important dans le régime alimentaire des Européens. Ils étaient très populaires au Moyen Âge, surtout chez les pauvres. Déjà avant l'introduction des variétés cultivées, les alliums sauvages, comme la rocambole (*Allium scordoprasum*) et l'*Allium ursinum*, étaient certainement récoltés et consommés. Les mots anglais *leek* (poireau) et *garlic* (ail) viennent de l'anglo-saxon *leac* (plante), et *garleac* (plante en forme de poire). En anglo-saxon, le poireau s'appelait *porleac* et l'oignon *ynioleac*. Quant à l'oignon, il tire son nom anglais (*onion*) du latin *unio*, en passant par le français oignon et l'anglo-normand *union*.

Alea.

G. nanne c. th. 9°. f. i. 7°. melius ex eo. modice acuitatis. ſuuamentum, toſſicis. nocumentum. expulſiue 7 cerebro. rimoiio nocumenti. cum acceſoſo et oleo.

Les alliums étaient très cultivés dans l'Angleterre médiévale, en particulier les poireaux, l'un des rares légumes à supporter sans protection un hiver normal. Le *Forme of Cury* (vers 1390), livre de cuisine écrit pour Richard II, présente une « *salat* » faite de « *persel, sawge, grene garlec, chibolles* [oignons gallois], *oynouns and leek* » assaisonnée d'huile et de vinaigre. Et le *porray* (de *porrum*, poireau en latin) était une soupe blanche faite avec des poireaux, des amandes et du riz.

Le commerce des alliums était important en Europe médiévale. Les oignons de Bretagne et l'ail de Picardie sont vendus sur les marchés de Londres dès le XIIIᵉ siècle.

À l'époque de Chaucer, à la fin du XIVᵉ siècle, il est évident que les poireaux sont devenus très communs. L'auteur utilise souvent l'expression « Ça ne vaut pas un poireau » pour qualifier un objet sans aucune valeur.

Les poireaux, plantes très robustes, pouvaient être cultivés dans les régions les plus froides, dont l'Écosse et le pays de Galles où ils sont même devenus le symbole de la vaillance celtique. La légende veut que les Gallois, quand ils vainquirent les Saxons en 640, portassent pour se reconnaître entre eux des poireaux sur leur chapeau. Il est probable qu'il s'agissait d'alliums sauvages, peut-être des rocamboles, et non de nos poireaux familiers. Mais à l'époque de Shakespeare, la tradition des poireaux arborés par les Gallois le jour de leur fête nationale (St David, le 1ᵉʳ mars), était bien établie. Dans la pièce *Henry V*, Pistol se moque du patriotisme gallois de Fluellen en lui promettant de lui « écraser son poireau sur le crâne le jour de la Saint-David ».

Les poireaux font toujours partie de l'identité nationale des Gallois. Ils forment un ingrédient essentiel de la *cawl*, soupe chaleureuse, ou du ragoût d'agneau aux poireaux qui peut être considéré comme le plat gallois traditionnel. Les concours

Les herbiers médiévaux attribuent des propriétés curatives et thérapeutiques à de nombreux membres de la famille des oignons.

Dans les Contes de Cantorbéry *de Chaucer, le personnage du Semoneur, vulgaire et paillard, est incarné par son amour de l'ail, des oignons et des poireaux.*

Les associations paillardes des oignons et des poireaux sont très anciennes en Angleterre. Cette devinette anglo-saxonne date d'avant la conquête normande de 1066 :

Je me dresse, grand et bien planté
Je suis fier dans la couche
Je suis chevelu dans le bas.
Quand la jolie paysanne...
Agrippe mon corps et me serre fort...
Je lui mets les larmes aux yeux.

Illustration tirée de la Flore Médicale *de Pierre Jean-François Turpin, montrant la structure d'un bulbe d'ail.*

de poireaux sont encore très prisés dans de nombreuses régions du sud du pays de Galles. Le jour de la Saint-David, la plupart de gens préfèrent cependant porter une jonquille moins odorante.

Si les oignons gardaient en Europe médiévale une place prépondérante comme aliment et comme remède, les préjugés romains concernant leur odeur et leur effet sur le caractère des individus existaient toujours.

Pendant tout le Moyen Âge, oignon fut synonyme de vulgarité. Pour les Égyptiens et les Grecs, les alliums augmentaient la vigueur et la fertilité et il n'y eut qu'un pas à franchir pour les associer à la licence et aux prouesses sexuelles. Au XIVe siècle, le Semoneur (huissier) paillard des *Contes de Cantorbéry* de Chaucer est ainsi décrit :

Il adore l'ail, les oignons et les poireaux
Et il boit du vin fort, aussi rouge que du sang.

De même, dans *Piers le Laboureur*, poème allégorique de William Langland datant du XIVe siècle, on offre à Gloutonnerie « une livre d'ail » pour l'inciter à entrer dans la taverne plutôt que dans l'église.

En France, les divers membres de la famille des oignons étaient aussi associés à la vigueur sexuelle. Henri IV, par exemple, aurait été baptisé à la gousse d'ail, ce qui pouvait expliquer sa prodigieuse puissance sexuelle et sa forte haleine.

Dans la philosophie de la fin du Moyen Âge, les bulbes comestibles tels que l'ail et l'oignon étaient considérés comme les moins nobles des plantes alimentaires. L'existence était structurée en une hiérarchie qui plaçait Dieu tout en haut et les objets inanimés, comme les plantes, tout en bas. Toute création se voyait attribuer un niveau hiérarchique, les bulbes étant placés au plus bas.

LA DISGRÂCE DES ALLIUMS

En dépit de leurs associations avec les pauvres, les vulgaires et les paillards, les oignons, l'ail et les poireaux restèrent populaires jusqu'au XVIIe siècle. On commença cependant à désapprouver la consommation de ces légumes crus, en la considérant comme un tabou social distinct, en particulier pour les femmes et les personnes de la bonne société.

Vers la fin du XVIIe siècle, le tabou devint plus sévère pour l'ail, le plus odorant des alliums. Ainsi John Evelyn, grand consommateur de légumes, écrivit en 1699 un traité sur les salades en guise de préface à son journal, *Acetaria*. Au sujet de l'ail, il écrit : « Nous en interdisons formellement l'entrée dans notre maison, en raison de son intolérable odeur qui le rend si haïssable… il n'est certainement pas fait pour les dames, ni pour ceux qui les courtisent. »

Ci-dessous : Dans certaines couches de la société, les oignons étaient un légume de pauvre, comme le montre cette scène d'une humble demeure, la Préparation du repas *par Bernard Lepicie.*

Ci-dessus : Vers la fin du XVIIe siècle, les alliums devinrent impopulaires dans les classes moyennes et furent associés aux pauvres et au vulgaire. Les oignons étaient encore utilisés dans la cuisine, mais rarement servis comme légumes à part entière.

Au cours des siècles suivants, l'ail est le plus souvent absent des livres de cuisine anglais, et bien que l'oignon continue à apparaître dans de très nombreux plats, il est rarement traité comme légume à part entière. Dans *L'Art de la Cuisine simple et facile* de Hannah Glasse (1747), l'oignon est conservé au vinaigre, cuit en tourte ou cuisiné en ragoût avec des concombres. L'ail cependant n'est pas mentionné. Le poireau est totalement oublié. Comme l'oignon et l'ail, il était associé aux paysans et considéré comme impropre pour les classes moyennes (auxquelles la plupart des livres de cuisine du XVIIIe et du XIXe siècle étaient destinés).

Isabella Beeton, pilier des cuisines du XIXᵉ siècle, résume l'opinion de ses contemporains sur les poireaux quand elle recommande de les faire bouillir très longtemps pour « ne pas gâter l'haleine ».

Dans toute l'Europe anglo-saxonne et dans une grande partie des États-Unis, le tabou social concernant les effets de l'oignon et de l'ail sur l'haleine et la transpiration a duré près de trois cents ans. On consommait sans doute encore des oignons, des poireaux et à un moindre degré de l'ail, mais leur odeur était considérée comme socialement impolie et une marque de mauvaise éducation. Dans d'autres pays, des tabous sociaux similaires s'attachaient à la consommation des oignons et autres alliums. Par exemple, au Japon, une haleine chargée d'ail ou d'oignon était traditionnellement perçue comme discourtoise et impolie. Le Japon est encore le seul pays d'Asie où l'ail est rarement utilisé en cuisine.

L'oignon et plus particulièrement l'ail ont toujours été accusés d'exciter les désirs sexuel et libidineux. Les prêtres égyptiens étaient « interdits d'ail » précisément parce qu'ils devaient rester célibataires. De nos jours, les brahmanes et les jaïnes du Cachemire n'ont pas le droit de manger des aliments à goût fort, en particulier l'oignon et l'ail, qui pourraient échauffer le sang et enflammer les désirs charnels. Certains bouddhistes chinois évitent les « cinq légumes à odeur forte » prohibés, pour les mêmes raisons.

Les textes sacrés hindous affirment que l'homme est ce qu'il mange et donne la liste des aliments permis. Les trois castes supérieures, brahmane, kshatrya et vaisya, doivent éviter de consommer des oignons et de l'ail. Le célèbre poème sanscrit *Mahabharata* conseille aux « gens honorables » de ne manger ni oignon ni ail.

Vers la fin du XVIIᵉ siècle, l'ail devint très impopulaire dans des pays comme l'Angleterre, mais en France, où l'ail était moins déconsidéré, les vendeurs d'ail et de laurier, comme celui-ci, réussissaient encore à gagner leur vie.

RÉHABILITATION DES ALLIUMS

Certains pays d'Europe du Nord gardèrent leur antipathie vis-à-vis de l'oignon et de l'ail, mais cette attitude dépendait beaucoup de la culture culinaire globale. Vers 1580, quand l'ambassadeur du Saint Empire romain germanique rendit visite à l'empereur byzantin Nicephoros II, son entourage fut, dit-on, épouvanté par la nourriture et par les effluves aillés de l'haleine de l'empereur. Pour ces Européens du Nord, une pareille consommation de légumes, dont force oignons et ail, avait quelque chose de scandaleux. Dans de nombreuses régions d'Europe du Nord, en particulier dans des pays relativement riches comme l'Angleterre, l'Allemagne et la Hollande, bonne nourriture était synonyme de viande.

Cependant, de nombreuses cultures, particulièrement méditerranéennes, ne cessèrent jamais d'apprécier la famille des oignons. C'est pour cette raison que les civilisations de la Méditerranée furent considérées pendant des siècles, comme gastronomiquement incultes.

En France en particulier, l'oignon, l'ail et l'échalote, en fait toute la tribu allium, restèrent extrêmement populaires dans toutes les classes de la société. La Bretagne, connue au xxe siècle pour ses vendeurs d'oignons à bicyclette, et tout l'Ouest étaient réputés pour leur cuisine à l'oignon et à l'ail.

En France, le commerce des oignons et de l'ail fut précoce, les oignons bretons étant importés à Londres dès le xiiie siècle. Le négoce continua jusque vers le milieu du xxe siècle et les vendeurs d'oignons sillonnaient le sud de l'Angleterre à bicyclette en vendant leurs tresses d'oignons et d'ail. Lindsay Bareham, auteur culinaire, nous apprend que le dernier de ces vendeurs d'oignons travaillait encore dans les années 1990.

Les oignons et l'ail faisaient et font toujours partie intégrante de la cuisine provinciale et paysanne française. Des fêtes de l'ail, comme la foire à l'ail et au basilic de Tours, tenue le 26 juillet pour la Sainte-Anne, sont organisées dans toute la France, généralement après la récolte de l'ail nouveau. Même au xviiie et au xixe siècle, alors que les alliums étaient en disgrâce en Angleterre, les oignons furent toujours fêtés en France. Selon John Ayto, historien de la cuisine, la sauce soubise classique fut nommée d'après le général Charles de Rohan, prince de Soubise, montrant ainsi que l'aristocratie ne ressentait aucune honte à être associée à des oignons.

Dans un Paris précieux, les oignons et l'ail eurent des hauts et des bas, mais vers le début du xixe siècle, ils étaient de rigueur dans la société élégante. Le poète Shelley, relatant un voyage à Paris, semble délicieusement choqué de leur

Au début du xixe siècle, les oignons et l'ail étaient fort à la mode dans la société parisienne.

statut « mondain » : « Saviez-vous cela ? Les jeunes femmes de la société mangent, vous ne devineriez jamais quoi, de l'ail ! »

En Espagne, les oignons n'étaient pas moins appréciés, malgré la réprobation de certains éléments de la société. Selon un vieux proverbe d'Andalousie, « *Olla sin cebolla, es baile sin tamborin* » (un ragoût sans oignons est comme une danse sans musique). En Catalogne, la nouvelle récolte des gros oignons verts de printemps (ciboules), les *calçots*, est

Les oignons aux États-Unis

Christophe Colomb introduisit les oignons et l'ail en Amérique du Nord et les Espagnols en Amérique centrale et du Sud. Mais de nombreuses variétés d'oignons, de poireaux et d'aulx poussaient à l'état sauvage en Amérique du Nord et étaient utilisées par les Amérindiens pour la cuisine et la médecine. Chicago tire son nom du nom indien *illinois Chicagoua*, signifiant « l'endroit qui sent l'oignon », Chicagoua étant sans doute une forme d'ail sauvage (*Allium tricoccum*). Ces espèces et d'autres oignons sauvages, comme par exemple *Allium cernuum* et *Allium canadense*, poussent encore dans toute l'Amérique du Nord. Le Père Marquette, jésuite français, explorateur et missionnaire qui campa sur les rives du lac Michigan en l'an 1670, raconte qu'il fut sauvé de la famine grâce aux diverses espèces d'oignons et d'ail sauvages qui poussaient aux alentours. Ces plantes furent appréciées par les générations suivantes d'Américains et au début du xxe siècle, il existait de nombreuses cultures d'oignons, surtout des oignons doux d'été, à haute teneur en eau et en sucre, et des oignons moins riches en soufre et donc moins odorants.

célébrée par une fête appelée la *calçotada*. La *calçotada* consiste en une quantité d'oignons verts grillés sur du charbon de bois puis servis avec de la *salsa romesco*, faite de piments de noix et d'ail.

Malgré la popularité des alliums dans ces pays, ces légumes odorants furent longs à retrouver la faveur des Anglais. Les oignons, les échalotes et même les poireaux mais plus particulièrement l'ail, restèrent fort peu populaires et furent associés à la « cuisine étrangère ». En 1861, Isabella Beeton, dans son célèbre *Book of Household Management*, écrit ces quelques commentaires sur l'ail : « Nos ancêtres l'appréciaient plus que

nous-mêmes… sur le Continent, surtout en Italie, il est très utilisé et les Français le considèrent comme essentiel à de nombreux plats ». Mrs Beeton ne donne qu'un plat comportant de l'ail, une recette bengali de chutney chaud de mangue, illustrant ainsi l'influence de la cuisine indienne sur la cuisine anglaise.

Pourquoi les alliums restent-ils si populaires dans certaines cultures mais s'attirent-ils un tel opprobre dans d'autres pays ? La réponse réside dans la nature même de la cuisine des différentes cultures. En Europe du Nord, particulièrement en Angleterre, et en Amérique du Nord, la cuisine

Pendant la dernière guerre, les oignons étaient rares en Angleterre et les poireaux devinrent encore plus importants.

régionale et rurale perdit du terrain en face d'une industrialisation toujours grandissante, avec l'exode des paysans vers les grandes villes, en quête de travail. En revanche, ces traditions restèrent ancrées dans tous les pays méditerranéens et eurent une grande influence sur la cuisine des classes moyennes. En Grande-Bretagne, la cuisine fut réellement coupée de ses attaches rurales et paysannes et remplacée par le style de cuisine « *genteel* » des classes moyennes, ironiquement influencé par des notions de « haute cuisine » française.

À la fin du XXe siècle, le régime méditerranéen à base de légumes, dont une quantité d'oignons et autres alliums, fut prôné en Grande-Bretagne et aux États-Unis pour ses effets bénéfiques sur la santé. Ce régime est celui de nombreuses régions pauvres d'Europe où les oignons ont toujours été un condiment apprécié.

Les vendeurs d'oignons français, comme dans cette peinture de Stanhope Alexander Forbes, étaient un spectacle courant dans les villes anglaises.

LES ALLIUMS DEPUIS LE SIÈCLE DERNIER

Si l'on excepte quelques tabous sociaux et religieux bien ancrés, la famille des oignons fut peu à peu réhabilitée au cours du siècle dernier. Aux États-Unis et en Australie notamment, l'afflux massif d'immigrants de cultures amateurs d'ail (Grecs, Italiens, Espagnols), eut une forte influence. En Grande-Bretagne, la vogue des « curries » indiens, surtout après la Seconde Guerre mondiale, joua également un rôle important.

Les cuisines italienne et grecque, à base d'oignon et d'ail, devinrent à la mode dans les années 1960. Elizabeth David, auteur culinaire, dont les livres sur la cuisine méditerranéenne et française furent publiés à cette époque, contribua fortement à briser le tabou social envers l'ail.

Quelques voix s'étaient élevées dès le début du siècle, comme celles de Miss Olga Hartley et Mrs C.F. Leyel dans *The Gentle Art of Cookery* (1925), qui comprend un chapitre entier sur les oignons, avec des soupes, des oignons farcis et une recette alsacienne de gâteau aux oignons. Mrs Leyel fut la fondatrice des herboristeries Culpepper, la présidente de la Société des herboristes, mais aussi et surtout une cuisinière et une voyageuse audacieuse. Elle cite l'ail comme ingrédient essentiel dans son « Alchemist's Storecupboard ». En 1933, l'auteur culinaire Ambrose Heath écrivit son *Livre de l'Oignon*, consacré entièrement à des recettes contenant des oignons comme principal ingrédient. Mais ces voix restèrent isolées.

L'appréhension des classes moyennes envers l'oignon et l'ail commença peu à peu à faiblir. Vers 1960-1970, l'usage

Les oignons ont longtemps été associés à la… bicyclette, depuis que les marchands traditionnels d'oignons et d'ail parcourent les chemins, en vendant leurs produits.

l'odeur d'ail ou d'oignon de l'haleine posait moins de problèmes qu'au cours des siècles précédents.

Aujourd'hui, oignons, ail et poireaux n'ont jamais été aussi populaires. Des fêtes de l'ail et de l'oignon se tiennent en des lieux aussi éloignés que l'île de Wight en Angleterre et Gilroy, en Californie. De nouvelles variétés sont constamment créées, la récolte ayant lieu toute l'année. Certains restaurants offrent des menus entièrement à base d'ail, avec des nouveautés originales comme la glace à l'ail. Des milliers de sites Internet ont été créés sur tous les membres de la famille oignon.

Les vertus médicinales des alliums sont explorées par les scientifiques. Aujourd'hui, la famille oignon est peut-être plus populaire et plus considérée qu'à tout autre moment de sa longue et complexe histoire.

Ci-dessus : Les maraîchers spécialisés dans la vente des aulx, échalotes et oignons, sont un spectacle familier des marchés français et italiens.

À droite : Ces immenses tresses d'ail vendues sur le marché de Korla dans la province de Kinjiang, en Chine, montrent la popularité et l'importance de cet allium dans la cuisine chinoise.

de l'ail en cuisine devint une marque d'élégance et de mode culinaires. Le célèbre « dîner à l'ail », cuisiné en 1976 par le chef américain Alice Waters dans son restaurant de Berkeley, Chez Panisse, fut le début d'un extraordinaire renouveau de l'ail dans la culture culinaire américaine et eut une grande influence sur le développement de la production californienne de l'ail.

Alors que le tabou était apparu au cours du XVIIIe siècle parmi les classes moyennes, comme un moyen de se distinguer des classes ouvrières, ce furent ces mêmes classes moyennes qui commencèrent au XXe siècle à utiliser l'ail comme marque de leur distinction sociale et de leurs voyages. Il est certain, comme le remarque l'auteur culinaire Jane Grigson, que les critères d'hygiène augmentèrent au XXe siècle et que

MYTHES, FOLKLORE ET MÉDECINE

Au cours de leur longue histoire, les alliums – et l'ail en particulier – ont été investis de toutes sortes de pouvoirs spéciaux, et de nombreux mythes et tabous se sont construits autour d'eux. Les puissantes vertus médicinales des alliums en sont probablement la raison.

MYTHES ET FOLKLORE DES ALLIUMS

Les alliums ont toujours été utilisés par les prêtres, chamans et guérisseurs et il était inévitable qu'ils fussent investis de pouvoirs magiques. Les Égyptiens de l'Antiquité connaissaient les propriétés curatives de l'oignon et, à cause de sa structure, le considéraient comme un symbole d'éternité. Pour les Égyptiens, l'oignon non seulement guérissait les maladies, mais il reproduisait le cycle de la vie. Devenu symbole de fertilité, il était placé dans les tombes pour assurer aux âmes une vie fertile dans l'au-delà, utilisé pour assurer la fertilité féminine, et interdit aux prêtres qu'il aurait incité à pratiquer l'acte de procréation.

Pour les Grecs également, les alliums avaient un sens sacré, lié à l'au-delà. Théophraste rappelle que l'ail doit être placé sur le côté de la route, aux carrefours, pour apaiser Hécate, déesse de la magie et des enchantements. Cette pratique se perpétua jusqu'au XIe siècle après J.-C., lorsque l'Église chrétienne y mit fin. Dans l'*Odyssée* d'Homère, le pouvoir de l'oignon (probablement *Allium moly*) permet au héros d'entrer dans l'antre de Circé. Un mythe des Musulmans turcs raconte que lorsque le démon fut chassé du Paradis et tomba sur la terre, l'ail jaillit à l'emplacement où il posa son pied gauche et l'oignon son pied droit. Une légende indienne sur les origines de l'ail relate que ce dernier sortit de l'endroit où tomba le sang du roi Rahu, quand celui-ci fut décapité par le dieu Vishnu, pour avoir dérobé l'élixir de vie. Aujourd'hui encore, les disciples de Vishnu refusent de manger des alliums.

Depuis des temps immémoriaux, les oignons ont toujours eu une connotation souterraine et diabolique, mais ils évoquent également le triomphe de la vie sur la mort.

Les nombreux membres de la famille des oignons, dont l'ail, le poireau, l'échalote et la ciboulette, contiennent tous de l'allicine, composé volatil qui possède des propriétés bactéricides et fongicides naturelles.

Le diable, présent dans la saveur piquante des oignons, était censé inciter les hommes à la débauche et aux plaisirs de la chair. Constamment au Moyen Âge, on associe les oignons, l'alcool et l'incontinence sexuelle. Comme l'écrit Thomas Nashe dans son livre *The Unfortunate Traveller* (1594), « s'il mange de l'ail, l'homme cille, boit et pue ». Cette attitude persista après l'époque médiévale, dans des cultures aussi disparates que celles de la Chine impériale, l'Inde des castes et l'Angleterre du XIXe siècle.

Toutes ces croyances fusionnèrent dans le mythe le plus célèbre de la famille des alliums, celui du vampire. Ce mythe vit le jour au XVIe siècle en Europe centrale et orientale mais culmina à la fin du XIXe siècle dans le classique de Bram Stoker, *Dracula*.

Dans les districts ruraux, on accrochait souvent des tresses d'ail, comme celle présentée par ce vendeur d'ail, à l'entrée de la maison ou sur le berceau des enfants pour éloigner le mauvais sort.

Dans le mythe du vampire, l'ail éloigne le mal et protège les victimes potentielles contre les morts-vivants. En Roumanie, l'ail enfermé dans des amulettes était censé protéger contre le mauvais sort. Dans le *Dracula* de Stoker, le seuil, les fenêtres et l'âtre sont frottés d'ail pour empêcher le vampire d'entrer dans la chambre de sa victime. Les paysans offrent aussi de l'ail au héros pour le protéger, quand il se rend au château du comte Dracula.

Au XIXe et au XXe siècle, l'histoire se transforme en allégorie sexuelle : les vierges peuvent protéger leur vertu avec de l'ail, leur forte haleine éloignant alors tout amoureux potentiel. Le mythe de Dracula rassemble en fait toutes les qualités conférées à la « rose puante » à travers l'histoire. On y trouve des associations avec le monde des morts, la sexualité et le désir, la force de vie de l'ail face à la mort, et même son pouvoir de combattre les infections en tant qu'antibiotique naturel.

LES ALLIUMS EN MÉDECINE

Les composés chimiques qui créent l'allicine, laquelle donne à tous les oignons leur odeur caractéristique, sont aussi à l'origine de leurs remarquables vertus médicinales et curatives. Ces composés soufrés, présents dans tous les alliums, sont volatils et par conséquent se manifestent chaque fois qu'une partie de la plante est coupée ou cassée. Si les parois de la cellule sont endommagées et exposées à l'air, les composés sont convertis par l'action des enzymes en allicine dont l'action est antibactérienne et fongicide. Parmi les alliums culinaires courants, l'ail, avec sa faible teneur en eau, contient la plus haute concentration de composés soufrés (1 à 2 %), ce qui lui donne une grande valeur médicinale.

À travers l'histoire, les vertus salutaires de tous les alliums, et en particulier de l'ail, ont été reconnues par de nombreux auteurs et cultures, surtout en médecine populaire et en phytothérapie. L'ail était tellement prisé comme plante médicinale que Galien, le médecin grec du IIe siècle, l'étiqueta comme « la thériaque du pauvre »,

Le Codex Eber, le Livre des Morts égyptien, conseille l'ail comme remède pour divers problèmes de santé.

une véritable panacée. Pendant de nombreux siècles en effet, l'ail fut utilisé pour traiter toutes sortes de maux.

Premiers usages médicaux

Les plus anciens documents à mentionner l'usage médical des alliums sont les textes védiques de l'Inde, vieux de 5 000 ans. L'ail y est conseillé pour traiter les désordres digestifs, les affections de la gorge et des bronches et même la typhoïde. En Égypte, le Codex Eber, le *Livre des morts*, est un ouvrage médical de remèdes datant de 1550 avant J.-C. environ. L'ail y est à nouveau mentionné pour traiter de nombreux désordres, des maux de tête aux douleurs de l'enfantement. Au cours de la période classique et médiévale, les auteurs ne cessèrent d'exalter les propriétés curatives des alliums, en particulier pour les problèmes de poitrine et de bronches, les vers, les désordres intestinaux, les ennuis de vessie et l'absence de libido. Les alliums étaient également utilisés pour traiter les plaies ouvertes, pour éviter que les morsures d'animaux ne s'infectent et pour guérir les rhumes, les migraines, les hémorroïdes, les coups de soleil et même la lèpre.

Le père de la médecine moderne, le Grec Hippocrate (vers 400 av. J.-C.), conseillait déjà l'ail pour les blessures et les maux de dents. Dioscoride, le médecin grec qui suivit l'armée romaine (laquelle était nourrie d'oignons, de poireaux et d'ail) au Ier siècle apr. J.-C., l'utilise contre le ténia et les morsures de serpent. Il était également convaincu que l'ail pouvait aider à nettoyer les artères et à guérir la toux. Le naturaliste et écrivain latin Pline l'Ancien (23-79), dans son *Historia Naturalis*, donne quant à lui plus de soixante remèdes à base d'ail, dont des préparations pour les morsures d'animaux sauvages et le manque de libido. Ce dernier problème est d'ailleurs un thème récurrent dans l'usage de l'ail, lié à la théorie affirmant que tous les alliums excitent les appétits charnels.

À droite : Ancienne illustration d'ail (Allium sativum) *montrant les fleurs et le bulbe mûr.*

Ci-dessous : Hippocrate, le père de la médecine moderne, louait les vertus curatives de l'ail et le recommandait pour guérir un grand nombre de maux divers.

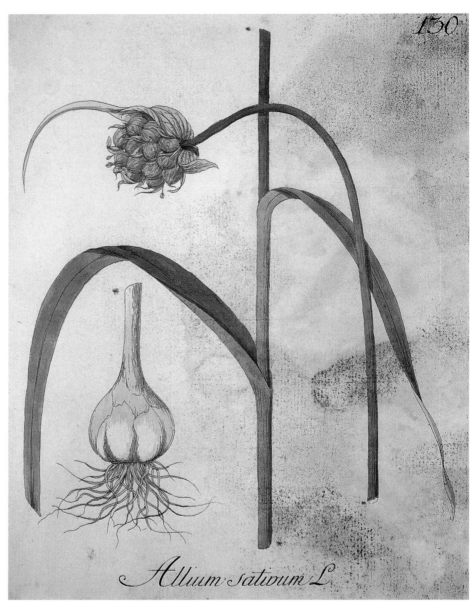

Allium sativum L.

La médecine depuis le Moyen Âge

Les théories soutenues par les Grecs survécurent jusqu'au Moyen Âge. L'herbier français du XIVe siècle, *Les Quatre saisons de la Maison de Cerruti*, affirme que l'oignon blanc favorise la lactation chez les jeunes mères et assure une « semence virile » chez les hommes. L'herbier considère également l'ail comme un aphrodisiaque reconnu. L'historien de la nourriture John Ayto cite le *Dietary of Helthe* d'Andrew Boorde (1542) lequel soutient que « les oignons encouragent l'acte sexuel chez l'homme », tout comme l'avait fait Pline quelques siècles auparavant.

La pensée et la pratique médicales furent gouvernées pendant tout le Moyen Âge par la théorie des humeurs, qui expliquait l'interaction des hommes et du monde naturel. Les humeurs étaient les quatre fluides corporels, le sang, la bile, la lymphe et la pituite, censés déterminer le caractère et la santé physique. Les quatre éléments, feu, eau, air et terre, avaient aussi des qualités caractéristiques, chaud, humide, froid et sec, respectivement. Toute chose vivante, plante, animal, être humain, était gouvernée par l'un ou plusieurs de ces éléments et présentait une de ces qualités ou un mélange d'entre elles.

Les oignons étaient considérés comme chauds et humides et censés gouverner le sang, l'humeur de la personne sanguine. L'ail était plus chaud et plus sec et conseillé pour traiter la personne froide et humide. Dans sa traduction du XIIIe siècle de *De Proprietatibus Rerum*, John Trevisa écrit de l'ail : « Si les hommes colériques en mangent trop, il échauffera leur corps… et causera folie et frénésie », mais plus tard, il admet son usage : « et l'ail atténue également les douleurs des règles ». En 1699, John Evelyn, dans son *Acetaria*, observe que l'ail est « sec jusqu'à l'excès… et plus approprié à nos paysans du Nord, surtout pour ceux qui vivent dans des lieux humides. Alors que le poireau est chaud et de vertu fertile… les Gallois, qui en mangent beaucoup, sont très prolifiques ». Dans la théorie des humeurs, la fertilité d'une plante était censée refléter son effet bénéfique sur la fertilité humaine.

D'autres cultures développèrent des systèmes visant à classifier le monde naturel et la nourriture. En Chine, les alliums étaient yang dans l'équilibre yin-yang. Les aliments yang étant mâles, secs et chauds, l'ail fut considéré pendant la dynastie T'ang (618-907), comme tonique et chauffant le sang. Et la classification iranienne « Araqi » place l'ail parmi les aliments les plus chauds.

Les alliums, et surtout l'ail, sont régulièrement mentionnés pour traiter les blessures ouvertes, les morsures de serpents venimeux et d'animaux sauvages ou encore pour nettoyer le sang. Trevisa écrit au XIIIe siècle que l'ail

Ci-dessus : Nicholas Culpepper, l'apothicaire du XVIIe siècle, vanta les vertus curatives des oignons et autres alliums dans son herbier populaire, The English Physician.

possède « de nombreuses vertus… pour chasser le venin et toutes les choses venimeuses ». Thomas Tusser, qui écrivit au XVIe siècle des recueils de conseils pour les fermiers en vers populaires, assure que « maintenant les poireaux sont en saison, pour faire un bon potage et purger le sang ». Nicholas Culpepper, dans son célèbre herbier du XVIIe siècle, remarque que l'oignon « provoque l'urine et les règles des femmes, soulage la morsure des chiens et autres créatures venimeuses… il tue les vers ».

En Amérique pré-coloniale, les Amérindiens neutralisaient les morsures de serpents et guérissaient les plaies avec des oignons sauvages rôtis et du miel. Pendant la Première Guerre mondiale (1914-1918), les Anglais utilisèrent encore l'ail comme antiseptique. L'ail était écrasé pour en exprimer le jus, lequel était ensuite appliqué sur des compresses posées sur les blessures ouvertes, pour arrêter le saignement et empêcher la plaie de s'infecter.

Cette illustration médiévale montre la récolte et la mise en bottes de l'ail, plante qui, croyait-on, pouvait soigner les atrabilaires.

Les alliums comme remède préventif

En général, les oignons et l'ail sont considérés comme des remèdes préventifs agissant comme tonique contre l'infection et comme « vaccin ». Ils sont mentionnés comme préventifs de la peste par exemple, en France comme en Angleterre. En raison de leurs propriétés prophylactiques, les alliums furent plus souvent utilisés comme talismans pour éloigner la maladie, que comme remèdes à absorber ou à frotter sur le corps.

Le Codex Eber égyptien recommande ainsi de porter de l'ail en collier pour se débarrasser du ténia. Les mères grecques et macédoniennes accrochaient de l'ail autour du cou de leurs bébés ou sur les berceaux pour éloigner la maladie. Dans la Chine antique, les oignons, l'ail et les ciboules faisaient partie des « cinq aliments à odeur forte » (*wu han*) et étaient accrochés sur le seuil avec des cordes rouges, pour protéger la maison des maladies. John Evelyn (1699)

considérait l'ail comme « un charme contre toutes les infections et tous les poisons », même s'il n'en mettait pas dans ses salades. Les Amérindiens affirmaient quant à eux que des oignons sauvages portés autour du cou éloignaient rhumes et bronchite. Et surtout, bien sûr, une guirlande d'ail était censée repousser les attaques des vampires. Même au Japon, pays pourtant allergique à l'ail, dans la ville de Tsukuba-Khinoya, au nord, il existe un festival annuel de l'oignon qui remonte à plus de 1 000 ans (période de Heian), où l'on accroche de l'ail à l'entrée de la maison pour empêcher la maladie de traverser le seuil durant l'année à venir.

Les alliums dans l'alimentation moderne

Pour beaucoup d'auteurs contemporains, la famille des oignons, l'ail en particulier, devrait jouer un rôle essentiel dans notre alimentation. Les alliums favorisent la digestion, équilibrent la pression artérielle et renforcent les défenses immunitaires. De récentes recherches semblent confirmer en grande partie le savoir des anciens herboristes.

À gauche : Avec l'intérêt grandissant pour la valeur nutritive des aliments, les légumes biologiques comme ces poireaux deviennent de plus en plus populaires.

Ci-dessous : Parmi tous les membres de la famille oignon, l'ail est particulièrement renommé pour ses vertus thérapeutiques.

On a pu établir le lien entre l'ail et la prévention du cancer. Une petite quantité d'ail chaque jour pourrait aider à renforcer le système immunitaire.

Il est certain que l'ail fait baisser la pression artérielle, aide à réduire le taux de cholestérol LDL (le « mauvais » cholestérol) et peut empêcher l'accumulation de cholestérol dans les artères. L'ail cru a toujours été considéré comme un excellent antibiotique. Bien que l'ail ne soit pas aussi puissant que nos antibiotiques modernes, la façon dont il agit est si différente qu'il peut tuer des souches de bactéries devenues résistantes à ces antibiotiques. L'ail et l'oignon ont généralement de bonnes propriétés fongicides et antivirales et ils jouent un rôle important dans le maintien de la flore intestinale.

Des recherches en cours étudient le lien entre ail et cancer. L'ail est certainement un antioxydant et contient du sélénium, connu pour renforcer les défenses du corps contre le cancer. Différents tests cliniques ont aussi montré que l'ail réduit la taille de certaines tumeurs chez les animaux ou les empêche de grossir. Une seule gousse d'ail par jour suffirait pour aider à maintenir une bonne santé et à renforcer le système immunitaire. L'ail peut aussi fluidifier le sang et prévenir la formation de caillots.

Médecine d'autrefois, remèdes de bonne femme

• Pour vous débarrasser d'un cor, posez une tranche d'ail sur le cor, maintenez par une bande, remplacez chaque jour jusqu'à ce que le cor tombe de lui-même.

• Le sirop fait avec de l'ail macéré dans du vinaigre et du miel est bon pour l'asthme, la toux et les problèmes de bronches en général.

• Pour adoucir une toux sèche et douloureuse, prenez une cuillerée de miel mélangée avec un peu d'oignon ou d'ail cru écrasé.

• Pour guérir une oreille douloureuse, appliquez un oignon rôti sur l'oreille ; le remède servait aussi pour les clous.

• Tous les oignons sont efficaces pour débarrasser le jardin des taupes. Mettez de l'oignon coupé ou de l'ail pelé dans leurs trous.

• L'ail haché, maintenu par une bande sur la plante des pieds et renouvelé quotidiennement, était censé guérir la variole et même la lèpre.

• L'ail coupé frotté sur les lèvres les empêche de brûler au soleil.

• Mélangé à du saindoux et appliqué sur la poitrine ou le dos comme cataplasme, l'ail guérit la coqueluche et autres maladies de poitrine.

• L'oignon coupé élimine les odeurs fortes d'une pièce, comme la peinture.

• Une croyance irlandaise veut que l'ail planté le Vendredi saint protège de la fièvre pendant l'année à venir.

• Un oignon coupé est censé attirer les microbes présents dans l'air et tuer toutes les bactéries « aéroportées ».

• Contre la calvitie, frottez le jus d'un oignon coupé mélangé avec du miel sur la partie chauve jusqu'à ce que la peau rougisse, et attendez.

LE MONDE DES OIGNONS

Bien que nous ayons tendance à croire que les oignons se ressemblent tous, il en existe

de nombreuses variétés, couleurs et tailles. Certains seront meilleurs rôtis, d'autres frits,

il en est de délicieux cuits entiers, d'autres encore seront plutôt hachés, émincés et mangés crus.

Il en est de même pour les autres membres de la famille oignon, en particulier les échalotes,

l'ail et les poireaux. Ce chapitre vous aidera à identifier les principales variétés

d'alliums comestibles et vous guidera pour les utiliser au mieux dans la cuisine.

LA FAMILLE DES ALLIUMS (LILIACÉES)

Il existe plus de 300 espèces distinctes dans la famille des alliums, dont beaucoup sont utilisées comme plantes alimentaires. Pour des fins culinaires, les plus connues sont l'oignon (*Allium cepa*), l'échalote (*Allium cepa*, groupe Aggregatum), le poireau (*Allium ampeloprasum* var. *porrum*), la ciboule (*Allium fistulosum* et *Allium cepa*), l'ail (*Allium sativum*) et enfin les diverses ciboulettes (*Allium schoenoprasum* et *Allium tuberosum*).

Les oignons, les échalotes, les poireaux et l'ail ne sont guère connus que sous leur forme cultivée. Mais de nombreuses formes sauvages d'alliums comestibles existent encore autour du monde, ainsi que des variétés purement ornementales.

La seule caractéristique qui relie tous les membres de la famille des alliums est leur odeur particulière. Les alliums contiennent des composés chimiques, les alliines. Quand une plante est cassée ou endommagée, les alliines commencent aussitôt à se transformer en composés sulfurés, les allicines, qui produisent l'odeur et la saveur instantanément reconnaissables. Ce sont ces composés volatils qui font pleurer quand nous épluchons des oignons. Si vous vous promenez dans un bois tapissé d'ail sauvage (*Allium ursinum*) à la fin du printemps, leur odeur piquante est presque insupportable.

Mettez un bouquet de ciboulette aillée au réfrigérateur et vous vous apercevrez quelques heures plus tard que les œufs, le lait et le beurre ont pris leur odeur. Les oignons sont d'excellents condiments et il n'est pas surprenant qu'ils aient été utilisés par les cuisinières d'innombrables générations.

ALLIUMS SAUVAGES

Ail des bois, ail des ours (*Allium ursinum*). C'est l'un des ails sauvages les plus courants qui pousse dans toute l'Europe, dans les endroits humides, ombragés. Il forme de larges feuilles vert vif et des bouquets de fleurs blanches à la fin du printemps. La plante entière est très odorante et parfume le lait des chèvres ou des vaches qui le broutent. On donnait autrefois de l'ail des ours aux poules, comme tonique printanier et pour les inciter à pondre. Les feuilles pourront envelopper du poisson avant de le faire griller sur du charbon de bois. Les fleurs sont bonnes dans les salades et les jeunes feuilles, ciselées dans les omelettes ou le riz, remédiaient à la pénurie des oignons pendant la Seconde Guerre mondiale. L'ail d'ours (*ramson* en anglais) a laissé sa marque sur plusieurs noms de lieux anglais, comme Ramsbottom dans le Lancashire et Ramsey, dans l'île de Man.

Rocambole *Allium scorodoprasum* et *Allium sativum* var. *ophioscorodon* s'appellent tous deux rocambole. Le premier pousse dans les sols sableux, le second est une forme d'ail. Tous deux ont des tiges enroulées ou tordues et poussent partout en Europe. Ils ont une saveur douce et agréable, et étaient autrefois très populaires dans les salades et pour parfumer le fromage. John Evelyn, auteur et jardinier du XVIIe siècle qui n'aimait pas l'ail, pensait que la rocambole était plus acceptable socialement : « une gousse ou deux de roccombo d'une nature plus douce et délicate, qui en frottant le saladier, confère plaisamment sa vertu » (*Acetaria*).

La rocambole aux fleurs roses offre une saveur douce et aillée, appréciée depuis des siècles par les cuisinières.

Poireau babbington ou kurrat (*Allium ampeloprasum* var. *babbingtonii* ou *Allium ampeloprasum* var. *kurrat*). Apparenté à l'ail (ou poireau) des vignes (*Allium ampeloprasum*), il est cultivé au Proche-Orient pour ses feuilles étroites. Le bulbe coupé peut être utilisé comme version douce de l'ail. **Les autres alliums sauvages** utilisés autrefois dans la cuisine sont l'*Allium vineale* en Europe ; *A. canadense*, *A. tricconum* et *A. cernum* en Amérique.

Les fleurs de l'ail sauvage tapissent les bois, en Europe au printemps.

OIGNONS

Ce sont tous des variétés d'*Allium cepa*. Les oignons sont cultivés pour leur bulbe, formé de couches de feuilles charnues et renflées, la tige étant la petite épaisseur de tissus durs dans le haut du bulbe. L'oignon, probablement originaire d'Asie occidentale et centrale, de la région qui s'étend d'Israël à l'Inde, est cultivé depuis les temps les plus reculés. Il est probable que les diverses sortes d'oignons furent d'abord cultivées au Moyen et au Proche-Orient.

Les usages des oignons en cuisine sont innombrables. Utilisés dans les plats salés de presque tous les pays, ils sont frits, bouillis, rôtis, cuits au four, farcis et grillés. Il en existe de nombreuses variétés classées, pour l'usage culinaire, selon la taille, la forme et la couleur.

Oignons jaunes

Ce sont les plus courants. Ils offrent une peau brun clair et une chair blanc-vert ou jaune pâle. Il existe différentes variétés du type de base, mais ils sont communément appelés oignons jaunes d'Espagne, quelle que soit leur origine. Aux États-Unis, Bermuda est le nom générique de cette sorte de gros oignons doux. Pour la cuisine, les oignons d'Espagne sont gros, ronds et doux. Les oignons bruns à peau cuivrée épaisse et les oignons français généralement plus forts sont d'autres types d'oignons jaunes. De manière générale, plus l'oignon est jeune et vert,

Les gros oignons jaunes sont généralement assez doux.

plus il est piquant. Plusieurs variétés d'oignons jaunes sont appréciées pour la douceur sucrée de leur chair, comme le Vidalia des États du nord-ouest de l'Amérique et le Maui d'Hawaï. Le Walla Walla, du nom de la ville de l'État de Washington où il fut cultivé pour la première fois, fut introduit aux États-Unis au début du XXe siècle par des immigrants corses. La plupart des oignons de l'hémisphère Nord produisent en automne, avec un semis de printemps, mais quelques variétés sont cependant cultivées de manière à passer l'hiver en terre après un semis d'automne, avec une récolte en été. Parmi ces dernières, les variétés japonaises sont les plus connues en Europe. Le Vidalia est un oignon à récolte estivale en Amérique.

Les oignons bruns se caractérisent par une peau cuivrée épaisse.

Les oignons français sont souvent plus forts et plus piquants que les oignons d'Espagne.

Utilisations en cuisine Les oignons jaunes conviennent à la plupart des usages culinaires. Les gros oignons ronds seront cuits au four, farcis ou coupés en anneaux. On les trouve parfois trop forts pour être mangés crus, mais ils sont pourtant délicieux dans une salade de pommes de terre ou dans les plats de poisson mariné, comme le ceviche et les harengs marinés.

Les oignons rouges, à la pelure d'un beau rouge pourpre, ont une chair douce et sucrée qui agrémente à merveille les salades.

Oignons rouges

Comme pour les oignons jaunes, il existe diverses tailles et formes parmi les oignons rouges, mais tous présentent une pelure brillante d'un beau rouge pourpre. La chair est blanche, tachée de rouge sur les bords. La couleur se révèle au contact des acides comme le vinaigre ou le jus de citron et les rondelles d'oignon rouge tournées dans le vinaigre deviennent rapidement d'un beau rose sombre.

Utilisation en cuisine

Les oignons rouges sont généralement plus doux et plus sucrés que les oignons jaunes et ils sont appréciés dans les salades, en raison sans doute aussi de leur jolie chair tachée de rose. Ils sont fréquemment consommés crus, dans les sauces, les fondues, les antipasti et les plats marinés. Les oignons rouges sont aussi bons rôtis, entiers ou coupés en quartiers, ce qui concentre la suavité de leur chair. Ils sont moins utiles à la poêle, en raison de leur saveur trop douce, et leur jolie couleur rose a tendance alors à devenir mauve ou brun terne.

Oignons blancs

Ce sont généralement des oignons moyens à gros, à la mince peau blanche et à chair blanche. Ils varient moins en taille, forme et saveur que les oignons jaunes et rouges. Ils sont habituellement de goût assez fort.

Utilisation en cuisine Ils peuvent être utilisés dans toutes les préparations culinaires bien qu'ils soient un peu forts pour être mangés crus. Mais ils sont excellents cuits au four entiers ou farcis.

Oignons cipolla ou borettane

Ce sont de petits oignons plats ou ramassés, à la peau d'or pâle et à la chair jaune pâle, quelques variétés montrant des tachetures de rose. Les oignons cipolla ou borettane sont très populaires en Italie et certaines variétés sont également cultivées en France. Ils sont à la fois sucrés et forts en goût.

À gauche : L'oignon blanc de forme régulière, plus piquant que l'oignon rouge, est excellent farci.

À droite : Les tresses d'oignons mélangés sont décoratives dans un coin frais de la cuisine et couvrent tous les besoins culinaires.

Les oignons cipolla, courants sur les marchés italiens, sont excellents braisés, confits et dans les salades.

Utilisations en cuisine

Il serait dommage d'émincer ou de hacher ces petits oignons à la forme caractéristique et il vaut mieux les laisser entiers. Ils sont excellents caramélisés ou cuits à la grecque dans un mélange d'huile d'olive, de vin et d'épices. Ils sont également parfaits rôtis entiers, en conserve ou confits au vinaigre.

Les petits oignons à peau blanche ont un goût assez fort et une texture croquante.

Oignons à confire

Terme général pour de nombreuses variétés de petits oignons. Certaines variétés sont simplement des oignons jaunes ou rouges non arrivés à maturité, d'autres sont spécialement cultivées pour produire de petits oignons.

Oignons à confire à peau blanche

Ces oignons « perles » sont presque toujours confits. Si vous ajoutez un petit oignon blanc confit à un martini, la boisson prend le nom de Gibson.

Oignons à confire jaunes et rouges

Ils sont généralement plus gros et plus doux que les variétés banches. Ils se gardent aussi bien mieux. Conservez-les comme les oignons normaux.

Utilisations en cuisine Ces oignons sont excellents confits entiers dans un vinaigre épicé, rôtis entiers ou caramélisés. Ajoutez les petits oignons entiers aux ragoûts. Traditionnellement la cuisine bourguignonne relève ses ragoûts d'une garniture associant des oignons frits et des champignons de Paris.

Grelots

Petits oignons aplatis à peau verte et à chair très blanche. Ils ressemblent beaucoup aux petits oignons blancs de printemps. Les divers types de cette espèce d'oignon frais (ils se conservent mal et doivent être mangés frais) sont souvent appelés oignons à salade dans les rayons légumes des supermarchés. Ils ont généralement une chair assez douce au goût poivré.

Les petits oignons jaunes à confire sont excellents cuisinés entiers dans les ragoûts.

Utilisations en cuisine Les grelots sont surtout utilisés dans les salades, mais ils sont bons dans de nombreux plats à cuisson rapide, comme les omelettes et les frittatas. Comme ils ont tendance à se désagréger, ils sont moins utiles pour la friture ou les cuissons longues.

Les oignons à confire sont parfaits pour les pickles anglais.

ÉCHALOTES

Ce sont des sous-espèces distinctes d'*Allium cepa*, groupées botaniquement sous le terme Aggregatum, du latin « un tout formé de plusieurs unités ». Cette caractéristique distingue les échalotes des oignons : elles forment des groupes de plusieurs bulbes à la base des feuilles. Leur nom vient du port d'Ascalon, dans l'ancienne Palestine, où elles auraient été cultivées pour la première fois, mais il est plus probable qu'il s'agit du port d'où elles furent exportées vers Rome. Il existe une grande variété d'échalotes, dont la plupart sont plus petites que les oignons, composées de couches plus fines et contiennent moins d'eau. Leur saveur est plus concentrée, ce qui les rend très précieuses dans la cuisine.

Échalotes bananes
Il s'agit ici de la plus grosse variété, qui tire son nom de sa forme allongée. À peau lisse, brun fauve, elles sont plus douces que les autres échalotes.

Les échalotes roses et l'échalote grise, peut-être les plus parfumées, sont très populaires. L'échalote rose a une peau rougeâtre et une chair teintée de

Les échalotes bananes, grosses et particulièrement douces, s'utilisent comme des petits oignons dans la plupart des recettes.

rose, l'échalote grise est plus pâle, mais sa chair reste marquée de rose. Avec leur texture croquante et leur saveur piquante sans l'être trop, elles sont aussi bonnes crues que cuites.

Les échalotes brunes, anglaises ou hollandaises sont les plus communes. Ces petits bulbes à la peau fauve se séparent fréquemment en bulbes subsidiaires quand on les épluche. Bonnes échalotes à tout faire, leur chair est parfumée mais sans être piquante.

Les échalotes asiatiques ou thaïs sont des petits bulbes ronds et rouges, très utilisés dans la cuisine de nombreux pays de l'Asie du Sud-Est. Elles peuvent être fortes, voire même très fortes, et sont généralement utilisées dans les pâtes épicées, écrasées avec les autres ingrédients. En raison de leur faible teneur en eau, ces échalotes sont également parfaites émincées et frites, garniture courante des salades thaï et des curries.

Les « échalotes » chinoises sont en fait une espèce différente (*Allium chinense*) et non des échalotes. Il s'agit d'une espèce sauvage cultivée en Chine (*jiao tou* en cantonais ou *rakkyo* en

Les échalotes françaises ont une saveur assez marquée. Elles se séparent en plusieurs petites sections quand on les pèle. Elles sont excellentes dans les sauces et dans les assaisonnements de salades.

Les échalotes roses thaïs sont très utilisées dans les pâtes de curry thaï ainsi que pour garnir les salades. Elles sont très jolies confites dans du vinaigre de riz avec des herbes et des épices.

Utilisations en cuisine

L'échalote est excellente rôtie entière, caramélisée ou confite. Crue, elle est indispensable dans les salades et de nombreux plats. Hachée, crue, elle relève le steak à la bordelaise. Cuite, l'échalote est un ingrédient essentiel de nombreuses sauces auxquelles elle donne la saveur de l'oignon tout en restant plus discrète. L'échalote, peu riche en eau, brûle et durcit facilement et elle doit être surveillée dans la poêle. L'oignon « pomme de terre » s'utilise comme l'oignon ordinaire.

japonais). Elles sont surtout destinées à la conserve, forme sous laquelle on les trouve en Occident.

Les oignons « pommes de terre »

sont apparentés aux échalotes et appartiennent au groupe Aggregatum d'*Allium cepa*. L'espèce est différente puisqu'elle se développe entièrement sous terre, comme l'ail. C'est pourquoi ces oignons sont un peu plus rustiques. On les plantait souvent autrefois en automne. Ils forment des bouquets de petits oignons à peau jaune qui se conservent bien. Chaque bouquet peut contenir jusqu'à huit petits oignons.

Ces oignons « pommes de terre » étaient beaucoup plus populaires autrefois qu'aujourd'hui, surtout dans l'ouest tempéré de l'Angleterre et de l'Irlande, d'où ils partirent coloniser les États-Unis. Ils comblaient un vide entre la fin de la récolte d'automne et la nouvelle récolte d'échalotes de fin d'été. Aujourd'hui, ces oignons sont considérés comme une curiosité, à ranger avec les fines herbes, mais les bulbes ont une bonne saveur et sont tout aussi utiles en cuisine que les oignons ordinaires. Ils forment une rareté intéressante que le cuisinier jardinier se plaira à cultiver.

Les échalotes anglaises ou hollandaises ont généralement la peau brune et une saveur assez douce.

POIREAUX

Les origines du poireau en tant que légume cultivé sont encore plus anciennes que celles de l'oignon. Il vient probablement de l'*Allium ampeloprasum* sauvage, bien que certains botanistes le considèrent comme une espèce indépendante (*Allium porrum*). Le poireau sauvage est originaire de la Méditerranée et d'îles comme les Açores, Madère et les Canaries et remonte à 7 000 ans, jusqu'à Jéricho. D'autres espèces, *Allium ramosum*, sont aussi cultivées en Chine depuis des milliers d'années. Bien qu'il existe des centaines de variétés de poireaux cultivés, ils ne diffèrent en fait que par la taille et la résistance au froid, certains étant sélectionnés pour atteindre une taille énorme et d'autres pour résister à des gelées sévères.

Dans l'hémisphère Nord, les poireaux sont par tradition un légume d'hiver. Ces gros poireaux sont l'un des quelques légumes à survivre à l'extérieur sans protection. Depuis peu, les mini-poireaux sont devenus à la mode et s'ils ne sont parfois que des versions naines de poireaux ordinaires, il existe aussi des variétés spéciales

Servez les jeunes poireaux entiers. Cuisez-les à la vapeur puis sur un gril brûlant pour en exhaler la saveur.

qui viennent rapidement à maturité et donne des poireaux minces et tendres pendant tout l'été.

Chez les poireaux, le « bulbe » (les épaisseurs de feuilles) est allongé pour former la « tige », bien que pour le botaniste, la tige n'est que la base parfois bulbeuse du poireau, juste au-dessus des racines. Le poireau se divise en « blanc », partie charnue de la base, et en vert, les feuilles vertes. Toute la partie charnue du poireau peut être utilisée, mais les feuilles vertes sont plus dures et réclament une cuisson plus longue. La saveur des poireaux est appréciée de tous, à la fois douce et plus pleine que celle des oignons. Il n'a pas le piquant de l'oignon et son parfum est plus subtil.

Utilisations en cuisine Les poireaux peuvent se consommer crus, déchirés en salade (les Romains les appréciaient ainsi), mais ils sont le plus souvent cuits. Ils sont parfaits dans les soupes. Les poireaux cuisent plus vite que les oignons et doivent être ajoutés aux ragoûts en fin de cuisson. Entiers, ils sont délicieux braisés ou blanchis puis grillés. Les jeunes poireaux entiers sont excellents cuits rapidement à l'eau ou à la vapeur puis assaisonnés d'huile et de vinaigre.

Les gros poireaux, avec leur saveur douce et sucrée, sont extrêmement populaires dans la cuisine moderne. Ils sont excellents dans les soupes et les salades cuites.

Les ciboules bulbeuses révèlent toute leur saveur, grillées entières, dans les poêlées chinoises, ou encore enrobées de pâte et frites.

Utilisations en cuisine En Grande-Bretagne, les oignons de printemps sont traditionnellement servis entiers, en salade. Ils sont bons en crudités avec une tapenade à l'olive noire, et excellents hachés ou émincés dans les salades mélangées, comme il est courant au Moyen-Orient. Ils agrémentent les *salsas* mexicaines. Cuits, ils sont également délicieux et indispensables aux poêlées asiatiques en raison de leur rapidité de cuisson. Ils se grillent bien, en quelques minutes seulement. En Catalogne, dans le nord-est de l'Espagne, on les fait griller sur des charbons ardents et on les sert avec toutes sortes de viandes grillées accompagnés d'une sauce aux noix et au piment appelée *salsa romesco*. Le vert des jeunes ciboules peut remplacer la ciboulette et les lamelles de feuilles enroulées sont des garnitures populaires en cuisine chinoise.

Les minces ciboules, ou oignons de printemps, sont excellentes en salade, entières ou hachées menu.

CIBOULES

Les ciboules ou oignons dits « de printemps » (*spring onions*) ne sont en général que des variétés précoces d'oignon (*Allium cepa*). Cependant, en raison des exigences de récoltes continues et des nouvelles variétés obtenues, surtout par les Japonais, certaines variétés d'oignons de printemps ont maintenant des gênes de ciboule (*Allium fistulosum*). Si la coupe de la feuille est circulaire, l'oignon est une variété issue d'*Allium fistulosum* ; si la coupe de la feuille est en croissant, il est dérivé d'*Allium cepa*.

Comme l'indique leur surnom, ces oignons étaient probablement des jeunes plants résultant de l'éclaircissage printanier des oignons ordinaires. En termes culinaires, la distinction entre les différents types d'oignons de printemps ne concerne que la grosseur. Ils varient de très mince (la taille d'un crayon) à la grosseur d'un jeune poireau. Certaines variétés d'oignons de printemps ont une base renflée, d'autres ressemblent davantage à des poireaux, la base étant à peine marquée.

Les ciboules ont une saveur douce et sucrée, avec un léger piquant, et sont bonnes en salade. Choisissez des ciboules très minces pour les salades et des plus grosses pour cuire. On produit aujourd'hui des ciboules rouges très jolies dans les salades, mais dont la saveur est la même que celle des ciboules blanches.

OIGNONS BUNCHING, GALLOIS ET ÉGYPTIENS

Les oignons bunching ou gallois
(cébettes) sont très populaires en Chine et au Japon. Ils furent probablement introduits en Europe en venant d'Asie. Ils étaient autrefois très appréciés comme condiment parce qu'ils poussent au début du printemps, quand les autres légumes se font rares. Ils sont aussi connus sous le nom de chiboules ou cibols. Dans la cuisine chinoise, les cébettes sont utilisées dans les poêlées à la place des ciboules. Les oignons poussent en touffes de bulbes et il est possible d'arracher des oignons individuels en laissant le reste de la plante en place. Leur saveur est assez douce.

À droite : L'oignon égyptien forme des bulbes vigoureux en touffes qui poussent bien dans le carré d'herbes.

Ci-dessous : Les oignons bunching sont très populaires en Chine et au Japon. Ils ont le même usage que les oignons de printemps.

L'oignon égyptien (*Allium cepa*, groupe Proliferum) est une véritable vivace pour le jardin d'herbes. Comme avec les oignons bunching, il est possible de retirer un seul oignon en laissant la plante en place. Cet oignon forme aussi des bulbilles à l'extrémité de la tige, que vous pouvez utiliser dans la cuisine ou planter au potager. La Catawissa, variété populaire en

Amérique aux XIXe et XXe siècles, est une forme particulièrement vigoureuse de l'oignon égyptien.

Utilisations en cuisine La base de la plante et les feuilles vertes peuvent être utilisées dans les sauces, les poêlées et les salades, mais ces oignons sont trop durs pour être grillées. Les bulbilles seront hachées dans les sauces et les assaisonnements de salades.

Les fleurs de ciboulette ont un goût d'oignon et forment une jolie garniture pour les salades au début de l'été.

CIBOULETTE

La ciboulette européenne (*Allium schoenoprasum*) est une plante sauvage commune, poussant de la Russie à la Méditerranée et jusqu'à l'Himalaya. Diverses variétés ont été choisies pour la culture. C'est l'une des herbes les plus précoces au début du printemps et les premières pousses sont remarquablement fortes et piquantes. Plus tard, elles s'adoucissent. Les fleurs ont également un léger goût d'oignon et sont bonnes dans les salades et comme garniture. La ciboulette est généralement consommée crue ou à peine cuite.

La ciboule de Chine (*Allium tuberosum*) est aussi connue sous le nom de *kuchi* (*how choy* en cantonais). Elle possède une odeur et une saveur beaucoup plus piquantes et c'est pourquoi elle est consommée cuite plutôt que crue. Elle existe sous deux formes : la forme à feuillage a des feuilles légèrement tordues à odeur d'ail prononcée ; la ciboule fleurie à tiges rondes et creuses est normalement vendue avec ses boutons intacts. Une troisième sorte, la ciboule chinoise jaune (*gow wong*), est simplement une version de la ciboule chinoise qui a été blanchie à l'abri de la lumière naturelle. Les Chinois la considèrent comme légume à part entière pour les poêlées. Les pousses d'ail sont aussi utilisées en cuisine chinoise.

Utilisations en cuisine La ciboulette européenne, souvent utilisée comme garniture, est aussi très parfumée. Elle est excellente dans les plats aux œufs et au fromage, mais ne doit pas être mise en contact avec les œufs ou les produits laitiers qu'elle colorerait. Elle est utile pour donner un léger goût d'oignon aux assaisonnements, aux soupes et aux sauces, et elle est très bonne avec les pommes de terre. La ciboule chinoise, plus robuste, demande une légère cuisson. Excellente dans les poêlées, les plats de riz, les soupes et les ragoûts.

À droite : La ciboule chinoise peut être hachée et incorporée aux poêlées.

*Ci-dessous : La ciboulette (*Allium schoenoprasum*) est populaire dans toute l'Europe et l'Amérique du Nord. Sa saveur douce et son goût d'oignon sont agréables dans les plats de fromages et d'œufs.*

L'AIL

Selon les époques, l'ail (*Allium sativum*) a été le plus prisé et le plus méprisé de tous les membres de la tribu des oignons, à cause de sa force et de son piquant. Il fait partie des quelques alliums culinaires dont le bulbe se forme sous terre et non en surface du sol.

Le bulbe d'ail, ou tête, est formé de plusieurs gousses séparées, chacune enveloppée d'une mince pelure, l'ensemble étant enfermé dans une autre pelure. L'ail est très cultivé, mais sa saison de pousse est longue et il réclame une période de froid pour que le bulbe se développe correctement.

L'ail est plus considéré comme herbe aromatique ou condiment que comme légume à part entière, mais nombre de plats comportent plusieurs têtes d'ail complètes et non la gousse unique des cuisinières timorées. Il est facile à une seule personne de consommer à son repas une tête d'ail, rôtie lentement jusqu'à former une purée moelleuse et sucrée. Des recettes françaises de poulet ou d'agneau réclamant quarante gousses d'ail, sont devenues presque mythiques pour les Anglais « aillophobes » des années 1950. Certains plats asiatiques contiennent d'énormes quantités d'ail, tout comme les plats de gousses d'ail entières cuites avec des épices et du lait de coco de l'Inde méridionale.

À gauche : L'ail nouveau qui n'a pas été séché est particulièrement doux et sucré.

Il existe de nombreuses variétés d'aulx, dont la spécificité est généralement géographique et donc adaptée au climat et aux conditions locales. L'ail se conserve bien quand il est sec, mais son goût est différent lorsqu'il est vert et tout juste arraché. Certains aulx présentent une peau très blanche, d'autres sont teintés de rose sombre. Certaines variétés se séparent naturellement en petites gousses, alors que d'autres forment de grosses gousses charnues. En général, la gousse est d'autant moins forte et piquante qu'elle est plus grosse et fraîche, mais la règle n'est pas absolue.

Ci-dessus : L'ail solo est une forme d'ail doux dans lequel chaque bulbe ne comporte qu'une seule gousse.

Ci-dessous : L'ail vendu en tresses se gardera plusieurs mois si vous les accrochez dans un endroit frais et sec.

et tous les pays méditerranéens. L'ail frit croustillant est une garniture populaire de la cuisine birmane et en Thaïlande et en Corée, l'ail confit accompagne de nombreux repas.

Le goût de l'ail change selon le mode de préparation et la longueur de la cuisson. L'ail écrasé, cru ou rapidement cuit, est le plus fort et le plus piquant ; une tête d'ail entière rôtie lentement sera onctueuse, avec un goût de noisette. L'ail peut être frit, cuit au four, rôti ou braisé. Il est presque toujours présent dans les pâtes épicées, *salsas* espagnoles, *pestos* italiens et *moles* mexicains. Il est aussi très utilisé dans les assaisonnements, marinades, soupes et ragoûts.

À gauche : L'ail fumé sent le feu de bois. Il est bon dans l'ailloli, les marinades et l'assaisonnement des salades.

Ci-dessous : Il existe de nombreuses sortes d'ail, selon les régions. L'ail blanc est populaire en Californie. California Late et Silverskin sont des variétés bien connues.

Ail éléphant (*Allium ampeloprasum*) Cette variété est parfois confondue avec les grosses variétés d'ail vrai. L'ail éléphant se rapproche en fait davantage du poireau que de l'ail en terme de goût. Il possède une saveur aillée et onctueuse et les gousses sont très grosses par comparaison à l'ail ordinaire. Une autre variété d'allium (*Allium gigantum*) est aussi connue sous le nom d'ail éléphant, mais la plupart des jardiniers la cultivent plutôt en plante d'ornement pour ses très grosses fleurs pourpres.

Solo est une variété d'ail dont le bulbe ne comporte qu'une seule gousse, facile à éplucher et à préparer. Il est utile dans les plats qui demandent une grande quantité d'ail, mais il reste rare et cher. Il possède une saveur relativement douce.

L'ail nouveau porte souvent le nom d'ail vert. Dans l'hémisphère Nord, il est bon à récolter en fin de printemps et début d'été, avant que sa pelure ne soit pleinement développée et sèche. La tête est généralement utilisée entière. L'ail nouveau est blanc crème, rayé et teinté de vert et de rose, et délicieusement doux. Il est parfait pour les soupes à l'ail et rôti entier.

L'ail fumé consiste généralement en grosses têtes d'ail fumées au feu de bois, de façon à être partiellement cuites. La pelure extérieure brun fauve doit être retirée avant d'écraser les gousses dans la mayonnaise, pour faire du beurre d'ail ou pour ajouter aux pâtes.

Les pousses d'ail, les premières du printemps, sont très appréciées dans de nombreuses régions d'Europe méridionale (Italie, France, Espagne) et utilisées comme la ciboulette ou les oignons de printemps. Elles sont aussi très employées dans les poêlées chinoises. La soupe de pousses d'ail est excellente et considérée comme un merveilleux tonique, une sorte de « nettoyage de printemps » pour le sang et la circulation. Les pousses sont aussi confites au vinaigre pour usage ultérieur dans les salades et les sauces.

Utilisations en cuisine L'ail est un condiment universellement adopté par les cuisines du monde entier. Il est largement utilisé cru et cuit, pour parfumer toutes sortes de plats. On le consomme cru dans les assaisonnements, salsas, beurres et salades. Cuit, il est très employé dans la plupart des pays asiatiques (excepté le Japon), le Mexique et l'Amérique du Sud, le Moyen-Orient

ASSAISONNEMENTS ET INGRÉDIENTS

Il existe nombre d'assaisonnements et d'ingrédients à base d'alliums. Certains sont faits avec des oignons et d'autres n'ont aucune parenté avec les alliums mais ont une saveur d'oignon.

Asa fœtida

Épice piquante obtenue à partir d'une résine de la racine d'un fenouil géant (*Ferula asafoetida*) qui n'est pas apparenté aux alliums mais donne un net goût d'ail aux plats qui en contiennent. Les Romains en étaient friands et Apicius, le gastronome et épicurien romain, l'appréciait au Ier siècle avant. J.-C. Aujourd'hui l'asa fœtida est utilisée en Afghanistan, aux Indes et au Pakistan. On l'achète généralement moulue et le flacon doit rester bien fermé, l'odeur de l'épice non cuite étant désagréable. Elle remplace l'oignon et l'ail interdits dans la cuisine des brahmanes indiens.

Graines d'oignon ou kalonji

L'appellation graines d'oignon est en fait erronée, l'épice indienne kalonji n'étant pas apparentée aux alliums mais à la fleur bleue annuelle de nos jardins, la nigelle (*Nigella sativa*). Elle est très utilisée aux Indes, surtout dans la cuisine bengali. Elle est bonne poêlée avec des légumes verts et saupoudrée sur les pains et crêpes indiennes.

Flocons d'oignon séchés

Ce sont de minces rondelles d'oignon déshydraté, mais les oignons étant disponibles toute l'année, ces flocons sont rarement utilisés. Réhydratez-les dans l'eau chaude 15 à 20 minutes avant usage ou faites-les frire pour donner des chips d'oignons, très utilisées dans les salades thaïs et les curries. On trouve aussi des flocons d'échalotes séchées.

Chips d'oignon frites

Ce sont des chips de rondelles d'oignon frites, utiles comme garniture dans les salades, soupes et plats de riz, ou dans les plats à base d'œufs. Utilisez-les rapidement après ouverture du paquet, elles rancissent rapidement.

À gauche : L'asa fœtida est très utilisée dans la cuisine végétarienne indienne.

En haut à droite : les kalonji grillées ont un goût de noisette.

À droite : Les flocons d'oignon frits sont excellents sur les salades et plats de riz.

Ci-dessous : Les flocons d'échalotes séchés s'ajoutent directement aux ragoûts.

Sel d'ail

Mélange d'ail séché et de sel qui donne instantanément un goût d'ail à des plats comme le pain à l'ail, mais le processus de séchage altère le parfum de l'ail et les cuisinières préfèrent l'ail frais.

Crème d'ail

La crème d'ail toute faite est facile à trouver. Cependant, comme avec l'ail séché, les conservateurs utilisés dans la préparation en changent la saveur et peuvent lui donner un goût métallique. Il vaut mieux faire vous-même votre crème d'ail rôti, qui se gardera une ou deux semaines au réfrigérateur, recouverte d'huile d'olive, dans un bocal à couvercle vissé.

En haut à gauche : Le sel d'ail est utilisé dans la cuisine cajun.

Ci-dessus : Ail frit et ail en granulés.

Ci-dessous : Les petits oignons, l'ail et les échalotes font d'excellents pickles.

À droite : ail haché.

Alliums en bocaux ou confits

Dans de nombreux pays, ail, oignons et échalotes sont conservés dans le vinaigre ou l'huile. Ils sont délicieux dans les salades mélangées et les plats de riz et d'œufs. On trouve parfois dans les boutiques d'alimentation orientales des pousses vertes d'ail conservées en bocal et qui servent d'assaisonnement en Espagne, Italie et Chine.

CULTURE

La famille des oignons est cultivée depuis les temps les plus anciens et s'est répandue dans le monde entier, sans doute parce que leur culture est facile. Les oignons sont en effet des plantes sans problème, résistantes et adaptables à une large gamme de climats et de sols. Certaines variétés ont été développées spécialement pour tel ou tel climat et ces différents types sont plus ou moins forts et piquants. En général, l'oignon est d'autant plus doux qu'il pousse plus vite. Les conditions idéales de culture, dans de nombreuses régions d'Espagne, les États de la côte Ouest des États-Unis et Hawaï, donnent des oignons doux et sucrés, comme le Vidalia de l'État de Washington et le Maui de l'île hawaïenne du même nom. Les oignons qui poussent plus lentement, en Europe du Nord par exemple, ont tendance à être plus forts et plus piquants. Les oignons du jardinier, qui doivent survivre aux vicissitudes du jardin, avec quelquefois des périodes

Plants d'oignons Vera Prima, prêts à être repiqués en pleine terre.

de sécheresse et de négligence, sont généralement plus forts et plus odorants que les oignons des producteurs toujours bien soignés et bien arrosés.

Les oignons poussent dans presque tous les types de sols, mais la plupart des alliums aiment la terre friable et légèrement sableuse. Fumez le sol à l'automne avant la plantation. Tous les membres de la famille préfèrent les emplacements aérés et ensoleillés. Ils poussent mal à l'ombre des arbres ou des bâtiments et n'aiment pas rivaliser avec les racines des arbres ou des grands arbustes. Les oignons aiment être bien nourris, mais ne leur donnez pas d'engrais riches en azote, ils ne feraient que des grandes feuilles au lieu de former un bulbe ou une tige. Ils ont aussi besoin de beaucoup d'eau pour aider le bulbe à grossir, mais peuvent supporter de courtes périodes de sécheresse.

Les oignons (*Allium cepa* vars.) sont bisannuels et forment un bulbe une fois par an, pour fleurir et former des graines l'année d'après. Si le climat est assez doux, les oignons laissés en terre en hiver feront des fleurs puis des graines à la fin du printemps.

Le jardinier cultive l'oignon pour le bulbe qu'il produit dans la première année de pousse. S'il est bien séché et conservé correctement, ce bulbe survivra à sa période de dormance hivernale et ne recommencera à pousser que le printemps suivant. Les oignons conservés dans un endroit trop chaud ou trop humide peuvent très bien germer pendant leur dormance. Un oignon qui germe est toujours comestible mais sa dormance hivernale a été interrompue et il ne se gardera pas.

Deux méthodes sont valables pour cultiver l'oignon, à partir de graines ou à partir de petits oignons appelés caïeux. L'échalote et l'ail poussent à partir de caïeux, mais les poireaux et les ciboules ne sont cultivés qu'à partir de graines. Les cébettes (bunching) et la ciboulette sont des plantes vivaces (elles vivent plusieurs années et ne meurent pas après la floraison) et peuvent être cultivées à partir de graines, de division des touffes ou parfois des petites bulbilles produites par la plante adulte.

CULTURE À PARTIR DE GRAINES

Les jeunes plants d'oignons sont rustiques et peuvent survivre à une gelée légère. Les graines peuvent donc être semées en pleine terre en milieu ou fin de printemps, ou, avec certaines variétés et dans les climats tempérés, en début d'automne.

Semis des oignons en pleine terre

1 Préparez le sol en désherbant puis bêchez et ratissez pour obtenir une terre légère et plane.

2 Faites un sillon profond de 5 mm avec un bâtonnet ou l'angle des dents du râteau.

3 Si le sol est sec, arrosez le fond du sillon avant de semer.

4 Semez clair, sur le fond du sillon. Couvrez de terre et tassez légèrement avec un râteau. Si vous semez sur un sol lourd et argileux, une mince couche de sable de rivière éparpillée sur le fond du sillon empêchera les graines de pourrir avant de germer.

5 Les graines devraient germer en 10 à 15 jours. Quand les jeunes plants font 5 à 7 cm de haut, éclaircissez-les en les espaçant de 7 à 10 cm. Arrosez s'il fait très sec et désherbez régulièrement.

6 Quand les plants sont assez forts et que les feuilles commencent à se toucher, éclaircissez à nouveau à 13 à 15 cm. À ce stade, les plants retirés peuvent être consommés en salade ou comme des ciboules. Si vous n'avez pas l'intention d'obtenir de très gros oignons, vous n'aurez plus besoin d'éclaircir.

7 Si vous préférez des petits oignons, rapprochez-les ou laissez-les pousser en touffes, vous obtiendrez des touffes de petits bulbes que vous pourrez arracher à la demande. Les oignons semés en automne sont souvent laissés en touffes qui résistent mieux à l'hiver que des plants isolés.

Semis d'intérieur

Sous les climats plus froids ou dans les sols lourds et froids, semez à l'intérieur et repiquez les jeunes plants au jardin à la fin du printemps. Les semis se font du début à la mi-printemps.

1 Remplissez un bac à semis de terreau à semis stérilisé, aplanissez la surface et tassez-la légèrement avec le doigt.

2 Éparpillez les graines en semis clair sur la surface du terreau.

3 Couvrez avec une fine épaisseur de terreau à semis tamisé ou saupoudrez une mince couche de vermiculite, sur une épaisseur de 5 mm environ.

Le Rouge de Brunswick et le Rouge pâle de Niort sont des variétés d'oignons de culture facile.

4 Arrosez à l'arrosoir en pluie fine, étiquetez et couvrez avec une cloche ou un sac en plastique. Une chaleur douce sous le bac favorisera la germination, mais n'est pas essentielle. Dès que les pousses commencent à apparaître, mettez le bac en pleine lumière, mais protégez les feuilles délicates du soleil brûlant.

5 Quand les plants atteignent 5 ou 6 cm de hauteur, repiquez-les dans des bacs de terreau, en les espaçant de 5 à 6 cm.

6 Vous pouvez aussi semer dans des bacs à alvéoles, 3 à 4 graines par alvéole. Quand les plants sont assez forts, éclaircissez à un plant.

Repiquage des oignons en plein air

Les jeunes plants poussés à l'intérieur seront repiqués en plein air en fin de printemps. Endurcissez-les avant de planter en mettant les bacs à l'extérieur pendant environ 12 jours. Protégez des fortes pluies ou du gel sous un châssis ou en serre froide. Quand les plants sont durcis, plantez-les en les espaçant de 15 à 18 cm, en rangées espacées de 25 cm. L'amorce de bulbe ne doit pas être enterrée plus profondément que dans le bac. Arrosez bien et protégez des oiseaux.

Certaines variétés d'oignons ont été développées spécialement (surtout au Japon) pour passer l'hiver dans un climat tempéré doux. Semez-les en fin d'été ou début d'automne. Les jeunes plants passent l'hiver, puis poussent au printemps. Ces oignons sont prêts à être récoltés au début de l'été suivant le semis et remplissent le vide laissé entre la fin des oignons de conservation et la récolte nouvelle des oignons semés au printemps. Les plus connus de ces oignons sont les Vidalia, cultivés dans la ville du même nom, dans l'État de Washington aux USA. L'oignon Vidalia est réputé pour sa douceur et sa suavité.

CULTURE DES OIGNONS À PARTIR DE CAÏEUX

Vous pouvez aussi semer des caïeux qui sont de petits bulbes immatures. Les caïeux sont cultivés et traités pour que, une fois plantés, ils continuent à grossir en formant un oignon de bonne taille. Les oignons étant bisannuels, il arrive que le caïeu se mette à monter en fleur au lieu de faire un bulbe correct. Certains caïeux cependant ont été traités par la chaleur pour tuer la fleur et empêcher le plant de monter. Les caïeux sont plantés du début à mi-printemps et supportent des petites gelées. Ils aiment les sols aérés, bien travaillés, fumés à l'automne avant la plantation.

Si le sol est lourd, mettez un peu de sable de rivière sous chaque caïeu. Enfoncez dans la terre en rangées espacées de 25 cm, les caïeux étant espacés de 10 cm. Le haut du caïeu doit être tout juste visible. Les seuls soins à prodiguer ensuite sont l'arrosage et le désherbage.

Les oiseaux s'attaquent parfois aux caïeux, en les déterrant avant qu'ils aient eu le temps de s'enraciner. Dans ce cas, contentez-vous de les remettre en terre, en vous assurant qu'ils sont bien ancrés. Si les oiseaux deviennent un problème, posez des branchettes sur le sol ou couvrez les caïeux avec des filets, ce qui constitue la meilleure solution.

Bonnes variétés d'oignons

Semis de printemps : Premier, de Barletta, Hâtif de Paris, Espagnol, Paille des vertus, Copra, de Mulhouse, de Florence race de Simiane, Rouge de Hollande.
Semis d'automne : Oignon rouge pâle de Niort, Oignon rouge de Brunswick, Vidalia, Senshyu Yellow. Oignons pour pickles : Paris Silver Skin, Shakespeare.

Concours d'oignons et de poireaux

Les producteurs spécialisés du monde entier préparent des planches de terre spécialement adaptée pour la culture des oignons et poireaux géants. La concurrence est grande. Pour les blanchir, les poireaux de concours sont insérés dans des tuyaux de gouttière ou enveloppés dans du carton ondulé épais, et ils sont nourris avec des composés « secrets » d'engrais liquide pour encourager la pousse. Certains oignons peuvent dépasser 2,75 kg, et les poireaux atteignent parfois 1 m de long avec un fût aussi gros que le bras. Mammouth et Beacon sont des bonnes variétés d'oignons de concours.

CULTURE DES POIREAUX

Les poireaux sont cultivés à partir de graines, de la même façon que les oignons. Semez en plein air du milieu à la fin du printemps ou à l'intérieur sous verre, au début du printemps. Les poireaux semés à l'intérieur ont une saison de pousse plus longue et sont plus gros. Les poireaux semés en bac ou en plein air seront éclaircis à 3 cm. Au début de l'été, repiquez les jeunes plants en plein air. Les poireaux semés en intérieur doivent être endurcis au préalable.

1 Si vous voulez de longs poireaux bien blancs, creusez une tranchée de 30 cm de large et 25 cm de profondeur dans un sol bien travaillé. Travaillez le fond de la tranchée à la fourche et incorporez du fumier bien décomposé ou de l'engrais. Laissez la terre retirée de la tranchée sur les bords.

2 Remplissez à demi la tranchée avec la terre retirée puis faites des trous au plantoir, de 13 à 15 cm de profondeur et 3 à 4 cm de largeur. Espacez-les de 20 à 25 cm.

3 Laissez glisser les plants dans les trous, les feuilles dépassant de la surface.

4 Arrosez bien les poireaux, pour que la terre glisse entre les racines.

5 Quand les poireaux grandissent, ajoutez peu à peu le reste de la terre dans la tranchée. Ce procédé permet d'obtenir un fût plus long et bien blanc.

6 Pour les poireaux d'usage courant, vous pouvez remplacer la tranchée par de simples trous. Faites glisser le plant dans le trou et arrosez comme ci-dessus. Si le sol est lourd et argileux, plantez de préférence dans des massifs surélevés de terre très bien travaillée.

La variété De Saint Victor, aux feuilles bleu violacé, est résistante aux gelées et offre une excellente saveur.

Le drainage sera meilleur que dans la tranchée où l'eau risque de stagner. Entourez les massifs de planches, de briques ou de vieilles traverses de chemin de fer. Pour travailler sans marcher sur les massifs, ces derniers doivent avoir 1,20 m de large environ.

Bonnes variétés de poireaux

Bleu de Solaize, élégant poireau au feuillage bleu pourpre, Géant d'Automne, poireau à maturité précoce qui peut rester en terre jusqu'en fin d'hiver, Monstrueux de Carentan, une variété rustique pour récoltes d'été et d'automne, De Saint Victor, résistant aux gelées, Rustic, récolte d'automne et d'hiver.

Les engrais

Dans des conditions normales, les oignons demandent peu ou pas d'engrais pendant la période de pousse, bien que vous puissiez les nourrir avec un engrais à base de potasse quand le bulbe est bien formé, pour l'aider à mûrir. Les poireaux ne réclament pas d'engrais pendant la saison de pousse si la terre a été bien fumée au départ.

CULTURE DES ÉCHALOTES

Les échalotes sont en général cultivées à partir de caïeux et non de graines. Le caïeu donne naissance à plusieurs autres qui forment une touffe unique. Elles se cultivent comme les oignons mais poussent beaucoup plus vite.

1 De la fin de l'hiver au début du printemps, plantez les caïeux d'échalotes dans une terre légère et bien travaillée, fumée à l'automne précédent.

2 Si le sol est très lourd, mettez un peu de sable de rivière sous chaque échalote pour favoriser le drainage et empêcher le bulbe de pourrir.

3 Si les caïeux sont déterrés par les oiseaux, renfoncez-les dans la terre. Vous pouvez aussi les protéger par des filets ou quelques branchettes étalées sur le sol.

4 La récolte des échalotes se fera au milieu de l'été.

Bonnes variétés d'échalotes

Échalote Griselle, la plus goûteuse, Échalote Pikant, excellente qualité culinaire, Échalote Santé, très productive.

Parasites et maladies

Les substances chimiques puissantes que dégagent les alliums les protègent des parasites et des maladies. L'ail en particulier, semble résistant à la plupart des parasites du jardin.

Lapins et rongeurs s'écartent de tous les alliums en raison de leur odeur et de leur goût. Les taupes, également, évitent de creuser leurs galeries près des planches d'oignons ou d'ail. Cependant, les souris et les rats semblent friands des oignons de conservation, et vous devez protéger ces derniers pendant l'hiver.

Si l'été se montre très pluvieux et dans les sols lourds et mal drainés, les oignons peuvent être attaqués par le mildiou qui les fait pourrir. Les oignons touchés doivent être arrachés et jetés, ailleurs que sur le tas de compost. Ne cultivez pas d'oignons dans la même planche avant 3 ans.

Le principal ennemi des oignons est la mouche de l'oignon. Elle pond ses œufs dans le bulbe qui est ensuite dévoré par les asticots qui sortent des œufs. Il n'existe pas de traitements chimiques pour protéger les oignons contre ce parasite indésirable, mais des plantes amies peuvent l'éloigner. Plantez des rangs d'œillets d'Inde et de persil parmi les oignons si la mouche fait des ravages cette année-là.

Les poireaux sont parfois attaqués par la rouille qui forme des taches rousses sur le feuillage. Cependant, le fût n'étant pas affecté, il n'est pas nécessaire de traiter ou de jeter les poireaux, mais ne mettez pas les feuilles atteintes avec le compost.

Après la récolte, laissez sécher les échalotes avant de les stocker dans un local sec, à l'abri des gelées. Elles devraient ainsi se garder tout l'hiver.

CULTURE DE L'AIL

L'ail pousse à partir de gousses individuelles, comme les caïeux d'oignons ou d'échalotes. Il existe de nombreuses variétés d'ail, chacune correspondant à un climat spécifique. Il vaut mieux acheter des graines chez un spécialiste qu'utiliser une tête d'ail du supermarché qui a peut-être été importée, bien que ces gousses puissent éventuellement pousser. L'ail demande une longue saison de végétation ainsi qu'une période de 1 à 2 mois de temps froid (0 à 10 °C) pour produire une tête de bonne taille.

L'ail est différent des autres alliums (excepté l'oignon « pomme de terre » rarement cultivé) parce que son bulbe (la tête) pousse sous terre et non à la surface du sol. Pour cette raison, il vaut mieux planter l'ail en automne, pour une récolte en milieu et fin d'été l'année suivante. Il tolère des gelées légères. Les pousses n'apparaissent qu'au printemps suivant la plantation.

1 Plantez une gousse tous les 10 à 15 cm, en rangs espacés de 25 cm, juste sous la surface du sol bien préparé. Mettez un peu de sable sous les gousses si le sol est lourd et argileux pour drainer et éviter la pourriture.

Culture des pousses d'ail

Les pousses d'ail sont faciles à cultiver en plantant des gousses d'ail dans des pots de bon terreau léger, à partir du début du printemps. Arrosez régulièrement et laissez à un emplacement ensoleillé. Récoltez les jeunes pousses quand elles font environ 15 à 20 cm, elles seront vite remplacées par d'autres pousses.

Bonnes variétés d'ail

Germidour, Messidrome, Thermidrome, Ail d'Auvergne, Lautrec, Fructidor.

CULTURE DES CIBOULES

Les ciboules ou oignons de printemps poussent à partir de graines. Semez comme pour les oignons normaux, en rangs espacés de 20 cm. Ces oignons mûrissant vite, semez des rangs courts se succédant toutes les 3 ou 4 semaines au printemps et en début d'été. En semant clair, il ne sera pas nécessaire d'éclaircir, arrachez simplement à la demande.

Bonnes variétés de ciboules

Santa Claus, variété japonaise aux tiges rouge sombre, White Lisbonne, une ciboule blanche traditionnelle, poussant rapidement.

CULTURE DES OIGNONS BUNCHING (CÉBETTES)

Les variétés asiatiques d'oignons bunching sont cultivées comme les ciboules mais vous pouvez les récolter sur une plus longue période. Éclaircissez les plants à 10 cm environ.

Bonnes variétés d'oignons bunching

Summer Isle, White Evergreen, Ishikura, Kujo Green.

CULTURE DES OIGNONS GALLOIS ET ÉGYPTIENS

Il vaut mieux acheter dans le commerce des plants de ces oignons vivaces, bien qu'il soit possible de les cultiver à partir de graines semées à l'intérieur au début du printemps. Repiquez les jeunes pousses par petites touffes dans des pots de 8 cm. Endurcissez et repiquez en plein air en début d'été. Vous pouvez créer plusieurs plantes à partir d'une plante adulte, en arrachant et divisant cette

Ail frais attendant d'être nettoyé et accroché en tresse pour l'hiver.

dernière. Replantez les éclats du pourtour de la plante mère, de préférence au centre trop serré. Les bulbilles du haut de la tige des oignons égyptiens formeront aussi de nouveaux plants si vous les plantez dans un pot de bon terreau.

CULTURE DE LA CIBOULETTE

La ciboulette se propage par division. Elle préfère une bonne terre humide, mais elle pousse à peu près partout. Divisez la plante en pleine végétation, au début ou à mi-printemps, et espacez les éclats de 25 cm. La ciboulette se récolte à la demande. Pendant la saison de pousse, elle peut être coupée deux ou trois fois à ras du sol et elle refait aussitôt de nouvelles feuilles très parfumées. Arrosez bien après l'avoir coupée. À l'automne, rempotez quelques plantes, coupez-les puis gardez-les dans un local frais, à l'abri des gelées, et en pleine lumière, ce qui vous permettra de disposer de ciboulette fraîche durant tout l'hiver.

RÉCOLTE ET CONSERVATION

La récolte des alliums dépend de leur durée de conservation. Les oignons, les échalotes et l'ail qui, s'ils sont conservés dans de bonnes conditions, se gardent tout l'hiver, doivent être récoltés à maturité complète. Il vaut mieux laisser en terre les poireaux, les ciboules et la ciboulette qui se gardent moins longtemps, et les arracher à la demande.

OIGNONS, ÉCHALOTES ET AIL

Il est facile de savoir s'il est temps de récolter les oignons, échalotes et aulx. Avec les oignons et les échalotes, la tige des feuilles retombe sur le bulbe. Avec l'ail, les feuilles commencent à flétrir et retombent. Le bulbe est alors arrivé à maturité et a atteint sa grosseur maximale.

Il arrive que des oignons développent un collet très épais, ce qui n'est pas une maladie mais une condition physiologique. Certaines variétés sont plus sensibles que d'autres, l'humidité étant un facteur aggravant. Le collet de l'oignon épaissit et reste vert et les feuilles ne retombent pas et demeurent en bonne santé, sans flétrir. L'oignon continue à grossir, mais ne mûrit pas et ne sèche pas. S'il reste en terre, il va bientôt monter ou fleurir. Ces oignons sont parfaitement comestibles, mais ils se gardent peu de temps et il vaut mieux les consommer le plus vite possible.

Quand les oignons sont mûrs, il vaut mieux les laisser en terre une ou deux semaines, surtout par temps sec et ensoleillé. Arrachez-les ensuite pour exposer les racines à l'air et laissez-les se ressuyer sur le sol pour qu'ils sèchent. Par temps froid et humide, mettez les bulbes dans un local sec et bien aéré, les étagères de la serre froide ou un filet tendu sur un cadre étant parfaits pour cela. Ne retirez pas les tiges. Quand les oignons sont complètement secs, vous pouvez arracher les tiges en les tordant et mettre les oignons sur des clayettes.

Ci-dessus : Suspendez les tresses d'ail pour qu'il reste sec et bien aéré.

À gauche : Soulevez les oignons à la fourche bêche, puis laissez les bulbes se ressuyer sur le sol s'il fait sec, ou sur une claie, à l'abri.

Tressage des oignons, échalotes et aulx

Si les tiges sont intactes, il est possible de nouer les oignons ensemble pour former des cordes ou des tresses, ou de les lier avec de la ficelle ou du raphia. Les échalotes et l'ail seront traités de la même façon. Une autre méthode est d'enfiler un fil de fer dans les collets secs des oignons.

Oignons, échalotes et aulx ainsi préparés seront accrochés pour qu'ils soient bien aérés. Tous trois devraient se garder jusqu'au printemps suivant s'ils sont conservés dans un local sec et bien ventilé, à l'abri des gelées. Vérifiez votre récolte d'oignons pendant l'hiver et jetez ceux qui sont mous. En fin d'hiver quelques oignons peuvent commencer à germer. Utilisez-les aussitôt. N'essayez pas de garder des tresses d'ail dans la cuisine, même si elles sont très décoratives, car l'ail germerait.

Comment tresser oignons, échalotes et aulx

Oignon, échalotes et aulx se tressent de la même façon. Attachez-les en écheveau avec de la ficelle ou du raphia, ou tressez les tiges ensemble.

1 Prenez le premier bulbe et nouez une ficelle autour du collet. Serrez bien la ficelle, l'ail rétrécissant par la suite.

2 Ajoutez d'autres bulbes, chacun juste au-dessus du précédent, en entourant la ficelle autour du collet de chaque bulbe. Nouez la ficelle dans l'écheveau.

3 Quand vous êtes au bout de l'écheveau, environ 10 à 15 oignons, attachez fermement toutes les tiges ensemble, en repliant le surplus.

Les jeunes poireaux, tels ces De Saint Victors de 4 mois, peuvent être récoltés dès qu'ils commencent à grossir.

POIREAUX

Ne les arrachez pas quand ils sont arrivés à maturité mais laissez-les en terre. Récoltez-les simplement à mesure de vos besoins. Ils supportent des gelées sévères et peuvent rester en terre tout l'automne. Après arrachage, les poireaux se gardent environ une semaine dans un local sec et bien aéré. Lavés et préparés, les poireaux seront conservés dans un sachet en plastique dans le bac à légumes du réfrigérateur.

CIBOULES

Si les rangs de ciboules ont été semés suffisamment clair, vous pouvez simplement les arracher quand elles sont à maturité, selon vos besoins. Gardez-les au réfrigérateur, dans un sachet en plastique.

CIBOULETTE

Ne l'arrachez pas, mais coupez les tiges près du sol, délicatement, avec une paire de ciseaux de cuisine. Coupez-la seulement à mesure de vos besoins. Vous la garderez quelques jours au réfrigérateur, dans un sachet ou une boîte en plastique.

PRÉPARER LES OIGNONS ET AUTRES ALLIUMS

Vous trouverez ici les techniques de base de préparation et de cuisson des oignons, poireaux et autres alliums. Prenez le temps d'étudier et de maîtriser ces techniques, elles vous feront gagner du temps et vous épargneront quelques larmes.

CHOISIR LES OIGNONS ET AUTRES ALLIUMS

Choisissez des bulbes fermes et intacts. Éliminez l'oignon qui cède sous la pression du doigt, montre des signes d'humidité ou des pousses vertes dans le haut. Ces règles s'appliquent également aux échalotes et à l'ail, excepté l'ail nouveau dont la peau doit être humide et fraîche.

Examinez les feuilles des ciboules et des poireaux, elles doivent être fraîches, non gluantes et sans taches brunes. En fin de printemps et début d'été, surveillez les poireaux qui risquent d'être « montés », avec un cœur coriace (la tige de la future fleur) qui reste dur à la cuisson.

Quand vous préparez des oignons, éliminez tous ceux qui comportent des taches brunes ou dont le centre est noir et gluant. Même si vous retirez la partie abîmée, le reste de l'oignon aura pris un mauvais goût.

Retirez et jetez le germe vert au centre de la gousse d'ail et éliminez les vieilles gousses desséchées, elles donneraient un goût amer ou de moisi à votre plat.

ÉPLUCHER LES OIGNONS

1 Pour peler un oignon, le plus simple est de couper d'abord le haut et le bas.

2 Fendez la peau avec un couteau aiguisé et retirez-la.

Éplucher l'oignon entier

Les oignons à braiser ou ajoutés à un bœuf bourguignon par exemple, doivent rester entiers. Certaines cuisinières trouvent plus facile d'émincer les oignons (qui sont souvent glissants) quand la base est intacte.

1 Pour peler un oignon (ou bien une échalote) qui doit rester entier, retirez juste les restes de racine en laissant la base intacte.

2 Faites ensuite une légère incision dans la peau, de haut en bas, avec un petit couteau pointu.

3 Retirez la peau de l'oignon, en travaillant du collet vers le bas.

Éplucher les petits oignons et les échalotes

Si vous devez éplucher beaucoup de petits oignons ou d'échalotes, blanchissez-les d'abord à l'eau bouillante, surtout s'il s'agit de variétés à peau serrée sur la chair et difficile à retirer. Faites de même pour les gousses d'ail.

1 Coupez le collet de l'oignon (ou d'une échalote) et une mince tranche dans le bas, en laissant la base intacte pour que l'oignon ne se défasse pas à la cuisson.

2 Mettez les oignons dans une jatte et recouvrez d'eau bouillante.

3 Laissez 3 min, égouttez puis faites glisser la peau de la surface des oignons ou des échalotes.

PRÉPARER ET NETTOYER LES POIREAUX

Les feuilles des poireaux retiennent souvent des particules de terre. La terre pénétrera d'autant moins que les feuilles seront plus serrées.

Les jeunes poireaux et les poireaux tout préparés vendus en supermarché sont généralement propres, mais il vaut cependant mieux vérifier qu'ils ne contiennent pas de terre avant de les faire cuire, quelques particules suffisant à gâcher tout un plat. Les poireaux arrachés dans votre jardin sont les plus coupables et doivent être très soigneusement lavés.

Préparation des gros poireaux

1 Quand vous préparez des gros poireaux, coupez presque toutes les feuilles vertes à l'endroit où elles se resserrent.

2 Jetez les feuilles vertes lâches mais, à moins que la recette ne comporte que le blanc du poireau, ne jetez pas la partie verte du fût.

3 Coupez les racines. Retirez les épaisseurs extérieures (une ou deux), qui sont dures, fibreuses et souvent abîmées.

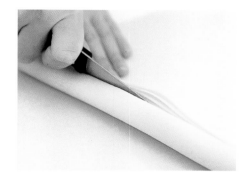

4 Faites une incision partant 3 cm au-dessus de la base du poireau, jusqu'au sommet, en coupant jusqu'au centre.

5 Lavez soigneusement le poireau sous l'eau froide, en écartant les épaisseurs pour bien enlever toute trace de terre. Tenez le poireau de façon à ce que l'eau coule de la base vers le haut, pour que la terre ne soit pas entraînée dans les épaisseurs de feuilles.

Préparation des jeunes poireaux

1 Coupez le moins possible de vert, il est assez tendre pour être consommé.

2 Les jeunes poireaux sont généralement assez propres, mais vérifiez un poireau en le fendant jusqu'au centre.

3 Retirez la feuille extérieure si elle paraît dure ou abîmée.

4 Lavez les poireaux en les secouant bien dans une jatte d'eau froide.

5 Si seul le haut des poireaux est sale et que vous vouliez les cuire entiers, faites une courte incision dans le haut. Lavez-les ensuite sous l'eau froide ou faites-les tremper 30 minutes dans une jatte d'eau froide, salée, pour éliminer la terre, mais ceci en dernier recours, les vitamines passant dans l'eau.

Préparer les poireaux à l'avance
Il est déconseillé de préparer les alliums trop longtemps à l'avance. L'ail cru peut développer des odeurs subsidiaires, en raison des composés sulfurés qui se dégagent quand il est coupé. Ces composés risquent de donner une odeur désagréable aux plats contenant des œufs, de la crème et du beurre. Si vous voulez préparer des alliums à l'avance, faites-les sauter rapidement dans un peu de graisse (ou blanchissez-les 3 min à l'eau bouillante).

ÉMINCER ET HACHER LES OIGNONS, ÉCHALOTES ET POIREAUX

1 La façon la plus facile d'émincer un oignon est de le couper en deux avec un couteau aiguisé, du collet à la base.

2 Posez les moitiés, côté coupé vers le bas, sur la planche à découper.

3 Tenez fermement une moitié en rentrant le bout des doigts, puis, en guidant la lame avec vos jointures, coupez des tranches fines. Faites de même avec l'autre moitié.

Couper des tranches en forme de croissant

Les tranches d'oignon en croissant sont bonnes dans les salades et les poêlées. Épaisses, elles sont excellentes rôties.

1 Laissez la partie de la racine intacte et coupez le bulbe en deux verticalement du collet à la base.

2 Posez l'oignon, côté coupé vers le bas, et coupez de minces tranches en suivant la courbure de l'oignon.

3 Laissez ces minces tranches solidaires de la base pour les frire ou séparez-les pour les garnitures de salade.

Couper des anneaux d'oignon

1 Choisissez des oignons ronds et de forme régulière. Si le collet du bulbe ne comporte qu'une pousse, vous aurez plus de chance d'obtenir des anneaux parfaitement ronds.

2 Coupez une mince tranche sur le côté pour que l'oignon ne glisse pas.

3 Coupez des tranches minces ou épaisses. Séparez les anneaux.

Hacher les oignons

1 Coupez l'oignon en deux de haut en bas et posez-le, côté coupé vers le bas.

2 Coupez l'oignon en tranches en laissant les tranches solidaires à la racine.

3 Émincez l'oignon à angle droit du collet à la base. Laissez intacte la partie de la racine pour éviter que les tranches se détachent.

4 Finalement, coupez à angle droit de la seconde série de sections et l'oignon va se défaire en petits dés sur la planche à découper.

Émincer les poireaux

1 Coupez des rondelles de l'épaisseur désirée, perpendiculairement au poireau.

CONSEILS

Les parties vertes du poireau étant souvent un peu plus longues à cuire que le blanc, mettez-les quelques minutes avant dans la casserole.

2 Pour poêler, coupez le poireau en travers, en biais. Une plus grande surface de la portion centrale sera ainsi exposée à la chaleur, et le poireau cuira plus rapidement.

Hacher les poireaux

1 Avec un couteau aiguisé, coupez le poireau en deux verticalement, du sommet à la base. Posez-le sur la planche à découper, côté coupé vers le bas.

2 Incisez ensuite sur toute la longueur du poireau en prenant soin de laisser la base intacte pour l'empêcher de se défaire.

3 Coupez le poireau en travers et il va se défaire en petits dés sur la planche.

PRÉPARER LES CIBOULES ET LES CÉBETTES (BUNCHING)

Les ciboules et les cébettes sont faciles à préparer. Ne retirez que les feuilles vertes dures ou abîmées. Pelez la mince tunique extérieure de l'oignon et coupez les racines. Lavez abondamment dans une jatte d'eau froide ou sous le robinet. Pour poêler, émincez simplement en biais, en tenant la lame à 40 degrés.

« Pinceaux » de ciboule

Ils sont servis traditionnellement avec le canard de Pékin. L'extrémité frangée des ciboules peut servir à prélever de la sauce hoisin ou aux prunes, pour en enduire les crêpes.

1 Coupez la ciboule en longueurs d'environ 6 à 7 cm.

2 Incisez plusieurs fois dans la longueur l'extrémité de la ciboule, avec un couteau aiguisé, pour donner l'aspect d'un pompon. Laissez au moins la moitié de la ciboule intacte pour former une poignée.

3 Mettez les ciboules dans une jatte d'eau glacée et laissez-les s'enrouler au réfrigérateur 30 à 45 min.

Lanières de ciboule

1 Coupez la ciboule en longueurs d'environ 6 à 7 cm.

2 Coupez chaque section en deux dans la longueur puis en longues et minces lanières.

3 Mettez dans une jatte d'eau glacée et laissez s'enrouler 30 min environ au réfrigérateur.

Pompons de ciboule

1 Faites une série de courtes incisions dans la longueur, à chaque extrémité des ciboules, avec un couteau aiguisé ou des ciseaux de cuisine, pour donner un aspect de pompon. Gardez au moins 2 à 3 cm intacts au centre.

2 Mettez dans une jatte d'eau glacée et laissez s'enrouler 30 min au réfrigérateur.

COUPER DE LA CIBOULETTE

1 Maintenez le bouquet de ciboulette dans votre main, coupez une extrémité avec des ciseaux pour l'égaliser, puis ciselez la quantité requise.

2 Coupez perpendiculairement ou en oblique pour former de petits anneaux.

PRÉPARER L'AIL

Le goût de l'ail diffère selon sa préparation, en raison des composés soufrés qu'il contient, dont la quantité varie suivant la façon dont il est coupé. Le parfum sera d'autant plus puissant que l'ail est haché ou écrasé plus finement.

Éplucher l'ail

La façon la plus simple d'éplucher l'ail est de mettre la gousse sur une planche à découper et de la presser avec le plat de la lame d'un couteau.

1 Posez le plat de la lame sur la gousse et appuyez fermement avec le poing ou la paume de la main, en déchirant la pelure de l'ail.

2 La pelure se retire alors facilement. L'ail est légèrement écrasé, ce qui contribue à faire sortir son arôme.

CONSEIL

Pour enlever l'odeur d'ail de vos mains, saupoudrez-les de sel et rincez-les à l'eau froide avant de les laver à l'eau chaude et au savon. Vous pouvez aussi les frotter avec un citron coupé et les laver à l'eau chaude.

Blanchir l'ail

Si vous devez éplucher une quantité de gousses, blanchissez-les au préalable.

1 Coupez les deux extrémités de chaque gousse. Mettez les gousses 2 ou 3 min dans une jatte d'eau bouillante. Égouttez et faites glisser les pelures.

Hacher l'ail

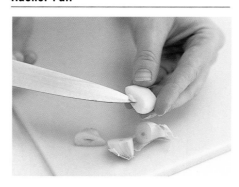

1 Quand vous hachez ou écrasez de l'ail, commencez par retirer le germe vert au centre des gousses. Le germe, plus apparent en fin d'hiver ou au printemps, est souvent amer. Retirez-le à la pointe du couteau ou avec l'ongle.

2 Pour que l'ail soit plus doux, émincez-le en travers, ou hachez-le grossièrement.

3 Pour que l'ail soit plus fort, hachez-le finement en coupant la gousse en deux de haut en bas, puis en l'éminçant en travers.

Écraser l'ail

Pour que son parfum soit beaucoup plus fort, écrasez l'ail au lieu de le hacher.

1 Écrasez l'ail au pilon dans un mortier ou sur une planche avec le plat de la lame d'un couteau, afin d'obtenir une sorte de pâte. En lui ajoutant quelques grains de sel marin, l'ail sera plus facile à écraser.

2 Plus facile encore et plus rapide, écrasez la gousse pelée dans un presse-ail spécialement étudié.

USTENSILES POUR L'AIL

Les seuls accessoires dont vous ayez réellement besoin pour préparer l'ail sont un bon petit couteau aiguisé, une planche à découper et, bien sûr, vos mains. Cependant, il existe de nombreux ustensiles étudiés tout spécialement. La plupart n'ont qu'un seul but, éviter la manipulation de l'ail pour que les mains n'en prennent pas l'odeur.

Épluche-ail

L'épluche-ail est un simple tube en caoutchouc dont la surface intérieure est rugueuse. La gousse est placée dans le tube que l'on roule ensuite d'avant en arrière en appuyant bien sur la surface de travail, pour détacher la pelure.

Presse-ail

Le presse-ail est le plus courant de ces ustensiles. Certains présentent un système très pratique qui permet d'extraire l'ail coincé dans les trous. Le presse-ail peut également servir pour l'oignon et pour extraire le jus du gingembre.

Presse-ail à vis

Il diffère du presse-ail classique, mais le résultat est le même. Quand vous vissez la poignée, l'ail pressé sort de la gousse. Il est facile à utiliser, mais difficile à nettoyer.

Pilon et mortier

Ces deux ustensiles sont très utiles dans la cuisine et parfaits pour écraser de grandes quantités d'ail ou pour faire des crèmes d'ail, comme l'aïoli.

Le mortier et le pilon sont traditionnels pour écraser l'ail.

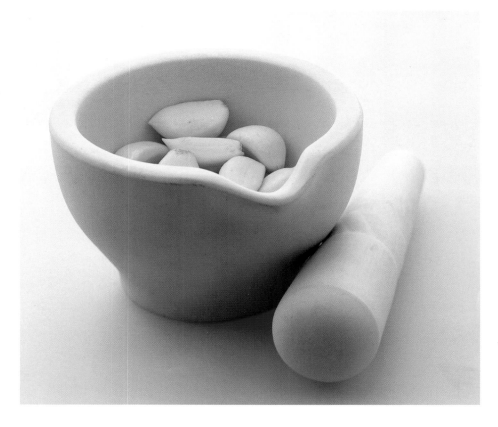

Pilon à ail

Le pilon à ail est semblable au pilon précédent, mais sa base en dôme est plus large. Il est plus efficace si vous l'utilisez avec une planche formant un creux. Il donne le même résultat que le plat de la lame du couteau.

Éminceur à ail

L'éminceur à ail est une mandoline miniature. La gousse d'ail est placée dans la cheminée et glisse d'avant en arrière sur la lame coupante. Ce gadget est très utile si vous devez émincer une grande quantité d'ail ou de gingembre.

CUISSON DES OIGNONS ET AUTRES ALLIUMS

Il existe bien des façons de faire cuire les oignons, lesquelles influencent différemment la saveur de l'oignon comme celle du plat dont il fait partie.

OIGNONS POÊLÉS

Les oignons peuvent être poêlés de différentes façons. Un oignon rissolé rapidement retiendra tout le piquant de l'oignon cru et pourra être très amer si vous le laissez brunir. Ces oignons sont généralement ajoutés à des plats où ils continueront à cuire, comme les ragoûts, lesquels profiteront aussi de la couleur sombre que l'oignon rissolé donne à la sauce.

Les oignons cuits lentement, à feu doux, sans colorer, dans une casserole couverte, vont acquérir un goût délicieux, doux et sucré, qui peut améliorer considérablement la saveur du plat terminé. On dit alors qu'on fait « suer » les oignons, première et importante étape de la préparation de nombreuses soupes et sauces. Le procédé convient également aux poireaux.

L'oignon caramélisé est le résultat du mélange des deux méthodes. Les oignons cuisent d'abord lentement, sans colorer, jusqu'à ce qu'ils soient souples, puis on augmente le feu et les oignons cuisent à découvert jusqu'à ce qu'ils soient dorés. Dans certaines recettes, on ajoute un peu de sucre pour accélérer le processus de caramélisation. Quand les oignons sont brun acajou, ils peuvent servir de base à de nombreuses soupes et sauces classiques. Ils sont aussi excellents tels quels, pour accompagner la viande, la volaille ou le fromage.

Les oignons réagissent différemment à ces techniques de cuisson, selon leur espèce ou leur stade de pousse. Les oignons verts, immatures, ne deviennent jamais croustillants. Les oignons rouges, plus « humides » que les jaunes, dorent et caramélisent moins facilement. Les échalotes, quant à elles, ont une chair plus dense et se dessèchent vite en devenant dures et amères si elles sont poêlées trop rapidement. Pour que les oignons restent souples sans colorer, faites sortir leur eau en leur ajoutant une pincée de sel.

Cuisson rapide

1 Chauffez la quantité de matière grasse requise par la recette dans une grande poêle à fond épais, sur feu moyen. Ajoutez les oignons finement émincés ou hachés et laissez cuire 5 min environ, en remuant fréquemment pour les empêcher d'attacher, jusqu'à ce que les oignons commencent à dorer. Ne les laissez pas brûler, ce qui les rendrait amers.

Cuisson lente

1 Faites cuire les oignons 10 à 15 min à feu très doux, jusqu'à ce qu'ils soient fondus et commencent à jaunir. Remuez de temps à autre pendant la cuisson pour les empêcher d'attacher et de brunir, ce qui gâterait leur saveur sucrée.

Faire « suer » les oignons

Ce procédé, qui concentre et adoucit l'arôme, convient aux oignons et aux poireaux et constitue souvent la première étape de la confection des soupes. Faire suer l'oignon demande un feu très doux qui cuit les oignons ou les poireaux sans les dorer, ce qui en altérerait la saveur douce et sucrée.

1 Faites cuire les oignons comme dans la cuisson lente mais couvrez la casserole.

2 Certaines cuisinières posent une feuille de papier sulfurisé sur les oignons avant de mettre le couvercle, pour les faire « suer » encore plus intensément.

Pour enlever l'odeur d'oignon
- Frottez vos plantes de pied avec de l'huile essentielle de menthe poivrée. En une trentaine de minutes, votre haleine ne sentira plus l'oignon mais la menthe.
- Mâcher du persil est le meilleur antidote d'une haleine parfumée d'oignon ou d'ail. La chlorophylle

du persil neutralise le soufre fauteur de trouble des alliums.
- Couvrez les odeurs d'oignons en mâchant des graines de cardamomes ou de fenouil. Les Indiens offrent traditionnellement ces graines après un repas pour faciliter la digestion.
- Buvez une infusion de menthe, de fenouil et/ou de sauge.

Échalotes frites thaïs

Elles sont excellentes pour garnir les salades, le riz et les soupes.

1 Épluchez les échalotes et émincez-les en tranches de moyenne épaisseur.

2 Faites cuire doucement dans l'huile environ 8 min pour les assouplir.

3 Montez le feu et faites dorer les échalotes jusqu'à ce qu'elles soient croustillantes. Retirez avec l'écumoire et égouttez sur du papier absorbant.

CONSEIL
Les tranches d'échalote ou d'oignon séchées puis frites donnent une garniture croustillante. Ne les laissez pas brûler.

CARAMÉLISER

Pour caraméliser oignons ou échalotes, faites-les cuire lentement jusqu'à ce que leurs sucres naturels prennent une teinte brune. Les oignons ou échalotes caramélisés donnent du goût aux soupes, sauces et ragoûts, et sont très bons avec du foie, du steak ou des saucisses.

La rapidité de la caramélisation dépend de la chaleur de la poêle. Les oignons ou les échalotes caramélisés à feu très doux pendant 45 min, prendront une teinte acajou foncé. Le temps de cuisson dépend de la teneur en sucre des oignons. Les oignons caramélisés sont indissociables de la soupe à l'oignon. Pour un résultat plus rapide, montez le feu et ajoutez un peu de sucre pour aider à caraméliser, mais remuez souvent pour empêcher les oignons d'attacher.

Caraméliser des oignons à la casserole

1 Faites cuire lentement les oignons au beurre ou à l'huile, sous couvercle, jusqu'à ce qu'ils soient souples et dorés.

2 Continuez la cuisson à découvert, jusqu'à ce qu'ils colorent, en remuant.

3 Ajoutez 1 cuil. à café de sucre pour les faire caraméliser plus rapidement.

Caraméliser des oignons au four

Cette technique est utile si vous êtes occupé, parce que vous n'avez pas besoin de remuer les oignons aussi souvent que dans la casserole.

1 Mettez des oignons coupés en tranches épaisses dans un plat à four ou sur la plaque, salez et poivrez, ajoutez des herbes telles que thym ou romarin et arrosez d'un peu d'huile d'olive.

2 Couvrez les oignons de papier alu et faites cuire 30 min à 190 °C (th. 6).

3 Découvrez le plat, ajoutez 1 cuil. à café de sucre et mélangez, arrosez d'un peu de vinaigre de vin ou balsamique.

4 Remettez le plat au four, sans le couvrir, et laissez cuire encore 25 à 35 min, en remuant une ou deux fois, les oignons étant alors très tendres et dorés.

CONSEIL
Les oignons caramélisent mieux en couche épaisse. En couche mince, ils bruniront trop vite. Surveillez-les dans le four. S'ils dorent trop vite, baissez la température et remuez une ou deux fois.

---

soient souples et légèrement brûlés.

3 Ou enfermez les tranches dans une grille articulée. Huilez, assaisonnez et grillez 5 à 6 min de chaque côté.

3 Enduisez d'un peu d'huile sur les ciboules, assaisonnez et faites griller, sur du charbon de bois au barbecue ou sur un gril cannelé en fonte, environ 2 min de chaque côté ou jusqu'à ce que les ciboules soient souples et colorées sans être brûlées.

CONSEIL
Les oignons cipolla grillés entiers font des canapés originaux et savoureux. Après cuisson, tournez-les dans de la vinaigrette et servez sur du pain grillé ou simplement avec des tranches épaisses de pain croustillant.

3 Enduisez les poireaux d'huile, salez et poivrez, faites griller les jeunes poireaux comme les ciboules, 3 à 4 min de chaque côté, et les poireaux plus gros 4 à 5 min de chaque côté.

CONSEIL
Les poireaux grillés peuvent être servis chauds, tièdes ou froids. Ils sont très savoureux avec une simple vinaigrette (huile, vinaigre d'estragon et moutarde).

Caraméliser des échalotes

Échalotes et petits oignons sont en général caramélisés entiers, mais vous pouvez les couper en tranches épaisses.

AIL POÊLÉ

L'ail contenant moins d'eau que l'oignon, il cuit et dore plus vite. Il peut donc brûler facilement en prenant un goût amer et âcre. En conséquence, quand les oignons et l'ail doivent être poêlés ensemble, n'ajoutez l'ail dans la poêle que lorsque les oignons sont presque cuits.

Dans la cuisine chinoise et asiatique, l'ail est souvent cuit dans l'huile en début de cuisson. Parfois on le retire

Gousses d'ail frites

Les gousses d'ail frites sont délicieuses dans les salades vertes, surtout avec du fromage de chèvre.

OIGNONS RÔTIS

Les oignons rôtis sont délicieux. Vous pouvez les faire rôtir dans leur peau, ce qui donne une chair souple et juteuse, ou en les pelant au préalable, pour une saveur plus caramélisée et une texture plus croustillante.

Rôtir les oignons dans leur peau

1 Retirez les peaux abîmées et coupez les racines, en laissant la base intacte.

2 Enduisez d'huile, puis faites rôtir à 190 °C (th. 6) jusqu'à ce qu'ils soient souples sous le doigt (1 h à 1 h 30).

3 Pour servir, incisez le haut en croix et ajoutez beurre ou fromage (le beurre d'herbes est très bon).

Rôtir les oignons épluchés

1 Les petits oignons pelés seront rôtis entiers. Les gros oignons peuvent être coupés en tranches (en les laissant solidaires à la base, pour qu'ils ne se défassent pas à la cuisson) ou coupés en deux ou en quatre.

2 Vous pouvez aussi faire deux ou trois incisions de haut en bas en vous arrêtant à 1 cm de la base. En rôtissant, les quartiers s'écarteront.

3 Les oignons entiers cuiront plus vite si vous les blanchissez 3 ou 4 min à l'eau bouillante. Enduisez d'huile, assaisonnez et faites cuire non couvert à 190 ou 200 °C (th. 6-7), 40 min (oignons entiers) ou 30 min (quartiers).

OIGNONS FARCIS

Les oignons sont excellents farcis. Il existe deux façons de les préparer et de les présenter.

Préparation des oignons crus

1 Choisissez des oignons ronds et réguliers. Les gros oignons d'Espagne sont parfaits.

2 Pelez les oignons et retirez une fine tranche à chaque extrémité.

3 Avec un couteau aiguisé, coupez l'oignon en deux horizontalement.

4 Avec un couteau pointu et aiguisé, incisez autour du deuxième ou troisième cercle de l'oignon, à partir de l'extérieur.

5 Détachez peu à peu le centre de l'oignon des cercles extérieurs, en laissant un creux de 2 ou 3 cercles.

6 Si les « coupes » ont un trou dans le fond, couvrez-le avec un petit morceau des cercles retirés. Remplissez de farce et faites cuire selon la recette.

Préparation des oignons entiers

Les oignons entiers doivent être d'abord blanchis pour cuire uniformément. La chair peut alors être retirée à la cuillère et mélangée avec la farce. Comptez un gros oignon par personne.

1 Choisissez des oignons ronds de forme régulière, épluchez-les mais laissez intacts le sommet et la base.

2 Plongez dans l'eau bouillante légèrement salée et faites cuire 15 min environ, puis égouttez soigneusement et laissez tiédir.

3 Coupez et retirez un « chapeau » dans le haut de chaque oignon.

4 Avec un petit couteau aiguisé et pointu ou une cuillère à pamplemousse, retirez le centre de l'oignon pour laisser une « coupe » de 2 ou 3 cercles.

Confection de la farce

Les farces les plus courantes pour les oignons sont à base de viande ou de mie de pain avec des herbes, des épices et du fromage. La farce incorpore en général l'oignon haché du centre retiré.

Les coupes d'oignon cru, qui doivent cuire de 1 h à 1 h 30, à 180-190 °C (th. 6-7), 30, sont plus indiquées pour les farces à base de viande. Elles cuiront mieux si vous les posez sur un lit de sauce ou d'un mélange d'huile d'olive et de jus de citron, qui permettra d'arroser les oignons pendant la cuisson pour qu'ils restent moelleux. Les oignons entiers blanchis et partiellement cuits seront enduits d'huile d'olive ou de beurre fondu et cuits 45 à 60 min.

OIGNONS CONFITS AU VINAIGRE

La conserve au vinaigre était autrefois un moyen de garder les légumes pendant l'hiver, mais elle n'est plus aujourd'hui qu'une pratique gastronomique. Bien que les oignons, les échalotes et l'ail se gardent fort bien à l'état naturel, les « pickles » ont toujours été une façon populaire de les conserver, leur piquant naturel supportant remarquablement les saveurs fortes du vinaigre et des épices.

Oignons confits au vinaigre (pickles)

Choisissez des petits oignons bien réguliers et pelez-les après les avoir blanchis. Les oignons à pickles sont généralement salés pour en faire sortir l'eau et favoriser la conservation.

Pour des pickles croquants, couvrez-les de vinaigre froid. Pour qu'ils soient plus souples, faites-les cuire jusqu'à 10 min dans le vinaigre bouillant.

1 Les oignons peuvent être disposés en couche avec du gros sel dans un récipient non métallique.

2 Vous pouvez aussi les mettre dans une jatte et les couvrir avec une solution fortement salée. Laissez macérer.

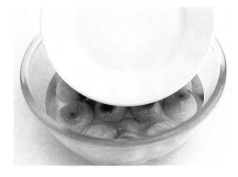

3 Posez un poids sur les oignons pour être sûr que l'eau salée les recouvre.

4 Après 1 ou 2 jours dans le sel (selon la grosseur des oignons), rincez-les et séchez-les dans un torchon, puis entassez-les dans des bocaux stérilisés.

5 Versez le vinaigre épicé sur les oignons.

6 Vous pouvez ajouter quelques épices à votre goût, puis fermez les bocaux hermétiquement.

CONSEIL

Les épices ajoutées en dernier lieu peuvent être des graines de moutarde et de coriandre, grains de poivre, quatre-épices, piments et clous de girofle.

Simple vinaigre épicé

Chauffez ensemble 1,2 l de vinaigre de vin blanc avec 2 morceaux de racine de gingembre séché, 2 copeaux de macis, 2 ou 3 piments rouges séchés et 1 cuil. à soupe de graines de moutarde, autant de graines de coriandre et autant de grains de poivre noir. Ajoutez quelques feuilles de laurier, un morceau de cannelle ou 2 ou 3 étoiles de badiane, à votre goût. Le vinaigre sera d'autant plus parfumé que vous le chaufferez plus longtemps avec les épices. Pour un vinaigre plus sucré, ajoutez 3 cuil. à soupe de sucre roux.

Pour stériliser les bocaux

Lavez, rincez et essuyez les bocaux soigneusement. Chauffez le four à 180 °C (th. 6). N'oubliez pas de retirer les caoutchoucs et placez les bocaux sur une plaque ; chauffez-les 20 min environ. Laissez tiédir les bocaux.

Vous pouvez aussi mettre les bocaux dans une casserole d'eau bouillante et les faire bouillir 10 min. Posez-les sur une grille pour qu'ils ne soient pas en contact direct avec la chaleur.

AUTRES CONSERVATIONS D'ALLIUMS

Oignons séchés

Autrefois, on séchait les oignons pour les conserver, pratique plus ou moins abandonnée aujourd'hui, les oignons étant sur le marché toute l'année. Cependant, les oignons séchés sont utiles dans le placard à provisions, en cas d'urgence. Ajoutez-les directement aux ragoûts ou réhydratez-les au préalable dans un peu d'eau chaude, 10 à 15 min. Les échalotes séchées peuvent être frites dans un peu d'huile à feu modéré et font d'excellentes garnitures pour de nombreux plats thaïs et de l'Asie du Sud-Est.

1 Épluchez et émincez finement les oignons, puis étalez-les sur une grille.

2 Faites-les sécher au four à basse température (110 °C, th. 3-4), ce qui peut prendre jusqu'à 12 h. Retournez une fois les tranches en cours de séchage.

3 Conservez les oignons en un lieu sec, dans un sac en tissu ou en papier ou dans un bocal avec un couvercle en tissu ou en papier pour absorber l'humidité. Faites de même pour les échalotes.

Purée d'ail rôti

Elle est très utile à conserver au réfrigérateur. Elle se garde plusieurs semaines si vous la recouvrez d'1 cm d'huile au moins. Rajoutez de l'huile après en avoir prélevé. Une tête d'ail devrait donner approximativement 1 à 2 cuil. à soupe de purée.

Cette purée est utile dans de nombreux plats. Pour faire une simple sauce pour les pâtes, incorporez 2 ou 3 cuil. à soupe de purée dans 15 cl de crème épaisse bouillante, salez et poivrez à votre goût et ajoutez un peu de jus de citron et de thym ou de basilic haché. La purée est bonne également dans de nombreux plats végétariens, en soufflé, dans les omelettes et les tartes, ou simplement étalée sur du bon pain et dégustée avec du fromage de chèvre grillé ou rôti au four.

Purée d'ail rôti

Les quantités suivantes donnent approximativement 12 cl de purée.

5 grosses têtes d'ail
2 ou 3 brins de thym ou de romarin
   ou les deux
huile d'olive vierge extra
sel et poivre noir du moulin

CONSEIL

Pour réduire en purée une grosse quantité d'ail, passez-le au moulin à légumes (gousses y compris). L'ail passera à travers la grille en laissant les pelures et les débris dans le moulin.

Appareil à déshydrater

Si vous avez beaucoup d'oignons à sécher, vous pouvez investir dans un appareil à déshydrater, facile d'emploi et qui permet de sécher rapidement et efficacement de grandes quantités d'oignons. L'appareil peut également servir pour les autres légumes et pour les fruits, et il sèche rapidement les fines herbes. Suivez les instructions du fabricant.

1 Coupez une mince tranche dans le haut de chaque tête d'ail.

2 Enveloppez les têtes d'ail dans du papier d'aluminium avec les herbes et 3 cuil. à soupe d'huile. Faites cuire 50 à 60 min à 190 °C (th. 6-7), l'ail doit être moelleux. Laissez refroidir.

3 Faites sortir l'ail dans un bol en pressant les gousses puis écrasez-le, incorporez l'huile et assaisonnez.

4 Versez dans un bocal stérilisé. Recouvrez d'huile sur 1 cm. Couvrez et conservez au réfrigérateur ; Consommez dans les 3 semaines.

Congélation

Il est déconseillé de congeler les alliums crus à cause des « odeurs subsidiaires » qu'ils dégagent. Les sauces qui contiennent de l'ail ou de l'oignon cru doivent aussi être congelées avec précaution. Avec le pesto, par exemple, préparez et congelez le basilic, la pâte aux pignons et à l'huile et n'ajoutez l'ail et les fromages râpés qu'au moment de la décongélation.

LES RECETTES

*À quelques exceptions près, l'oignon est présent
dans les cuisines du monde entier. Cependant, les oignons
et autres alliums sont souvent utilisés comme simple base
des plats salés que nous cuisinons. Les cent cinquante recettes
qui suivent, traditionnelles, modernes ou exotiques, célèbrent
la famille des oignons, non seulement comme l'un
des piliers de la cuisine mais aussi comme un mets
à part entière — des soupes et des hors-d'œuvre aux
pains et aux pickles, en passant par les plats
de viande, de volaille et de poisson.*

Qu'y a-t-il de plus revigorant qu'un bol de soupe à l'oignon fumante ? En dépit des fluctuations de la popularité des divers alliums, les oignons ont toujours été présents dans les soupes. Ils sont indispensables à un bon bouillon et à des soupes aussi diverses que la soupe à l'oignon française ou la Vichyssoise froide et veloutée. Les soupes à l'ail guérissent de nombreuses affections, les épaisses soupes aux poireaux combattent les frimas de l'hiver, la soupe à l'oignon crémeuse et parfumée de safran est tout simplement délicieuse et les soupes sans oignons sont une vue de l'esprit.

Soupes

SOUPE À L'OIGNON, AUX AMANDES ET AU SAFRAN

CE MÉLANGE ESPAGNOL D'OIGNONS, DE XÉRÈS ET DE SAFRAN DONNE UN PARFUM APPÉTISSANT À CETTE SOUPE JAUNE PÂLE PARFAITE POUR COMMENCER LE REPAS.

2 Ajoutez le safran et laissez cuire 3 ou 4 min, à découvert, puis ajoutez les amandes en poudre et laissez cuire encore 2 ou 3 min, en remuant constamment. Versez le bouillon et le xérès et 1 cuil. à café de sel. Assaisonnez avec beaucoup de poivre noir. Portez à ébullition, puis baissez le feu et laissez frémir 10 min environ.

3 Réduisez la soupe en purée lisse au blender ou au robot et reversez-la dans la casserole que vous aurez rincée. Réchauffez lentement, sans laisser la soupe bouillir, en remuant de temps à autre. Rectifiez l'assaisonnement en ajoutant sel et poivre, si nécessaire.

4 Versez la soupe dans des bols chauffés, garnissez avec les amandes émincées et grillées et un peu de persil et servez aussitôt.

POUR 4 PERSONNES

INGRÉDIENTS

40 g de beurre

2 gros oignons jaunes finement émincés

1 petite gousse d'ail finement émincée

1 bonne pincée de filaments de safran (environ 12 filaments)

50 g d'amandes émondées, grillées et finement moulues

75 cl de bon bouillon de poulet ou de légumes

3 cuil. à soupe de xérès sec

sel et poivre noir du moulin

2 cuil. à soupe d'amandes émincées, grillées et hachées

persil frais en garniture

1 Faire fondre le beurre à feu doux dans une casserole à fond épais. Ajoutez les oignons et l'ail, en remuant pour les enrober de beurre. Couvrez la casserole et laissez cuire 15 à 20 min à feu très doux en remuant, jusqu'à ce que les oignons soient souples et dorés.

VARIANTE

Cette soupe est délicieuse froide. Remplacez le beurre par de l'huile d'olive et ajoutez un peu de bouillon pour donner une soupe moins épaisse, puis laissez au moins 4 h au réfrigérateur. Au moment de servir, rectifiez l'assaisonnement. Posez 1 ou 2 glaçons dans chaque bol.

SOUPE À LA CRÈME D'OIGNON

CETTE SOUPE GOÛTEUSE ET CRÉMEUSE EST REHAUSSÉE PAR DES CROÛTONS CROUSTILLANTS OU PAR LA SAVEUR PIQUANTE DE LA CIBOULETTE CISELÉE.

POUR 4 PERSONNES

INGRÉDIENTS

120 g de beurre
1 kg d'oignons jaunes émincés
1 feuille de laurier frais
10 cl de vermouth blanc sec
1 l de bon bouillon de poulet
 ou de légumes
15 cl de crème épaisse
un peu de jus de citron (facultatif)
sel et poivre noir du moulin
croûtons ou ciboulette fraîche
 ciselée, en garniture

CONSEIL

Le second ajout d'oignons donne de la texture à la soupe, ainsi qu'un délicat goût de beurre. Veillez à ce que les oignons ne brunissent pas.

1 Faites fondre 75 g de beurre dans une grande casserole à fond épais. Réservez environ 200 g d'oignons et ajoutez le reste dans la casserole avec le laurier. Remuez pour les enduire de beurre, puis couvrez et laissez cuire 30 min à feu très doux. Les oignons doivent être très tendres mais sans colorer.

2 Ajoutez le vermouth, montez le feu et laissez bouillir à gros bouillons jusqu'à ce que le liquide soit évaporé. Ajoutez le bouillon, 1 cuil. à café de sel et du poivre à votre goût. Portez à ébullition, baissez le feu et laissez frémir 5 min, puis retirez du feu.

3 Laissez refroidir, jetez le laurier et réduisez en purée lisse au blender. Reversez dans la casserole lavée.

4 Faites cuire lentement le reste des oignons sous couvercle dans le reste du beurre, dans une autre casserole, ils doivent être souples mais non colorés. Découvrez et laissez-les colorer.

5 Ajoutez la crème à la soupe et réchauffez-la doucement, sans la laisser bouillir. Goûtez et rectifiez l'assaisonnement, en ajoutant un peu de jus de citron si vous l'aimez. Ajoutez les oignons et mélangez 1 à 2 min, puis versez la soupe dans les bols. Parsemez de croûtons ou de ciboulette ciselée et servez.

SOUPE À L'OIGNON ET CROÛTONS AU GRUYÈRE

Voici peut-être la plus célèbre de toutes les soupes à l'oignon. Elle était servie traditionnellement au petit déjeuner des porteurs et travailleurs des Halles, à Paris.

POUR 6 PERSONNES

INGRÉDIENTS

   50 g de beurre

   1 cuil. à soupe d'huile d'olive
     ou d'huile d'arachide

   2 kg d'oignons jaunes épluchés
     et émincés

   1 cuil. à café de thym frais

   1 cuil. à café de sucre en poudre

   1 cuil. à soupe de vinaigre de xérès

   1,5 l de bon bouillon de bœuf,
     de poulet ou de canard

   1 cuil. à soupe et 1/2 de farine

   15 cl de vin blanc sec

   3 cuil. à soupe de cognac

   sel et poivre noir du moulin

Pour les croûtons

   6 à 12 tranches épaisses de baguette
     de la veille, de 3 cm d'épaisseur
     environ

   1 gousse d'ail partagée en deux

   1 cuil. à soupe de moutarde

   120 g de gruyère râpé grossièrement

1 Faites fondre le beurre et l'huile dans une grande casserole. Ajoutez les oignons et mélangez. Laissez cuire 5 à 8 min à feu modéré, en remuant une ou deux fois, jusqu'à ce que les oignons soient transparents. Ajoutez le thym.

2 Baissez le feu au maximum, couvrez et laissez cuire 20 à 30 min, en remuant souvent, jusqu'à ce qu'ils soient très tendres et jaune pâle.

3 Découvrez la casserole et montez légèrement le feu. Ajoutez le sucre et laissez cuire 5 à 10 min, le temps que les oignons commencent à colorer. Ajoutez le vinaigre et montez le feu. Continuez la cuisson, en remuant souvent, jusqu'à ce que les oignons soient brun doré, ce qui peut prendre 20 min.

CONSEIL

La cuisson lente des oignons est la clé de la réussite de cette soupe. Si les oignons colorent trop rapidement, la soupe sera amère.

4 Portez le bouillon à ébullition dans une autre casserole. Incorporez la farine aux oignons et laissez cuire 2 min, puis versez peu à peu le bouillon bouillant. Ajoutez le vin et le cognac, salez et poivrez à votre goût. Laissez frémir 10 à 15 min.

5 Pour les croûtons, préchauffez le four à 150 °C (th. 5). Mettez les tranches de pain sur une plaque graissée et faites-les cuire 15 à 20 min, jusqu'à ce qu'elles soient sèches et légèrement dorées. Frottez le pain avec le côté coupé de l'ail et tartinez de moutarde, puis parsemez de gruyère râpé.

6 Préchauffez le gril au plus chaud. Versez la soupe dans une grande soupière ou répartissez dans six bols résistant à la chaleur. Posez les croûtons sur la soupe, puis faites griller jusqu'à ce que le fromage fonde en bouillonnant et gratine. Servez aussitôt.

SOUPE FROIDE À L'AIL, AUX AMANDES ET AU RAISIN

L'ORIGINE DE CETTE SOUPE FROIDE ESTIVALE ET VELOUTÉE EST UNE ANCIENNE RECETTE MAURE D'ANDALOUSIE. LES AMANDES ET LES PIGNONS DE PIN SONT TYPIQUES DE LA RÉGION.

POUR 6 PERSONNES

INGRÉDIENTS

80 g d'amandes émondées

50 g de pignons de pin

6 grosses gousses d'ail pelées

200 g de mie de pain rassis

90 cl à 1 l d'eau minérale plate, très froide

12 cl d'huile d'olive vierge extra, plus un peu pour servir

1 cuil. à soupe de vinaigre de xérès

2 ou 3 cuil. à soupe de xérès sec

250 g de raisins, pelés, partagés en deux et épépinés

sel et poivre blanc du moulin

glaçons et ciboulette fraîche ciselée en garniture

1 Faites griller à sec les amandes et les pignons dans une casserole à feu modéré, ils doivent être à peine dorés. Laissez refroidir et réduisez en poudre.

2 Faites blanchir l'ail 3 min à l'eau bouillante. Égouttez et rincez.

3 Faites tremper 10 min la mie de pain dans 30 cl d'eau puis essorez-la. Réduisez en pâte au robot l'ail, la mie de pain, les amandes et les pignons et 1 cuil. à café de sel.

4 Incorporez peu à peu l'huile d'olive et le vinaigre de xérès, suivis par assez d'eau pour donner une soupe lisse à la consistance veloutée.

5 Incorporez 2 cuil. à soupe de xérès. Rectifiez l'assaisonnement et ajoutez du xérès à votre goût. Mettez au frais au moins 3 h, puis rectifiez à nouveau l'assaisonnement et ajoutez un peu d'eau glacée si la soupe a épaissi. Réservez quelques raisins pour la garniture et incorporez le reste dans la soupe.

6 Versez la soupe dans les bols (les bols en verre sont particulièrement jolis) et garnissez de glaçons, des raisins réservés et de ciboulette ciselée. Arrosez de quelques gouttes d'huile d'olive vierge extra juste avant de déguster la soupe.

CONSEILS

• Griller légèrement les amandes et les pignons accentue leur saveur, mais vous pouvez vous en dispenser si vous préférez une soupe moins colorée.

• Blanchir l'ail adoucit son parfum.

VICHYSSOISE

CETTE SOUPE FROIDE ESTIVALE CLASSIQUE FUT CRÉÉE DANS LES ANNÉES 1920 PAR LOUIS DIAT, CHEF DU RITZ-CARLTON DE NEW YORK, QUI LA BAPTISA DU NOM DE SA VILLE NATALE DE VICHY. C'EST UNE SIMPLE SOUPE DE POIREAUX ET DE POMMES DE TERRE, VELOUTÉE PAR DE LA CRÈME ÉPAISSE.

3 Ajoutez le bouillon ou l'eau, 1 cuil. à café de sel et du poivre à votre goût. Portez à ébullition, baissez le feu, couvrez à demi. Laissez frémir 15 min, les pommes de terre doivent être cuites.

4 Laissez refroidir puis réduisez en purée lisse au blender ou au robot. Passez la soupe dans une jatte et incorporez la crème. Goûtez et rectifiez l'assaisonnement. Ajoutez un peu d'eau glacée si la consistance de la soupe paraît trop épaisse.

5 Laissez la soupe au moins 4 h au réfrigérateur. Goûtez et rectifiez l'assaisonnement et ajoutez un filet de jus de citron, si nécessaire. Versez dans des bols et parsemez de ciboulette ciselée. Servez aussitôt.

VARIANTES

• **Potage bonne femme** Pour cette soupe chaude, remplacez les échalotes par 1 oignon haché et utilisez 450 g de pommes de terre. Diminuez par deux la quantité de crème et chauffez-la avec la soupe en ajoutant un peu de lait si la consistance est trop épaisse. Vous pouvez remplacer la ciboulette par des lamelles de poireaux frites.

• **Soupe glacée aux poireaux et à l'oseille ou au cresson** Ajoutez 50 g d'oseille ciselée à la soupe en fin de cuisson. Finissez et mettez au frais comme dans la recette principale puis servez garni d'oseille finement déchirée. Vous pouvez remplacer l'oseille par la même quantité de cresson.

POUR 4 À 6 PERSONNES

INGRÉDIENTS
50 g de beurre
500 g de poireaux, le blanc seulement, finement émincé
3 grosses échalotes émincées
250 g de pommes de terre farineuses (Bintje) épluchées et coupées en morceaux
1 l de bouillon léger de poulet ou d'eau
30 cl de crème épaisse
eau glacée (facultatif)
un peu de jus de citron (facultatif)
sel et poivre noir du moulin
ciboulette ciselée, en garniture

1 Faites fondre le beurre dans une casserole et laissez cuire les poireaux et les échalotes 15 à 20 min, à couvert, ils doivent être souples sans colorer.

2 Ajoutez les pommes de terre et laissez cuire quelques minutes, sans couvercle.

SOUPE AU POULET, AUX POIREAUX, AUX PRUNEAUX ET À L'ORGE

CETTE RECETTE EST INSPIRÉE DE LA SOUPE ÉCOSSAISE TRADITIONNELLE, COCK-A-LEEKIE.
L'ASSOCIATION ORIGINALE DE POIREAUX ET DE PRUNEAUX EST SURPRENANTE ET DÉLICIEUSE.

POUR 6 PERSONNES

INGRÉDIENTS

1 poulet pesant environ 2 kg
900 g de poireaux
1 feuille de laurier frais
quelques tiges de persils frais
   et quelques brins de thym
1 grosse carotte émincée en
   rondelles épaisses
2,4 l de bouillon de poulet ou
   de bœuf
120 g d'orge perlée
400 g de pruneaux moelleux
sel et poivre noir du moulin
persil frais haché, en garniture

1 Prélevez les blancs du poulet et réservez. Mettez le reste du poulet dans une grande casserole avec la moitié des poireaux coupés en tronçons de 5 cm. Faites un bouquet garni avec le laurier, le persil et le thym et mettez-le dans la casserole avec la carotte et le bouillon. Portez à ébullition, baissez le feu et couvrez. Laissez frémir 1 h. Écumez aux premiers bouillons et à l'occasion pendant la cuisson.

2 Ajoutez les blancs de poulet et laissez cuire encore 30 min, jusqu'à ce qu'ils soient juste cuits. Laissez tiédir puis passez le bouillon. Réservez les blancs et la viande de la carcasse du poulet. Jetez la peau, les os, les légumes cuits et les herbes. Dégraissez le bouillon au maximum et reversez dans la casserole.

3 Pendant ce temps, rincez soigneusement l'orge perlée dans une passoire sous le robinet d'eau froide, puis faites-la cuire 10 min dans une grande casserole d'eau bouillante. Égouttez, rincez à nouveau et égouttez soigneusement.

4 Ajoutez l'orge perlée au bouillon. Portez à ébullition à feu modéré, baissez le feu et laissez cuire 15 à 20 min à feu très doux, jusqu'à ce que l'orge soit tendre. Assaisonnez avec 1 cuil. à café de sel et du poivre noir.

5 Ajoutez les pruneaux. Émincez le reste des poireaux et ajoutez-les dans la casserole. Portez à ébullition et laissez frémir 10 min ou jusqu'à ce que les poireaux soient cuits *al dente*.

6 Émincez les blancs de poulet et ajoutez-les à la soupe avec le reste de la chair du poulet, émincée ou coupée en petits morceaux. Réchauffez si nécessaire, puis versez la soupe dans des assiettes creuses et parsemez de persil haché.

SOUPE MÉDITERRANÉENNE AUX POIREAUX, AU POISSON, AUX TOMATES ET À L'AIL

Cette soupe non passée — presque un ragoût — et délicieusement parfumée, forme tout un repas dans une assiette. Servez-la avec des croûtons tartinés de mayonnaise à l'ail.

POUR 4 PERSONNES

INGRÉDIENTS

2 cuil. à soupe d'huile d'olive
2 gros poireaux finement émincés
1 cuil. à café de coriandre écrasée
une bonne pincée de flocons de
  piment rouge séchés
300 g de petites pommes de terre
  fermes coupées en tranches épaisses
1 boîte de 200 g de tomates olivettes
  pelées et hachées
60 cl de bouillon de poisson
15 cl de vin blanc fruité
1 feuille de laurier frais
1 étoile de badiane
une lamelle de zeste d'orange
une pincée de filaments de safran
450 g de filets de poisson blanc,
  lotte, bar, morue ou lieu
450 g de petits calamars nettoyés
250 g de crevettes crues épluchées
3 cuil. à soupe de persil haché
sel et poivre noir du moulin
Pour servir
  tranches de pain grillé
  mayonnaise épicée à l'ail

1 Faites chauffer l'huile dans une casserole, ajoutez vert des poireaux, coriandre et piment et laissez cuire 5 min.

2 Ajoutez pommes de terre et tomates, bouillon et vin, le laurier, la badiane, le zeste d'orange et le safran.

3 Portez à ébullition, baissez le feu, couvrez à demi. Laissez frémir 20 min ou jusqu'à ce que les pommes de terre soient cuites. Rectifiez l'assaisonnement.

4 Coupez le poisson en tronçons. Puis coupez les calamars en rectangles et incisez-les légèrement en croix de la pointe du couteau.

5 Ajoutez le poisson à la soupe et laissez frémir 4 min. Ajoutez les crevettes, laissez cuire 1 min. Ajoutez le calamar et le blanc des poireaux et laissez cuire 2 min, en remuant de temps à autre.

6 Incorporez le persil haché et servez avec des croûtons à la mayonnaise aillée.

SOUPE AU POULET, AUX POIREAUX ET AU CÉLERI

CETTE SOUPE FORME UN PLAT PRINCIPAL SUBSTANTIEL AVEC DU PAIN CROUSTILLANT. UNE SIMPLE SALADE, DU FROMAGE OU UN FRUIT FRAIS TERMINERONT LE REPAS.

POUR 4 À 6 PERSONNES

INGRÉDIENTS

1 poulet fermier de 1,5 kg
1 petit céleri en branches
  épluché
1 oignon grossièrement haché
1 feuille de laurier frais
quelques tiges de persil frais
quelques brins d'estragon frais
2,4 l d'eau froide
3 gros poireaux
70 g de beurre
2 pommes de terre coupées
  en morceaux
15 cl de crème liquide (facultatif)
sel et poivre noir du moulin
100 g de pancetta grillée
  en garniture

1 Prélevez les blancs du poulet et réservez. Découpez la carcasse en 8 ou 10 morceaux. Mettez-les dans une grande casserole.

2 Hachez 4 ou 5 branches de céleri et ajoutez-les dans la casserole avec l'oignon. Faites un bouquet garni avec le laurier, le persil et l'estragon et mettez-le dans la casserole. Recouvrez les ingrédients d'eau froide et portez à ébullition. Baissez le feu et couvrez, laissez frémir 1 h 30.

3 Retirez le poulet, détachez la chair et réservez. Passez le bouillon puis remettez-le dans la casserole et faites bouillir à gros bouillon jusqu'à ce qu'il soit réduit à 1,5 l environ.

4 Pendant ce temps, réservez environ 150 g de poireaux. Émincez le reste des poireaux et le reste du céleri, en réservant les feuilles. Hachez les feuilles et réservez pour garnir la soupe.

5 Faites fondre le beurre dans une grande casserole à fond épais. Ajoutez les poireaux et le céleri émincés, couvrez et laissez cuire 10 min à feu doux ou jusqu'à ce qu'ils soient souples, sans colorer. Ajoutez les pommes de terre, le vin et 1,2 l de bouillon.

6 Assaisonnez bien de sel et de poivre, portez à ébullition et baissez le feu. Couvrez à demi et laissez frémir 15 à 20 min, ou jusqu'à ce que les pommes de terre soient cuites.

7 Retirez la peau des blancs réservés et coupez la chair en petits morceaux. Faites fondre le reste du beurre dans une poêle et faites colorer le poulet 5 à 7 min, jusqu'à ce qu'il soit cuit.

8 Émincez le reste des poireaux en tronçons et faites cuire à la poêle encore 3 à 4 min jusqu'à ce qu'ils soient tendres, en remuant de temps à autre.

9 Réduisez la soupe en purée au blender ou au robot. Goûtez et rectifiez l'assaisonnement, et ajoutez du bouillon si la soupe est très épaisse.

10 Incorporez la crème (facultatif) et le mélange de la poêle. Réchauffez doucement. Servez dans des assiettes chaudes. Parsemez la soupe de pancetta émiettée et de feuilles de céleri hachées.

SOUPE À L'AIL ET À LA CORIANDRE

CETTE RECETTE EST INSPIRÉE DES MERVEILLEUSES SOUPES AU PAIN, OU AÇORAS, DU PORTUGAL.
LA SOUPE ÉTANT TRÈS SIMPLE, SES INGRÉDIENTS DOIVENT ÊTRE PARFAITS, AIL CHARNU, CORIANDRE
FRAÎCHE, PAIN DE CAMPAGNE D'EXCELLENTE QUALITÉ ET HUILE D'OLIVE VIERGE EXTRA.

POUR 6 PERSONNES

INGRÉDIENTS

25 g de coriandre fraîche, feuilles
et tiges hachées séparément
1,5 l de bouillon de légumes ou
de poulet, ou d'eau
5 ou 6 gousses d'ail charnues, pelées
6 œufs
300 g de pain rassis, croûte retirée
en grande partie, rompu en petits
morceaux
sel et poivre noir du moulin
6 cuil. à soupe d'huile d'olive vierge
extra plus un peu pour servir

1 Mettez les tiges de coriandre dans
une casserole. Ajoutez le bouillon
ou l'eau et portez à ébullition. Baissez
le feu et laissez frémir 10 min, puis
réduisez en purée au blender ou au
robot et passez dans la casserole.

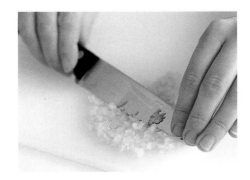

2 Écrasez l'ail avec 1 cuil. à café de
sel et incorporez dans 12 cl de soupe
chaude. Reversez dans la casserole.

3 Pendant ce temps, faites pocher les
œufs 3 ou 4 min dans une poêle d'eau
frémissante, afin qu'ils soient juste
cuits. Retirez de l'eau avec une
écumoire et mettez sur une assiette
chaude. Parez les blancs proprement.

4 Portez la soupe à nouveau à
ébullition et assaisonnez. Ajoutez la
coriandre hachée et retirez du feu.

5 Mettez le pain dans six assiettes
à soupe ou bols et arrosez avec l'huile.
Versez la soupe et mélangez. Ajoutez
un œuf poché dans chaque assiette
et servez aussitôt, l'huile d'olive étant
servie à part.

SOUPE À LA COURGE SUCRINE ET À L'AIL RÔTI, SALSA DE TOMATES

Voici une soupe richement parfumée. Une cuillerée de salsa de tomates épicées donne du piquant à la suavité de cette soupe à la courge et à l'ail.

POUR 4 À 5 PERSONNES

INGRÉDIENTS

2 têtes d'ail, pelure extérieure retirée
5 cuil. à soupe d'huile d'olive
quelques brins de thym frais
1 grosse courge sucrine, coupée
en deux et épépinée
2 oignons hachés
1 cuil. à café de coriandre moulue
1,2 l de bouillon de légumes ou
de poulet
2 ou 3 cuil. à soupe d'origan frais
ou de marjolaine
sel et poivre noir du moulin

Pour la salsa

4 grosses tomates mûres, coupées
en deux et épépinées
1 poivron rouge, coupé en deux
et épépiné
1 gros piment rouge frais, coupé
en deux et épépiné
2 ou 3 cuil. à soupe d'huile d'olive
1 cuil. à soupe de vinaigre balsamique
une pincée de sucre en poudre
(facultatif)

1 Préchauffez le four à 220 °C (th. 7). Mettez les têtes d'ail sur un papier d'aluminium et arrosez avec la moitié de l'huile d'olive. Ajoutez le thym puis repliez l'aluminium sur les têtes d'ail pour les enfermer complètement. Mettez ces paquets sur une plaque avec la courge sucrine et enduisez la courge d'1 cuil. à soupe d'huile d'olive. Ajoutez les tomates, le poivron rouge et le piment frais pour la salsa.

2 Faites rôtir le tout 25 min puis retirez les tomates, le poivron et le piment. Baissez la température à 190 °C (th. 6) et laissez cuire la courge et l'ail encore 20 à 25 min, jusqu'à ce que la courge soit tendre.

3 Chauffez le reste de l'huile dans une grande casserole et faites cuire les oignons et la coriandre 10 min à feu doux, jusqu'à ce qu'ils soient souples.

4 Épluchez le poivron et le piment et réduisez en purée avec les tomates et 2 cuil. à soupe d'huile d'olive. Incorporez le vinaigre et assaisonnez, en ajoutant une pincée de sucre en poudre, si nécessaire. Ajoutez éventuellement le reste de l'huile.

5 Pressez l'ail rôti dans les oignons et retirez la chair de la courge, en l'ajoutant dans la casserole. Ajoutez le bouillon, 1 cuil. à café de sel et beaucoup de poivre noir. Portez à ébullition et laissez frémir 10 min.

6 Incorporez la moitié de l'origan ou la marjolaine, laissez tiédir et réduisez en purée au blender. Vous pouvez aussi passer la soupe au moulin à légumes à grille fine.

7 Réchauffez la soupe sans la laisser bouillir, puis rectifiez l'assaisonnement avant de la servir dans des bols chauds. Couronnez d'une cuillerée de salsa et parsemez du reste de l'origan ou de la marjolaine haché. Servez aussitôt.

BOUILLON MISO AUX CIBOULES ET AU TOFU

LES JAPONAIS MANGENT PRESQUE TOUS LES JOURS CETTE SOUPE SIMPLE MAIS TRÈS NUTRITIVE. ELLE FIGURE COURAMMENT AU PETIT DÉJEUNER ET AU DÎNER, AVEC DU RIZ OU DES NOUILLES.

POUR 4 PERSONNES

INGRÉDIENTS
- 1 botte de ciboules ou 5 jeunes poireaux
- 15 g de coriandre fraîche
- 3 minces tranches de racine de gingembre frais
- 2 étoiles de badiane
- 1 petit piment rouge séché
- 1,2 l de bouillon dashi ou de bouillon de légumes
- 250 g de pak choi ou autre chou chinois, émincé grossièrement
- 200 g de tofu ferme, coupé en dés de 2 cm
- 4 cuil. à soupe de miso rouge
- 2 ou 3 cuil. à soupe de sauce de soja japonaise (shoyu)
- 1 piment rouge frais, épépiné et déchiré

1 Coupez les feuilles vertes et dures des ciboules ou des poireaux et émincez finement le reste en biais. Mettez les feuilles vertes et dures dans une grande casserole avec les tiges de coriandre, le gingembre, la badiane, le piment séché et le dashi ou le bouillon de légumes.

2 Portez le mélange à feu doux à ébullition, baissez le feu et laissez frémir 10 min. Passez, remettez dans la casserole et réchauffez jusqu'à frémissement. Ajoutez la partie verte des ciboules ou des poireaux émincés avec le pak choi et le tofu. Laissez cuire 2 min.

3 Mélangez 3 cuil. à soupe de miso avec un peu de soupe chaude dans un bol, versez dans la soupe. Ajoutez du miso et de la sauce de soja à votre goût.

4 Hachez grossièrement les feuilles de coriandre et incorporez la plus grande partie à la soupe avec la partie blanche des ciboules ou des poireaux. Laissez cuire 1 min, puis servez la soupe dans des bols chauds. Parsemez du reste de la coriandre et du piment rouge frais (facultatif) et servez aussitôt.

CONSEIL
Le dashi en poudre se trouve dans la plupart des boutiques asiatiques et chinoises. Vous pouvez le faire vous-même en faisant frémir 10 min, 10 à 15 cm d'algues kombu dans 1,2 l d'eau. Ne faites pas bouillir à gros bouillons, le dashi serait amer. Retirez les kombu, puis ajoutez 15 g de flocons de bonite séchés et portez à ébullition. Passez aussitôt à travers une passoire fine.

SOUPE DE LA MER À LA NOIX DE COCO ET À LA CIBOULETTE AILLÉE

LA LONGUE LISTE D'INGRÉDIENTS DE CETTE RECETTE D'INSPIRATION THAÏ PEUT DONNER À CROIRE QUE LA SOUPE EST COMPLIQUÉE. EN FAIT, ELLE EST TRÈS FACILE À RÉALISER.

POUR 4 PERSONNES

INGRÉDIENTS

60 cl de bouillon de poisson

5 fines tranches de galangal frais ou de racine de gingembre frais

2 tiges de lemon grass hachées

3 feuilles de citron vert kaffir, déchirées

25 g de ciboulette aillée (un bouquet)

15 g de coriandre fraîche

1 cuil. à soupe d'huile

4 échalotes hachées

1 boîte de 40 cl de lait de coco

2 ou 3 cuil. à soupe de sauce de poisson thaï (nam pla)

3 ou 4 cuil. à soupe de pâte de curry verte thaï

450 g de grosses crevettes crues épluchées, boyau noir retiré

450 g de calamars préparés

un peu de jus de citron vert (facultatif)

sel et poivre noir du moulin

4 cuil. à soupe de tranches d'échalotes frites croustillantes, pour servir

1 Versez le bouillon dans une casserole et ajoutez les tranches de galangal ou de gingembre, de lemon grass et la moitié des feuilles de citron kaffir.

2 Réservez quelques brins de ciboulette pour la garniture et ciselez le reste. Ajoutez la moitié de la ciboulette ciselée dans la casserole avec les tiges de coriandre. Portez à ébullition, baissez le feu, couvrez, laissez frémir 20 min. Passez le bouillon.

3 Lavez la casserole. Ajoutez l'huile et les échalotes. Laissez cuire à feu modéré 5 à 10 min, jusqu'à ce que les échalotes commencent juste à colorer.

4 Incorporez le bouillon passé, le lait de coco, le reste des feuilles de citron kaffir et 2 cuil. à soupe de sauce de poisson. Chauffez jusqu'à frémissement, laissez cuire 5 à 10 min à feu doux.

VARIANTES

• Remplacez le calamar par 400 g de poisson blanc, comme la lotte, coupé en petits morceaux.

• Remplacez le calamar par des moules. Faites cuire 700 g de moules 3 à 4 min dans une casserole couverte, ou jusqu'à ce que les coquilles soient ouvertes. Jetez celles qui restent fermées et retirez les moules des coquilles.

5 Incorporez la pâte de curry et les crevettes, laissez cuire 3 min. Ajoutez le calamar et laissez cuire encore 2 min. Ajoutez jus de citron (facultatif) et sauce de poisson à votre goût.

6 Ajoutez le reste de la ciboulette et la coriandre. Servez parsemé d'échalotes frites et de brins de ciboulette.

Les oignons, en raison de leur parfum et de leur arôme intense qui flattent l'odorat des convives, sont parfaits pour commencer le repas. Tout au long de leur histoire, ils ont été appréciés pour leurs vertus apéritives. Dans ce chapitre, vous trouverez une vaste gamme de plats à l'oignon formant d'excellentes entrées pour divers types de repas, dont certaines sont assez substantielles pour donner, avec de la salade et du pain croustillant, un déjeuner léger et délicieux.

Entrées et hors-d'œuvre

KOFTAS ÉPICÉS AUX OIGNONS

CES DÉLICIEUX BEIGNETS D'OIGNON INDIENS SONT FAITS AVEC DE LA FARINE DE POIS CHICHES
APPELÉE BESAN. SERVEZ AVEC DU CHUTNEY OU DU YAOURT.

POUR 4 À 5 PERSONNES

INGRÉDIENTS

700 g d'oignons coupés en deux
  et finement émincés
1 cuil. à café de sel
1 cuil. à café de coriandre en poudre
1 cuil. à café de cumin en poudre
1/2 cuil. à café de curcuma en poudre
1 ou 2 piments verts, épépinés
  et finement hachés
3 cuil. à soupe de coriandre fraîche
  hachée
90 g de farine de pois chiches
1/2 cuil. à café de levure chimique
huile pour friture

Pour servir
  quartiers de citron (facultatif)
  brins de coriandre fraîche
  dip de yaourt aux fines herbes
    ou dip de yaourt au concombre

1 Mettez les oignons dans une passoire, ajoutez le sel et mélangez. Posez sur une assiette et laissez macérer 45 min, en remuant une ou deux fois. Rincez les oignons et essorez au maximum.

2 Mettez les oignons dans une jatte. Ajoutez coriandre, cumin, curcuma, piments et coriandre fraîche. Mélangez.

CONSEILS

• Pour faire un dip au yaourt et aux fines herbes, incorporez à 25 cl de yaourt, 2 cuil. à soupe de coriandre fraîche hachée et autant de menthe. Assaisonnez de sel, graines de cumin grillées et moulues et une pincée de sucre roux.
• Pour un dip au concombre, mélangez 1/2 concombre détaillé en dés, 1 piment vert frais épépiné et haché, et 25 cl de yaourt. Ajoutez sel et cumin.

3 Ajoutez la farine de pois chiches et la levure, mélangez bien avec les mains.

4 Formez le mélange en 12 à 15 koftas de la taille d'une balle de golf.

5 Chauffez l'huile de friture à 180-190 °C (un dé de pain rassis dore en 30 à 45 s). Faites frire les koftas par quatre ou cinq, jusqu'à ce qu'ils soient bien dorés. Égouttez chaque tournée sur du papier absorbant et gardez au chaud jusqu'à ce qu'ils soient tous cuits. Servez avec des quartiers de citron, des brins de coriandre et un dip au yaourt.

PETITS OIGNONS AU VIN, À LA CORIANDRE ET À L'HUILE D'OLIVE

LES PETITS OIGNONS CIPOLLA PLATS ITALIENS OU LES BORETTANE SONT EXCELLENTS POUR CETTE RECETTE. SI VOUS N'EN TROUVEZ PAS, PRENEZ DES PETITS OIGNONS ROUGES OU DES ÉCHALOTES.

3 Ajoutez les raisins, baissez le feu et laissez cuire à feu doux 15 à 20 min, les oignons doivent être tendres, sans s'écraser. Posez les oignons sur un plat de service à l'aide d'une écumoire.

4 Faites bouillir le liquide à feu vif jusqu'à ce qu'il réduise considérablement. Rectifiez l'assaisonnement, si nécessaire, puis versez la réduction sur les oignons. Parsemez d'origan, laissez refroidir et mettez au réfrigérateur.

5 Au moment de servir, incorporez le zeste de citron, le persil haché et les pignons grillés.

POUR 6 PERSONNES

INGRÉDIENTS

7 cuil. à soupe d'huile d'olive
700 g de petits oignons, pelés
15 cl de vin blanc sec
2 feuilles de laurier
2 gousses d'ail écrasées
1 ou 2 petits piments rouges séchés
1 cuil. à soupe de graines de coriandre grillées et légèrement écrasées
1/2 cuil. à café de sucre
quelques brins de thym frais
2 cuil. à soupe de raisins secs
2 cuil. à café d'origan frais haché
1 cuil. à café de zeste de citron râpé
1 cuil. à soupe de persil plat frais haché
2 ou 3 cuil. à soupe de pignons de pin grillés
sel et poivre noir du moulin

1 Mettez 2 cuil. à soupe d'huile d'olive et les oignons dans une grande casserole. Faites cuire à feu modéré 5 min, jusqu'à ce qu'ils commencent à colorer. Retirez de la casserole et réservez.

2 Ajoutez le reste de l'huile, le vin, le laurier, l'ail, les piments, la coriandre, le sucre et le thym dans la casserole. Portez à ébullition et laissez cuire 5 min. Remettez les oignons dans la casserole.

CONSEIL

Servez ce plat comme antipasto, avec plusieurs autres hors-d'œuvre, peut-être du céleri rémoulade et du prosciutto en fines tranches ou autre jambon séché.

AIL RÔTI À LA CRÈME DE FROMAGE DE CHÈVRE, HERBES ET NOIX

L'ASSOCIATION DE L'AIL RÔTI MOELLEUX ET SUCRÉ ET DU FROMAGE DE CHÈVRE EST CLASSIQUE. LE MÉLANGE EST PARTICULIÈREMENT BON AVEC LES NOIX FRAÎCHES QUE L'ON TROUVE AU DÉBUT DE L'AUTOMNE.

POUR 4 PERSONNES

INGRÉDIENTS

   4 grosses têtes d'ail
   4 brins de romarin frais
   8 brins de thym frais
   4 cuil. à soupe d'huile d'olive
   fleur de sel et poivre noir du moulin
Pour la crème de fromage de chèvre
   200 g de fromage de chèvre moelleux
   1 cuil. à café de thym frais haché
   1 cuil. à soupe de persil frais haché
   50 g de noix épluchées, hachées
   1 cuil. à soupe d'huile de noix
   thym frais, en garniture
Pour servir
   4 à 8 tranches de pain complet
   noix épluchées

1 Préchauffez le four à 180 °C (th. 6). Retirez la fine pelure enveloppant les têtes d'ail. Posez-les dans un plat à four assez grand, en les serrant. Ajoutez le romarin, arrosez d'huile et assaisonnez à votre goût.

2 Couvrez l'ail de papier d'aluminium et mettez au four 50 à 60 min, en arrosant une fois. Laissez refroidir.

3 Préchauffez le gril. Écrasez le fromage en crème avec le thym, le persil et les noix hachés. Incorporez 1 cuil. à soupe d'huile de cuisson de l'ail et assaisonnez à votre goût, puis transférez dans une coupe de service.

4 Enduisez le pain du reste de l'huile de cuisson de l'ail, et faites griller.

5 Arrosez la crème de fromage d'un peu d'huile de noix (facultatif) et donnez un tour de moulin à poivre. Placez une tête d'ail sur chaque assiette et servez avec la crème de fromage et du pain grillé. Garnissez avec un brin de thym frais et accompagnez de quelques noix épluchées et d'un peu de fleur de sel.

CRÊPES AUX POMMES DE TERRE ET À LA CIBOULETTE, HARENG ET OIGNONS CONFITS

ON RETROUVE DANS CES CRÊPES LES DÉLICIEUSES SAVEURS SCANDINAVES. SERVEZ-LES EN ENTRÉE OU COMME PLAT PRINCIPAL LÉGER, AVEC DE LA SALADE. LES PETITES CRÊPES FONT D'EXCELLENTS AMUSE-BOUCHES AVEC DE LA VODKA GLACÉE OU AUTRES APÉRITIFS.

POUR 6 PERSONNES

INGRÉDIENTS

    300 g de pommes de terre épluchées
    2 œufs battus
    15 cl de lait
    10 g de farine
    2 cuil. à soupe de ciboulette fraîche
      ciselée
    huile ou beurre, pour graisser la poêle
    sel et poivre noir du moulin

Pour la garniture

    2 petits oignons rouges ou jaunes
      finement émincés en anneaux
    4 cuil. à soupe de crème fraîche
    1 cuil. à café de moutarde à l'ancienne
    1 cuil. à soupe d'aneth frais haché
    6 filets de harengs marinés au vinaigre

Pour décorer

    brins d'aneth frais
    ciboulette fraîche ou fleurs de ciboulette

1 Coupez les pommes de terre en morceaux et faites cuire 15 min à l'eau bouillante salée, ou jusqu'à ce qu'elles soient tendres. Égouttez et écrasez pour donner une purée lisse.

2 Pendant ce temps, préparez la garniture. Mettez les oignons dans une jatte et couvrez d'eau bouillante. Réservez 2 ou 3 min puis égouttez et séchez sur du papier absorbant.

3 Mélangez les oignons avec la crème fraîche, la moutarde et l'aneth haché. Assaisonnez à votre goût.

4 Avec un couteau aiguisé, coupez les filets de harengs en 12 à 18 morceaux. Réservez.

5 Incorporez les œufs à la purée de pommes de terre à la cuillère en bois, avec le lait et la farine, pour donner une pâte liquide. Salez et poivrez et incorporez la ciboulette hachée.

6 Chauffez une poêle non adhésive à feu modéré et graissez-la avec un peu d'huile ou de beurre. Versez environ 2 cuil. à soupe de pâte dans la poêle pour faire une crêpe de 8 cm de diamètre environ. Laissez cuire 3 ou 4 min, jusqu'à ce que le dessous soit pris et doré. Retournez la crêpe et laissez cuire l'autre côté 3 ou 4 min, jusqu'à ce qu'il soit doré. Glissez sur une assiette et gardez au chaud pendant que vous faites le reste des crêpes, par 3 ou 4. Le mélange donne 12 crêpes.

7 Mettez 2 crêpes sur chaque assiette chaude et répartissez les filets de hareng et les oignons confits entre les assiettes. Décorez d'un brin d'aneth, de ciboulette fraîche et/ou de fleurs de ciboulette. Assaisonnez de poivre noir et servez aussitôt.

BEIGNETS DE CIBOULES À LA BIÈRE, SAUCE ROMESCO

CETTE SAUCE ESPAGNOLE, PIQUANTE SANS L'ÊTRE TROP, MODÈRE AGRÉABLEMENT LA RICHESSE DE LA FRITURE. ELLE EST EXCELLENTE AVEC DES CIBOULES FRITES ET CROUSTILLANTES.

POUR 6 PERSONNES

INGRÉDIENTS

3 bottes de ciboules bien renflées
sel de mer et poivre noir du moulin
quartiers de citron, pour servir
Pour la pâte
　220 g de farine avec poudre levante
　15 cl de bière
　18 à 20 cl d'eau glacée
　huile d'arachide pour friture
　1 gros blanc d'œuf
　1/2 cuil. à café de bicarbonate de soude
Pour la sauce
　2 ou 3 gros piments rouges doux
　　séchés, comme les *ñoras* espagnols
　　ou les *anchos* ou *guajillos* mexicains
　1 gros poivron rouge coupé en deux
　　et épépiné
　2 grosses tomates coupées en deux
　　et épépinées
　4 à 6 gousses d'ail non pelées
　5 à 6 cuil. à soupe d'huile d'olive
　25 g de noisettes émondées
　4 tranches de baguette, de 2 cm
　　d'épaisseur
　1 cuil. à soupe de vinaigre de xérès
　un filet de jus de citron (facultatif)
　persil frais haché, en garniture

1 Commencez par la sauce. Faites tremper 30 min les piments secs dans l'eau bouillante. Préchauffez le four à 220 °C (th. 7-8).

2 Mettez les moitiés du poivron et des tomates avec l'ail sur une plaque, arrosez avec 1 cuil. à soupe d'huile d'olive.

3 Faites rôtir, à découvert, environ 30 à 40 min ou jusqu'à ce que le poivron boursoufle et noircisse et que l'ail soit cuit. Laissez tiédir puis pelez le poivron, les tomates et l'ail.

4 Chauffez le reste de l'huile dans une poêle et faites griller les noisettes, versez sur une assiette. Faites griller le pain des deux côtés dans la même huile, mettez sur l'assiette avec les noisettes et laissez refroidir. Réservez l'huile pour la cuisson.

5 Égouttez les piments, jetez les graines, mettez-les dans le bol d'un robot. Ajoutez les poivrons, tomates, noisettes, l'ail, le pain et l'huile réservée. Ajoutez le vinaigre et réduisez en pâte. Vérifiez l'assaisonnement et diluez la sauce avec un peu d'huile ou de jus de citron si nécessaire. Réservez.

6 Retirez les racines des ciboules, Coupez le haut des feuilles en laissant une longueur de 15 à 18 cm.

7 Pour la pâte, mettez la farine dans une jatte et ajoutez une bonne pincée de sel et de poivre. Faites un puits au centre et incorporez peu à peu la bière au fouet, suivie par l'eau. La pâte devant avoir la consistance de crème épaisse, adaptez la quantité d'eau pour obtenir cette consistance.

8 Chauffez l'huile de friture, à 180 °C ou jusqu'à ce qu'un dé de pain rassis dore en 30 à 45 s. Fouettez le blanc d'œuf en neige ferme avec le bicarbonate et incorporez à la pâte.

9 Trempez les ciboules une par une dans la pâte, égouttez le surplus et faites frire en plusieurs fois, 4 à 5 min. Égouttez soigneusement sur du papier absorbant et saupoudrez d'un peu de sel de mer. Gardez chaque tournée au chaud pendant que vous faites cuire les autres. Garnissez avec un peu de persil haché et servez chaud avec la sauce et les quartiers de citron.

CHAMPIGNONS FARCIS AU STILTON ET À L'AIL

SERVEZ CES SUCCULENTS CHAMPIGNONS FARCIS AVEC DES TRANCHES DE PAIN CHAUD ET CROUSTILLANT OU DES PETITS PAINS, POUR ABSORBER LEUR DÉLICIEUX JUS PARFUMÉ À L'AIL.

POUR 4 PERSONNES

INGRÉDIENTS

450 g de gros champignons de Paris
3 gousses d'ail finement hachées
90 g de beurre fondu
le jus d'1/2 citron
120 g de fromage de stilton émietté
  (ou bleu de Bresse)
50 g de noix hachées
90 g de mie de pain fraîche
25 g de parmesan râpé
2 cuil. à soupe de persil frais haché
sel et poivre noir du moulin

CONSEIL
Une simple sauce de fromage frais ou de yaourt grec épais mélangé à quelques fines herbes hachées et un peu de moutarde de Dijon se marie bien avec ces champignons farcis.

1 Préchauffez le four à 200 °C (th. 6-7). Mettez les champignons dans un plat à four et parsemez de la moitié de l'ail. Arrosez avec 4 cuil. à soupe de beurre et le jus de citron. Salez et poivrez et faites cuire 15 à 20 min. Laissez refroidir.

2 Écrasez le stilton émietté en crème avec les noix hachées et ajoutez 2 cuil. à soupe de mie de pain.

3 Répartissez le mélange dans les champignons.

4 Préchauffez le gril. Mélangez le reste de l'ail, de la mie de pain et du beurre fondu. Incorporez le parmesan et le persil, puis poivrez. Recouvrez les champignons de ce mélange et faites griller 5 min ou jusqu'à ce qu'ils soient dorés. Servez aussitôt.

BEIGNETS DE CIBOULES À LA RICOTTA, SALSA À L'AVOCAT

LA SALSA FRAÎCHE, ÉPICÉE PAR UN PEU D'OIGNON ROUGE ET DE PIMENT, EST EXCELLENTE
AVEC CES BEIGNETS DE CIBOULES AUX HERBES QUI FONDENT DANS LA BOUCHE.

POUR 4 À 6 PERSONNES

INGRÉDIENTS
250 g de ricotta
1 gros œuf battu
6 cuil. à soupe de farine avec
   poudre levante
6 cuil. à soupe de lait
1 botte de ciboules finement émincées
2 cuil. à soupe de coriandre fraîche
   hachée
huile de tournesol, pour frire à la poêle
sel et poivre noir du moulin
20 cl de crème fraîche, pour servir
Pour la salsa
2 avocats mûrs sans être trop mous
1 petit oignon rouge détaillé en dés
le zeste râpé et le jus d'1 citron vert
1/2 à 1 piment frais vert ou rouge,
   épépiné et finement haché
250 g de tomates pelées, épépinées
   et détaillées en dés
3 cuil. à soupe de menthe et coriandre
   fraîches hachées, en mélange
une pincée de sucre en poudre
1 ou 2 cuil. à café de sauce de
   poisson thaï (nam pla)
En garniture
brins de coriandre fraîche
quartiers de citron

2 Fouettez la ricotta pour la rendre
lisse puis incorporez l'œuf et la farine.
Ajoutez le lait pour donner une pâte
épaisse et lisse. Incorporez les ciboules
et la coriandre. Salez et poivrez.

3 Chauffez un peu d'huile dans une
poêle non adhésive. Versez des cuillerées
du mélange pour faire des beignets de
8 cm. Laissez cuire 4 à 5 min de chaque
côté, jusqu'à ce qu'ils soient pris et
dorés. Le mélange donne 12 beignets.

4 Goûtez la salsa et rectifiez
l'assaisonnement, en ajoutant du jus de
citron vert et/ou du sucre. Servez les
beignets aussitôt, avec la salsa et un peu
de crème fraîche. Garnissez de brins de
coriandre et de quartiers de citron.

VARIANTE
Les beignets sont également très bons
avec de minces tranches de saumon fumé.

1 Salsa : Pelez, dénoyautez et coupez
en dés les avocats. Mettez dans une
jatte avec l'oignon rouge, le zeste et
le jus de citron vert, du piment à votre
goût, tomates, menthe et coriandre.
Salez, poivrez, ajoutez sucre et sauce de
poisson. Mélangez et réservez 30 min.

MOULES AU BEURRE D'AIL

LE BEURRE D'AIL AUX HERBES, UN CLASSIQUE DES ESCARGOTS DE BOURGOGNE, EST DEVENU TRÈS POPULAIRE AVEC LES MOULES VERS LES ANNÉES 1960. IL FORME AINSI UNE DÉLICIEUSE ENTRÉE.

POUR 4 PERSONNES

INGRÉDIENTS

2 kg de moules nettoyées
2 grosses échalotes finement hachées
20 cl de vin blanc sec
120 g de beurre
2 ou 3 gousses d'ail finement hachées
le zeste râpé d'1 citron
4 cuil. à soupe d'herbes mélangées finement hachées, persil, cerfeuil, estragon et ciboulette
120 g de chapelure blanche fraîche
sel et poivre noir du moulin
quartiers de citron, pour servir

1 Vérifiez que les moules sont bien fermées et jetez celles qui restent ouvertes.

2 Portez à ébullition les échalotes et le vin dans une grande casserole. Ajoutez les moules et couvrez. Laissez cuire à feu vif 4 à 5 min, en remuant vigoureusement la casserole 2 ou 3 fois.

3 Les moules doivent être cuites et ouvertes. Jetez celles qui ne s'ouvrent pas après 5 min de cuisson. Égouttez, en réservant le liquide de cuisson.

4 Laissez les moules dans leur demi-coquille (jetez l'autre). Mettez-les dans un grand plat à four.

5 Faites bouillir le liquide de cuisson dans une autre casserole jusqu'à réduction à 3 cuil. à soupe. Retirez du feu et laissez refroidir.

6 Battez le beurre en crème avec les échalotes de la réduction, l'ail, le zeste de citron et les herbes. Assaisonnez et laissez raffermir au frais.

7 Répartissez le beurre parfumé sur les moules. Arrosez de liquide de cuisson puis éparpillez la chapelure sur le dessus.

8 Préchauffez le gril et placez la plaque à 10 cm au-dessous. Faites griller les moules jusqu'à ce que le beurre bouillonne et que la chapelure soit dorée et croustillante. Servez aussitôt avec des quartiers de citron.

TAPENADE, ŒUFS DE CAILLE ET CRUDITÉS

LA TAPENADE FORME UN AGRÉABLE HORS-D'ŒUVRE. OFFREZ-LA AVEC DES ŒUFS DE CAILLE DURS ET DES CRUDITÉS ET LAISSEZ CHACUN SE SERVIR À SON GRÉ.

POUR 6 PERSONNES

INGRÉDIENTS

   250 g d'olive noires dénoyautées
   2 grosses gousses d'ail pelées
   1 cuil. à soupe de câpres, rincées
   6 filets d'anchois en conserve
     ou au vinaigre
   50 g de thon en boîte de bonne qualité
   1 ou 2 cuil. à café de cognac
     (facultatif)
   1 cuil. à café de thym frais haché
   2 cuil. à soupe de persil frais haché
   2 à 4 cuil. à soupe d'huile d'olive
   un filet de jus de citron
   2 cuil. à soupe de crème fraîche
     ou de fromage frais (facultatif)
   12 à 18 œufs de caille
   poivre noir du moulin
Pour les crudités
   1 bouquet de ciboules, coupées
     en deux si elles sont grosses
   1 botte de radis épluchés
   jeunes bulbes de fenouil, épluchés et
     coupés en deux s'ils sont gros, ou
     1 gros fenouil coupé en fines tranches
Pour servir
   baguette de pain
   beurre
   fleur de sel

1 Réduisez en purée au robot les olives, l'ail, les câpres, les anchois et le thon. Ajoutez le cognac (facultatif), le thym, le persil et assez d'huile d'olive pour faire une pâte. Assaisonnez à votre goût de poivre et de jus de citron. Incorporez la crème fraîche ou le fromage frais (facultatif) et versez dans une coupe de service.

2 Mettez les œufs de caille dans une casserole, couvrez d'eau froide et portez à ébullition. Laissez cuire seulement 2 min, puis égouttez aussitôt et plongez les œufs dans l'eau glacée pour arrêter la cuisson et les rendre plus faciles à écaler.

3 Quand les œufs sont froids, écalez-les avec soin.

4 Disposez la tapenade avec les œufs et les crudités et servez avec du pain, du beurre et de la fleur de sel.

CONSEILS
• Crème fraîche ou fromage frais atténuent le piquant des olives pour une tapenade plus douce.
• En Provence, région d'origine de la tapenade, on la sert avec du céleri, du fenouil et des tomates en crudités.
• La tapenade est aussi délicieuse tartinée sur des tranches de baguette grillées et servie en amuse-bouche avec l'apéritif. Vous pouvez la décorer avec de l'œuf dur haché.

TARTELETTES AUX OIGNONS ROUGES, AUX CHAMPIGNONS ET AU FROMAGE DE CHÈVRE

CROUSTILLANTES ET SAVOUREUSES, CES JOLIES PETITES TARTES SONT DÉLICIEUSES AVEC QUELQUES FEUILLES DE SALADE TOURNÉES DANS UNE VINAIGRETTE AILLÉE.

POUR 6 PERSONNES

INGRÉDIENTS

4 cuil. à soupe d'huile d'olive
25 g de beurre
4 oignons rouges finement émincés
1 cuil. à café de sucre roux
1 cuil. à soupe de vinaigre balsamique
1 cuil. à soupe de sauce de soja
200 g de champignons de Paris finement émincés
1 gousse d'ail finement hachée
1/2 cuil. à café d'estragon frais haché
2 cuil. à soupe de persil frais haché
250 g de fromage de chèvre en bûche
sel et poivre noir du moulin
feuilles de salades mélangées, pour servir
Pour la pâte
200 g de farine
une pincée de poivre de cayenne
90 g de beurre
40 g de parmesan frais râpé
4 cuil. à soupe d'eau glacée

1 Commencez par la pâte. Mélangez farine et poivre dans une jatte, incorporez le beurre à la farine en le frottant du bout des doigts, pour obtenir un mélange ressemblant à du gros sable.

2 Incorporez le parmesan puis ajoutez assez d'eau glacée pour obtenir une pâte ferme. Faites une boule avec la pâte, enveloppez dans un film plastique et mettez au frais au moins 45 min.

3 Chauffez 1 cuil. à soupe d'huile et la moitié du beurre dans une poêle, ajoutez les oignons, couvrez, laissez cuire 15 min à feu doux, en remuant.

4 Ôtez le couvercle, montez le feu et saupoudrez du sucre roux. Laissez cuire, en remuant souvent, jusqu'à ce que les oignons caramélisent et dorent. Ajoutez le vinaigre et la sauce de soja et faites évaporer à feu vif. Assaisonnez et réservez.

5 Chauffez 2 cuil. à soupe d'huile et le reste du beurre dans une casserole et ajoutez les champignons et l'ail. Laissez à feu vif 5 à 6 min, jusqu'à ce que les champignons soient cuits et dorés.

6 Réservez quelques champignons et anneaux d'oignons et incorporez le reste des champignons aux oignons avec l'estragon et le persil. Rectifiez l'assaisonnement à votre goût. Préchauffez le four à 190 °C (th. 6-7).

7 Étalez la pâte et tapissez six moules à tartelettes de 10 cm, de préférence métalliques et à fond amovible. Piquez les fonds de tartes à la fourchette et tapissez les côtés de bandes de papier d'aluminium. Mettez 10 min au four, retirez l'aluminium et laissez encore 5 à 7 min, jusqu'à ce que la pâte soit cuite et dorée. Retirez du four et montez la température à 200 °C (th. 7).

8 Démoulez les fonds de tarte et disposez-les sur une plaque à pâtisserie. Répartissez le mélange d'oignons dans les fonds. Coupez le fromage de chèvre en 6 tranches égales et posez 1 tranche sur chaque tartelette. Ajoutez quelques champignons et rondelles d'oignons réservés, arrosez avec le reste de l'huile et poivrez.

9 Remettez les tartelettes au four et laissez cuire 5 à 8 min, ou jusqu'à ce que le fromage de chèvre commence juste à dorer. Servez avec la salade.

PÂTÉ DE FOIES DE POULET À L'AIL ET AU MADÈRE

CE PÂTÉ DE FOIES PARFUMÉ AU MADÈRE EST ABSOLUMENT DÉLICIEUX. PARFAIT COMME ENTRÉE,
AVEC DU PAIN GRILLÉ ET DES PETITS CORNICHONS, IL SE MARIE ÉGALEMENT TRÈS BIEN
AVEC LE CONFIT D'OIGNONS.

POUR 6 À 8 PERSONNES

INGRÉDIENTS

220 g de beurre
400 g de foies de poulet en morceaux
3 ou 4 cuil. à soupe de madère
3 grosses échalotes hachées
2 grosses gousses d'ail hachées
1 cuil. à café de thym frais haché
une pincée de poudre de quatre-épices
2 cuil. à soupe de crème épaisse
sel et poivre noir du moulin
petites feuilles de laurier frais ou
  brins de thym frais, en garniture

VARIANTES
• Cognac, armagnac ou porto peuvent
se substituer au madère.
• Utiliser du foie de canard en ajoutant
1/2 cuil. à soupe de zeste d'orange râpé.

1 Faites fondre 70 g de beurre dans
une petite casserole à feu doux, puis
laissez bouillonner pour le clarifier.
Versez le beurre clarifié dans une jatte.

2 Faites fondre 40 g de beurre dans
une poêle et ajoutez les foies de poulet,
faites dorer 4 à 5 min.

3 Ajoutez le madère et flambez, puis
raclez le contenu de la poêle et versez
dans le bol d'un robot.

4 Faites fondre 25 g de beurre dans
la poêle à feu doux et laissez cuire
les échalotes 5 min, elles doivent être
souples. Ajoutez l'ail, le thym et le
quatre-épices et laissez cuire encore
2 ou 3 min. Versez ce mélange dans les
foies avec le reste du beurre et la crème
(facultatif), réduisez en pâte lisse.

5 Ajoutez 1 cuil. à café et 1/2 de sel
et autant de poivre ainsi que du madère,
à votre goût. Mettez le pâté dans
un plat de service et ajoutez quelques
feuilles de laurier ou de brins de
thym. Faites fondre le beurre clarifié
si nécessaire, versez sur le pâté.
Mettez au frais 4 h ou toute la nuit.

CONSEIL
L'arôme du pâté s'intensifiant et se
développant au frais, mieux vaut le faire
la veille du jour requis.

BAGNA CAUDA

CE DIP À L'AIL PIQUANT DU PIEDMONT EST REMARQUABLEMENT RICHE, AVEC DE L'HUILE D'OLIVE, DU BEURRE ET DE LA CRÈME. TRADUIT LITTÉRALEMENT, SON NOM SIGNIFIE « BAIN BRÛLANT ». IL EST SERVI TRADITIONNELLEMENT POUR CÉLÉBRER LA FIN DES VENDANGES.

2 Mettez l'huile d'olive dans une petite casserole sur feu très doux et ajoutez le romarin frais et l'ail émincé ou haché. Laissez à feu très doux 5 min environ pour que le parfum de l'ail infuse l'huile, mais ne le laissez pas brunir.

3 Ajoutez les anchois, retirez le romarin et laissez cuire 3 à 5 min, en écrasant les anchois dans l'huile avec une cuillère en bois. Laissez à feu doux pour que l'ail ne dore pas.

4 Quand les anchois sont complètement écrasés, ajoutez le beurre et la crème et fouettez pour faire fondre le beurre. Assaisonnez à votre goût avec un peu de poivre.

POUR 4 PERSONNES

INGRÉDIENTS
  15 cl d'huile d'olive vierge extra
  un brin de romarin frais de 5 cm
  6 gousses d'ail finement émincées
    ou finement hachées
  une boîte de 50 g de filets d'anchois,
    égouttés et hachés
  90 g de beurre
  5 cuil. à soupe de crème épaisse
    (facultatif)
  poivre noir du moulin
Pour accompagner
  un choix de légumes tels que pommes
    de terre nouvelles, mini-artichauts,
    cardons, bouquets de chou-fleur,
    fenouil, céleri, mini-carottes
  pain croustillant
  grosses crevettes roses cuites

1 Préparez les ingrédients qui accompagnent le bagna cauda selon leur type. Faites-les cuire si nécessaire (pommes de terre nouvelles et mini-artichauts par exemple) et coupez le pain et les gros légumes en petites portions.

VARIANTES
• Dans le Piedmont, on ajoute parfois un peu de truffe blanche très finement émincée. Ajoutez-la à la fin pour mieux apprécier son merveilleux arôme.
• Le romarin n'est pas traditionnel, mais sa légère amertume s'oppose agréablement à la richesse de la sauce.
• Pour un dip moins riche et plus fort, supprimez la crème et utilisez une huile d'olive légère de Provence.

5 Versez le mélange dans une casserole à fondue ou un petit récipient en faïence et posez sur un réchaud à alcool ou une veilleuse pour que le bagna cauda reste chaud. Entourez le dip de pain, de légumes et de crevettes et servez aussitôt.

TARTELETTES AUX POIREAUX, AUX MOULES ET AU SAFRAN

SERVEZ EN ENTRÉE CES TARTELETTES JOLIMENT COLORÉES, AVEC QUELQUES FEUILLES DE CRESSON, ROQUETTE ET FRISÉE. VOUS POUVEZ AUSSI FAIRE UNE GRANDE TARTE ET LA SERVIR EN PLAT PRINCIPAL.

2 Trempez le safran dans l'eau chaude 10 min. Faites cuire les poireaux 6 à 8 min dans l'huile, dans une grande casserole, à feu modéré, ils doivent être souples et commencer à dorer. Ajoutez le poivron et laissez cuire 2 min.

3 Portez 3 cm d'eau à ébullition dans une grande casserole et ajoutez 2 cuil. à café de sel. Jetez les moules qui ne se ferment pas quand vous les tapotez et versez le reste dans la casserole. Couvrez et laissez cuire 3 à 4 min à feu vif en secouant la casserole de temps en temps, jusqu'à ce que les moules soient ouvertes. Jetez celles qui ne s'ouvrent pas. Retirez les moules des coquilles.

POUR 6 PERSONNES

INGRÉDIENTS

   350 g de pâte brisée, décongelée
     si elle était congelée
   une grosse pincée de filaments
     de safran (environ 15 filaments)
   1 cuil. à soupe d'eau chaude
   2 gros poireaux émincés
   2 cuil. à soupe d'huile d'olive
   2 gros poivrons jaunes, coupés en
     deux, épépinés, grillés et épluchés,
     puis coupés en lanières
   900 g de moules nettoyées,
     les barbes retirées
   2 gros œufs
   30 cl de crème liquide
   2 cuil. à soupe de persil frais
     finement haché
   sel et poivre noir du moulin
   feuilles de salade, pour servir

1 Préchauffez le four à 190 °C (th. 6-7). Étalez la pâte et tapissez six moules à tartelettes de 10 cm. Piquez les fonds et protégez les côtés par du papier d'aluminium. Faites cuire 10 min. Retirez l'aluminium et faites cuire encore 5 à 8 min, jusqu'à ce que la pâte soit colorée. Retirez du four. Baissez la température à 180 °C (th. 6).

4 Battez les œufs avec la crème et le liquide du safran. Assaisonnez de sel et de poivre et incorporez le persil.

5 Disposez les poireaux, poivrons et moules dans les fonds de tarte, ajoutez le mélange d'œufs et faites cuire 20 à 25 min, le mélange doit prendre et gonfler. Servez aussitôt avec la salade.

ŒUFS EN COCOTTE AUX CHAMPIGNONS SAUVAGES ET À LA CIBOULETTE

CES ŒUFS CUITS AU FOUR, SIMPLES MAIS DÉLICIEUX, FONT UN BON PLAT DE BRUNCH OU UNE SAVOUREUSE ENTRÉE POUR UN REPAS LÉGER. SERVEZ AVEC DES TOASTS DE PAIN COMPLET BEURRÉS.

POUR 6 PERSONNES

INGRÉDIENTS

   70 g de beurre
   2 échalotes finement hachées
   1 petite gousse d'ail finement hachée
   250 g de champignons mélangés
     finement hachés
   1 cuil. à soupe de jus de citron
   1 cuil. à café d'estragon frais haché
   1 cuil. à soupe de crème fraîche
   1 cuil. à soupe de ciboulette ciselée
   4 à 6 œufs
   sel et poivre noir du moulin
   brins de ciboulette, pour décorer
   toasts de pain beurré, pour servir

CONSEIL

Vous pouvez aussi faire cuire les œufs en mettant les plats dans une poêle couverte contenant 3 cm d'eau bouillante. Laissez cuire 8 à 10 min à feu modéré.

1 Faites fondre 50 g de beurre dans une casserole à feu modéré et faites cuire 5 min les échalotes et l'ail en remuant de temps en temps, jusqu'à ce qu'ils soient souples, sans colorer.

2 Ajoutez les champignons et faites cuire à feu vif en remuant souvent, jusqu'à ce que les champignons perdent leur eau et commencent à dorer.

3 Incorporez le jus de citron et l'estragon et laissez cuire à feu modéré, en remuant à l'occasion, jusqu'à ce que les champignons aient absorbé le liquide. Ajoutez la moitié de la crème fraîche et de la ciboulette. Assaisonnez.

4 Préchauffez le four à 190 °C (th. 6-7). Répartissez le mélange de champignons dans quatre à six grands ramequins ou petites cocottes allant au four, d'une capacité de 15 à 18 cl. Parsemez les champignons du reste de ciboulette.

5 Cassez un œuf dans chaque plat, ajoutez un peu de crème fraîche et assaisonnez de poivre noir à votre goût. Parsemez du reste du beurre et faites cuire au centre du four 10 à 15 min, ou jusqu'à ce que le blanc de l'œuf soit pris et le jaune cuit à votre goût.

6 Servez aussitôt, décoré de brins de ciboulette et accompagné de toasts de pain complet beurrés et tout chauds.

TERRINE DE POIREAUX AUX POIVRONS ROUGES

Cette terrine de poireaux est ravissante, coupée en tranches et servie sur des assiettes individuelles, arrosée d'une vinaigrette parfumée.

POUR 6 À 8 PERSONNES

INGRÉDIENTS

1,8 kg de minces poireaux
4 gros poivrons rouges, coupés
  en deux et épépinés
1 cuil. à soupe d'huile d'olive
2 cuil. à café de vinaigre balsamique
1 cuil. à café de graines de cumin
  grillées et moulues
sel et poivre noir du moulin

Pour la vinaigrette
12 cl d'huile d'olive vierge extra
1 gousse d'ail écrasée et pelée
1 cuil. à café de moutarde de Dijon
1 cuil. à café de sauce de soja
1 cuil. à soupe de vinaigre
  balsamique
une pincée de sucre en poudre
1/2 à 1 cuil. à café de graines de
  cumin grillées et moulues
1 ou 2 cuil. à soupe de basilic et de
  persil plat frais hachés, en mélange

CONSEIL

La terrine se coupe facilement avec un couteau électrique si vous laissez le film plastique en place. Transférez les tranches sur les assiettes avec une pelle plate puis retirez le film.

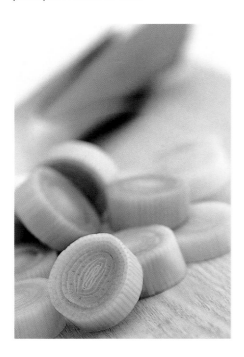

1 Tapissez une terrine de 23 cm de long de film plastique, en le laissant retomber sur les bords. Coupez les poireaux à la longueur de la terrine.

2 Faites cuire les poireaux *al dente* entre 5 à 7 min à l'eau bouillante salée. Égouttez soigneusement et laissez refroidir. Essorez l'eau des poireaux au maximum puis laissez-les égoutter sur un torchon.

3 Faites griller les poivrons rouges, peau vers le haut, jusqu'à ce qu'ils boursouflent et noircissent. Mettez dans une jatte, couvrez et laissez 10 min. Pelez les poivrons et coupez la chair en longues lanières, puis mettez-les dans une jatte avec l'huile, le vinaigre balsamique et le cumin en poudre. Salez et poivrez et mélangez bien.

4 Mettez les poireaux et les lanières de poivrons rouges dans la terrine préparée, en alternant les couches pour que le blanc des poireaux d'une couche soit recouvert par le vert de l'autre couche. Salez et poivrez les poireaux.

5 Rabattez le film plastique pour couvrir la terrine. Posez sur le dessus une assiette lestée d'un poids. Mettez plusieurs heures au frais ou toute la nuit.

6 Pour la vinaigrette, mettez l'huile, l'ail, la moutarde, la sauce de soja et le vinaigre dans un pot et mélangez. Assaisonnez et ajoutez le sucre en poudre. Ajoutez le cumin moulu à votre goût et laissez reposer plusieurs heures. Jetez l'ail et ajoutez les herbes.

7 Démoulez et coupez en tranches épaisses. Mettez une tranche sur chaque assiette, arrosez de sauce et servez.

SALADE DE COURGETTES ET DE POIREAUX GRILLÉS À LA FETA ET À LA MENTHE

SERVI SUR UNE LAITUE CROQUANTE, VOICI UN DÉLICIEUX HORS-D'ŒUVRE D'ÉTÉ. ESSAYEZ DE TROUVER DE LA VRAIE FETA AU LAIT DE BREBIS, À L'ARÔME ET À LA TEXTURE INCOMPARABLES.

POUR 6 PERSONNES

INGRÉDIENTS

12 jeunes poireaux minces
6 petites courgettes
6 cuil. à soupe d'huile d'olive vierge
le zeste finement émincé et le jus d'1/2 citron
1 ou 2 gousses d'ail finement hachées
1/2 piment rouge frais, épépiné et détaillé en dés
une pincée de sucre en poudre
50 g d'olives noires hachées
2 cuil. à soupe de menthe fraîche hachée
150 g de feta émincée ou émiettée
sel et poivre noir du moulin
feuilles de menthe fraîches
feuilles de laitue croquante, pour servir

1 Portez une grande casserole d'eau salée à ébullition. Ajoutez les poireaux et laissez cuire 2 ou 3 min. Égouttez, rafraîchissez sous l'eau froide, essorez l'eau en excès et laissez égoutter.

2 Coupez les courgettes en deux dans la longueur. Mettez dans une passoire, poudrez chaque couche d'1 cuil. à café de sel, et laissez égoutter 45 min. Rincez et séchez sur du papier absorbant.

3 Chauffez le gril. Tournez les poireaux et les courgettes dans 2 cuil. à soupe d'huile. Faites griller les poireaux 2 ou 3 min de chaque côté et les courgettes 5 min de chaque côté. Coupez les poireaux en portions et mettez-les sur un plat avec les courgettes.

4 Mettez le reste de l'huile dans un bol et incorporez au fouet le zeste et 1 cuil. à soupe de jus de citron, l'ail, le piment et le sucre (facultatif). Salez et poivrez, et ajoutez du jus de citron à votre goût.

5 Versez la sauce sur les poireaux et les courgettes. Incorporez les olives et la menthe et laissez mariner quelques heures, en tournant les légumes une ou deux fois dans la sauce. Retirez du réfrigérateur 30 min avant de servir et ramenez à température ambiante.

6 Ajoutez la feta au moment de servir. Accompagnez de laitue croquante ou présentez les légumes sur des feuilles de salade posées dans des assiettes individuelles, décorez de feuilles de menthe fraîches.

POIREAUX BRAISÉS AU VIN ROUGE, AUX HERBES AROMATIQUES

LA CORIANDRE ET L'ORIGAN CONFÈRENT UN PARFUM D'ÎLES GRECQUES À CES POIREAUX BRAISÉS. SERVEZ-LES EN HORS-D'ŒUVRE OU POUR ACCOMPAGNER DU POISSON BLANC.

3 Ajoutez les poireaux. Faites repartir l'ébullition, baissez le feu et couvrez la sauteuse. Laissez cuire 5 min à feu doux. Découvrez et laissez frémir encore 5 à 8 min, jusqu'à ce que les poireaux soient juste cuits.

4 Retirez les poireaux avec une écumoire et posez sur un plat de service. Faites réduire le jus de cuisson à environ 5 ou 6 cuil. à soupe. Salez et poivrez à votre goût et versez le jus sur les poireaux. Laissez refroidir.

5 Vous pouvez laisser macérer les poireaux plusieurs heures. Si vous les mettez au frais, ramenez-les à température ambiante avant de servir. Parsemez d'origan ou de marjolaine au moment de passer à table.

POUR 6 PERSONNES

INGRÉDIENTS

    12 jeunes poireaux ou 6 gros poireaux
    1 cuil. à soupe de graines de
      coriandre légèrement écrasées
    1 bâton de cannelle de 5 cm de long
    12 cl d'huile d'olive
    3 feuilles de laurier
    2 lanières de zeste d'orange
    5 ou 6 brins d'origan frais ou séché
    1 cuil. à café de sucre en poudre
    15 cl de vin rouge fruité
    2 cuil. à café de vinaigre balsamique
    2 cuil. à soupe d'origan ou
      de marjolaine frais hachés
    sel et poivre noir du moulin

1 Laissez les jeunes poireaux entiers et coupez les gros en tronçons de 5 à 7 cm.

2 Mettez la coriandre et la cannelle dans une sauteuse assez grande pour contenir les poireaux sur une seule couche. Laissez cuire 2 ou 3 min à feu modéré, puis incorporez l'huile, le laurier, le zeste d'orange, l'origan, le sucre, le vin et le vinaigre. Portez à ébullition et laissez frémir 5 min.

CIBOULES ET ASPERGES GRILLÉES AU JAMBON DE PARME

VOICI UN BON HORS-D'ŒUVRE POUR LE DÉBUT DE L'ÉTÉ, QUAND LES CIBOULES ET LES ASPERGES SONT TOUTES FRAÎCHES. LE LÉGER GOÛT FUMÉ DES LÉGUMES GRILLÉS SE MARIE PARFAITEMENT AVEC LE MOELLEUX DU JAMBON SÉCHÉ.

POUR 4 À 6 PERSONNES

INGRÉDIENTS

2 bottes de ciboules bien charnues
(environ 24)
500 g d'asperges
3 ou 4 cuil. à soupe d'huile d'olive
4 cuil. à café de vinaigre balsamique
8 à 12 tranches de jambon de Parme
50 g de fromage pecorino
fleur de sel et poivre noir du moulin
huile d'olive vierge extra,
pour servir

CONSEIL

Les ciboules peuvent être cuites sur un gril cannelé en fonte ou, pour plus de facilité, rôties 15 min environ au four à 200 °C (th. 7).

1 Retirez les racines, la partie haute et la première peau des ciboules.

2 Coupez et jetez les parties dures des asperges puis pelez le bas des pointes sur environ 8 cm avec un couteau éplucheur.

3 Chauffez le gril. Tournez les ciboules et les asperges dans 2 cuil. à soupe d'huile. Mettez sur 2 plaques et assaisonnez.

4 Faites griller les asperges 5 min de chaque côté, elles doivent être tendres sous la pointe du couteau. Protégez les pointes avec du papier d'aluminium si elles brûlent. Faites griller les ciboules 3 ou 4 min de chaque côté. Enduisez les légumes d'huile quand vous les retournez.

5 Répartissez les légumes entre quatre et six assiettes. Poivrez et arrosez de vinaigre. Posez 2 ou 3 tranches de jambon sur chaque assiette et quelques copeaux de pecorino. Servez l'huile d'olive en saucière.

CALAMARS FRITS À L'AIL ET AU PAPRIKA

CES CALAMARS FRITS SONT EXCELLENTS AVEC UN XÉRÈS SEC OU UN MANZANILLA, EN AMUSE-BOUCHE OU AVEC DES TAPAS MÉLANGÉS. VOUS POUVEZ AUSSI LES SERVIR SUR UN LIT DE SALADE ET LES ACCOMPAGNER DE PAIN CHAUD POUR DONNER UNE ENTRÉE PLUS SUBSTANTIELLE.

POUR 6 À 8 PERSONNES EN AMUSE-BOUCHE, POUR 4 PERSONNES EN ENTRÉE

INGRÉDIENTS

500 g de très petits calamars nettoyés
6 cuil. à soupe d'huile d'olive
1 piment rouge épépiné et finement haché
2 cuil. à café de paprika fumé doux espagnol (pimenton)
2 cuil. à soupe de farine
2 gousses d'ail finement hachées
1 cuil. à soupe de vinaigre de xérès
1 cuil. à café de zeste de citron râpé
2 ou 3 cuil. à soupe de persil frais finement haché
sel et poivre noir du moulin

1 Choisissez des petits calamars de 10 cm tout au plus. Coupez le corps en anneaux et les tentacules en petits morceaux.

2 Mettez les calamars dans une jatte et ajoutez 2 cuil. à soupe d'huile, la moitié du piment et le paprika. Salez et poivrez légèrement, couvrez et laissez mariner 2 à 4 h au réfrigérateur.

CONSEILS
• Chauffez fortement le wok ou la sauteuse, les calamars ne devant cuire que 1 ou 2 min pour ne pas durcir.
• Le paprika fumé (*pimenton* en espagnol) possède un merveilleux goût fumé. Si vous n'en trouvez pas, prenez du paprika doux.

3 Farinez les calamars et divisez en deux lots. Chauffez le reste de l'huile à feu vif dans un wok préchauffé ou une sauteuse. Ajoutez le premier lot de calamars et faites cuire 1 ou 2 min ou jusqu'à ce qu'ils soient opaques et les tentacules enroulés.

4 Ajoutez la moitié de l'ail. Tournez, versez sur un plat. Faites de même avec le second lot, en ajoutant un peu d'huile.

5 Arrosez de vinaigre, parsemez de zeste, du piment restant et de persil. Assaisonnez et servez chaud ou froid.

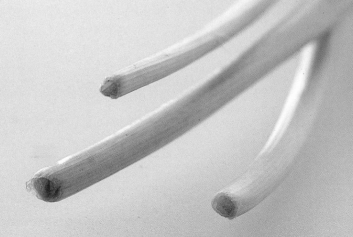

Il suffit parfois d'un peu d'oignon pour transformer

une salade. Mais l'oignon cru doit être employé avec

discrétion. Choisissez plutôt des oignons rouges ou

des ciboules pour leur saveur douce et sucrée. Les oignons

agrémentent de délicieuses salades à base de légumes cuits.

Essayez les poireaux blanchis al dente ou les oignons

grillés, avec une sauce moutarde ou aux fines herbes.

La fraîche mozzarella ou la feta salée sont de bons

ingrédients et la jolie ciboulette donne un parfum piquant

aux salades de pommes de terre, betteraves ou œufs.

SALADE DE POIREAUX AUX ANCHOIS, AUX ŒUFS ET AU PERSIL

LES ŒUFS DURS HACHÉS ET LES POIREAUX FORMENT UNE ASSOCIATION CLASSIQUE. CELLE-CI CONSTITUE UNE BONNE ENTRÉE AVEC DU PAIN CROUSTILLANT, OU UN PLAT PRINCIPAL LÉGER AVEC UNE SALADE DE TOMATES ET/OU UNE SALADE DE POMMES DE TERRE.

3 Pour la sauce, fouettez la moutarde avec le vinaigre. Ajoutez peu à peu l'huile, suivie par la crème. Incorporez l'échalote, assaisonnez à votre goût de sel, de poivre et d'une pincée de sucre (facultatif).

4 Mettez les poireaux entiers ou coupés en tranches épaisses dans un plat de service. Mélangez avec la plus grande partie de la sauce. Laissez au moins 1 h. Ramenez à température ambiante avant de servir, si nécessaire.

5 Disposez les anchois sur les poireaux, puis parsemez d'œuf haché et de persil. Arrosez avec le reste de la sauce, poivrez et répartissez quelques olives sur le dessus (facultatif). Servez aussitôt.

CONSEIL
Les poireaux doivent être soigneusement égouttés et « essorés » pour ne pas diluer la sauce et en gâter la saveur.

POUR 4 PERSONNES

INGRÉDIENTS
700 g de jeunes ou minces poireaux, épluchés
2 gros œufs ou 3 moyens
50 g de filets d'anchois à l'huile d'olive de bonne qualité, égouttés
15 g de persil plat haché
quelques olives noires dénoyautées (facultatif)
sel et poivre noir du moulin
Pour la sauce
1 cuil. à café de moutarde de Dijon
1 cuil. à soupe de vinaigre d'estragon
5 cuil. à café d'huile d'olive
2 cuil. à soupe de crème épaisse
1 petite échalote très finement hachée
une pincée de sucre en poudre (facultatif)

1 Faites cuire les poireaux 3 ou 4 min à l'eau bouillante salée. Égouttez, plongez dans l'eau froide, égouttez à nouveau. Pressez pour essorer l'eau, séchez.

2 Mettez les œufs dans une casserole d'eau froide, portez à ébullition et laissez cuire 6 à 7 min. Égouttez, plongez dans l'eau froide, écalez et hachez.

SALADE DE ROQUETTE ET D'ÉPINARDS, SAUCE À L'AIL ET AUX OLIVES NOIRES

Voici une entrée savoureuse et parfumée, également excellente avec du rôti de bœuf. Choisissez le meilleur parmesan que vous trouverez (parmigiano reggiano), pour donner à la salade son originalité.

POUR 6 PERSONNES

INGRÉDIENTS

1 gousse d'ail partagée en deux
120 g de bon pain blanc coupé
   en tranches épaisses de 1 cm
3 cuil. à soupe d'huile d'olive
   plus un peu pour la poêle
75 g de feuilles de roquette
75 g de jeunes épinards
25 g de persil plat, les feuilles
   seulement
3 cuil. à soupe de câpres salées,
   rincées et séchées
40 g de parmesan en copeaux
Pour la sauce
5 cuil. à café de pâte d'olive (pesto)
1 gousse d'ail finement hachée
1 cuil. à café de moutarde de Dijon
5 cuil. à soupe d'huile d'olive
2 cuil. à café de vinaigre balsamique
poivre noir du moulin

1 Commencez par la sauce. Fouettez la pâte d'olive avec l'ail et la moutarde dans une jatte. Incorporez peu à peu l'huile d'olive puis le vinaigre. Rectifiez l'assaisonnement avec du poivre noir, la sauce devrait être assez salée.

2 Chauffez le four à 190 °C (th. 6). Frottez l'ail sur le pain et détaillez en croûtons. Tournez-les dans l'huile et mettez-les sur une petite plaque. Faites cuire 10 à 15 min, en remuant une fois, ils doivent être bien dorés. Laissez refroidir sur du papier absorbant.

3 Mélangez la roquette, les épinards et le persil dans un grand saladier.

4 Faites chauffer un peu d'huile dans une poêle. Ajoutez les câpres et faites dorer brièvement. Retirez du feu et égouttez sur du papier absorbant.

5 Tournez la salade et les croûtons avec la sauce et répartissez entre six assiettes. Parsemez de copeaux de parmesan et de câpres frites. Servez aussitôt.

CONSEIL
Faites les copeaux dans un bloc de parmigiano reggiano, à l'aide d'un couteau éplucheur ou un rasoir à légumes. Le parmesan relativement jeune est plus facile à détailler que le parmesan sec et dur.

SALADE DE LENTILLES ET D'ÉPINARDS À L'OIGNON, AU CUMIN ET À L'AIL

CETTE SAVOUREUSE SALADE EST PARFAITE POUR UN PIQUE-NIQUE OU UN BARBECUE.
ELLE EST MEILLEURE SI VOUS LA PRÉPAREZ À L'AVANCE. SERVEZ-LA À TEMPÉRATURE AMBIANTE.

POUR 6 PERSONNES

INGRÉDIENTS
220 g de lentilles du Puy
1 feuille de laurier frais
1 branche de céleri
un brin de thym frais
2 cuil. à soupe d'huile d'olive
1 oignon ou 3 échalotes hachées
2 cuil. à café de graines de cumin
  grillées, écrasées
400 g de jeunes épinards
sel et poivre noir du moulin
2 ou 3 cuil. à soupe de persil frais
  haché, plus quelques brins
Pour la sauce
5 cuil. à soupe d'huile d'olive
1 cuil. à café de moutarde de Dijon
3 à 5 cuil. à café de vinaigre de vin
1 petite gousse d'ail finement hachée
1/2 cuil. à café de zeste de citron
  finement râpé

1 Rincez les lentilles et mettez-les
dans une grande casserole. Couvrez
de beaucoup d'eau. Faites un bouquet
avec le laurier, le céleri et le thym
et ajoutez à l'eau, portez à ébullition.
Baissez le feu et laissez cuire 30 à
45 min, ou jusqu'à ce que les lentilles
soient tendres. N'ajoutez pas de sel
à ce stade, il durcirait les lentilles.

2 Pendant ce temps, faites la sauce
en mélangeant l'huile, la moutarde,
3 cuil. à café de vinaigre, l'ail et le zeste
de citron, du sel et du poivre.

3 Égouttez les lentilles et versez-les
dans un saladier. Ajoutez la plus grande
partie de la sauce et mélangez. Réservez,
en mélangeant de temps à autre.

CONSEIL
Les petites lentilles vertes du Puy sont
excellentes et renommées pour leur
saveur. Comme elles gardent leur forme
et leur couleur à la cuisson, elles sont
parfaites pour les salades.

4 Chauffez l'huile dans une sauteuse
et faites cuire l'oignon ou les échalotes
4 à 5 min à feu doux, jusqu'à ce qu'ils
commencent à s'assouplir. Ajoutez le
cumin et laissez cuire 1 min.

5 Ajoutez les épinards et assaisonnez,
couvrez et laissez cuire 2 min. Mélangez,
et faites cuire encore rapidement.

6 Ajoutez les épinards aux lentilles
et laissez refroidir. Incorporez ensuite
le reste de la sauce et le persil
haché. Rectifiez l'assaisonnement,
en ajoutant du vinaigre de vin rouge,
si nécessaire.

7 Versez la salade dans un saladier de
service et parsemez de brins de persil.

SALADE DE HARICOTS AU THON ET À L'OIGNON

VOICI UNE EXCELLENTE ENTRÉE OU MÊME UN PLAT PRINCIPAL LÉGER, AVEC UNE SALADE VERTE,
UN PEU DE MAYONNAISE AILLÉE ET BEAUCOUP DE PAIN CHAUD CROUSTILLANT.

POUR 4 PERSONNES

INGRÉDIENTS

   250 g de haricots secs, trempés
     toute la nuit dans l'eau froide
   1 feuille de laurier
   200 à 250 g de haricots verts épluchés
   1 gros oignon rouge finement émincé
   3 cuil. à soupe de persil plat haché
   200 à 250 g de thon à l'huile en
     boîte, de bonne qualité, égoutté
   200 g de tomates cerises partagées
     en deux
   sel et poivre noir du moulin
   quelques anneaux d'oignons,
     en garniture
Pour la sauce
   6 cuil. à soupe d'huile d'olive
   1 cuil. à soupe de vinaigre d'estragon
   1 cuil. à café de moutarde à l'estragon
   1 gousse d'ail finement hachée
   1 cuil. à café de zeste de citron râpé
   un peu de jus de citron
   une pincée de sucre en poudre
     (facultatif)

1 Égouttez les haricots, mettez dans une casserole avec de l'eau et le laurier et portez à ébullition. Faites bouillir rapidement 10 min, baissez le feu et laissez frémir 1 h à 1 h 30 (selon l'âge des haricots), ils doivent être tendres. Égouttez, jetez le laurier.

3 Faites blanchir les haricots verts 3 ou 4 min à l'eau bouillante. Égouttez, rafraîchissez sous l'eau froide courante et égouttez à nouveau.

5 Effeuillez le thon en gros morceaux avec un couteau et mélangez aux haricots avec les demi-tomates.

2 Pendant ce temps, fouettez dans un pot tous les ingrédients de la sauce, à l'exception du jus de citron et du sucre. Assaisonnez à votre goût de sel, poivre, jus de citron et sucre en poudre (facultatif). Laissez reposer.

4 Mettez les deux sortes de haricots dans une jatte. Ajoutez la moitié de la sauce et mélangez. Incorporez l'oignon et la moitié du persil haché, assaisonnez à votre goût de sel et de poivre.

6 Disposez la salade sur quatre assiettes individuelles. Arrosez du reste de la sauce et parsemez du reste de persil haché. Garnissez avec quelques anneaux d'oignon et servez aussitôt à température ambiante.

SALADE DE CREVETTES THAÏ, SAUCE À L'AIL ET AUX ÉCHALOTES FRITES

DANS CETTE SALADE TRÈS PARFUMÉE, LES CREVETTES ET LA MANGUE SUCRÉES SE MARIENT AVEC UNE SAUCE À L'AIL AIGRE-DOUCE REHAUSSÉE PAR LE PIQUANT DU PIMENT. LES ÉCHALOTES CROUSTILLANTES SONT TRADITIONNELLES DANS LES SALADES THAÏS.

POUR 4 À 6 PERSONNES

INGRÉDIENTS

700 g de crevettes roses crues
  moyennes, épluchées mais sans
  retirer la queue, boyau noir retiré
le zeste finement prélevé d'1 citron vert
1/2 piment rouge frais, épépiné et haché
2 cuil. à soupe d'huile d'olive
  plus un peu pour le gril
1 mangue mûre mais ferme
2 carottes coupées en longues lanières
1 tronçon de concombre de 10 cm,
  émincé
1 petit oignon rouge, coupé en deux
  et finement émincé
quelques brins de coriandre fraîche
quelques brins de menthe fraîche
3 cuil. à soupe de cacahuètes grillées
  grossièrement hachées
4 grosses échalotes émincées frites
  dans 2 cuil. à soupe d'huile d'arachide
sel et poivre noir du moulin

Pour la sauce
1 grosse gousse d'ail hachée
2 ou 3 cuil. à café de sucre en poudre
le jus de 2 citrons verts
1 ou 2 cuil. à soupe de sauce
  de poisson thaï (nam pla)
1 piment rouge épépiné
2 cuil. à café de vinaigre de riz clair

1 Mettez les crevettes dans une jatte en verre ou en porcelaine et ajoutez le zeste de citron vert et le piment. Salez et poivrez et arrosez d'huile. Mélangez et laissez macérer 30 à 40 min.

2 Pour la sauce, pilez l'ail dans un mortier avec 2 cuil. à café de sucre pour obtenir une pâte lisse, puis incorporez le jus de 1 citron vert et 1/2 et 1 cuil. à soupe de sauce de poisson thaï.

3 Versez la sauce dans un pot. Hachez finement la moitié du piment et ajoutez à la sauce. Goûtez et ajoutez sucre, jus de citron vert, sauce de poisson et vinaigre de riz, à votre goût.

CONSEIL
Pour retirer le boyau noir des crevettes, incisez légèrement le dos de la crevette avec un couteau pointu. Soulevez le mince boyau noir avec la pointe du couteau puis rincez la crevette sous l'eau froide.

4 Épluchez et dénoyautez la mangue, coupez en fines lanières.

5 Mélangez la mangue avec les carottes, le concombre, l'oignon et la moitié de la sauce. Disposez la salade sur des assiettes individuelles.

6 Chauffez fortement un gril cannelé en fonte ou une poêle à fond épais. Enduisez d'huile et faites griller les crevettes 2 ou 3 min de chaque côté, jusqu'à ce qu'elles soient roses et marquées de brun. Disposez les crevettes sur les salades.

7 Arrosez les salades du reste de la sauce et parsemez de brins de coriandre et de menthe. Déchirez finement le reste du piment et parsemez sur les salades avec les cacahuètes et les échalotes frites. Servez aussitôt.

SALADE DE BŒUF ET DE PATATES DOUCES GRILLÉES, SAUCE À L'ÉCHALOTE ET AUX HERBES

CETTE SALADE CONSTITUE UN BON PLAT PRINCIPAL POUR UN BUFFET D'ÉTÉ, SURTOUT SI LE BŒUF EST COUPÉ EN PETITES LANIÈRES. ELLE EST DÉLICIEUSE AVEC UNE SIMPLE SALADE DE POMMES DE TERRE ET DU CRESSON OU DE LA ROQUETTE.

POUR 6 À 8 PERSONNES

INGRÉDIENTS

800 g de filet de bœuf
1 cuil. à café de grains de poivre noir écrasés
2 cuil. à café de thym frais haché
4 cuil. à soupe d'huile d'olive
450 g de patates douces à chair orange, pelées
sel et poivre noir du moulin

Pour la sauce

1 gousse d'ail hachée
15 g de persil plat
2 cuil. à soupe de coriandre hachée
1 cuil. à soupe de petites câpres
1/2 à 1 piment vert frais, épépiné et haché
2 cuil. à café de moutarde de Dijon
3 cuil. à café de vinaigre de vin blanc
5 cuil. à soupe d'huile d'olive
2 échalotes finement hachées

1 Roulez le filet de bœuf dans les grains de poivre écrasés et le thym et laissez reposer quelques heures. Préchauffez le four à 200 °C (th. 7).

2 Chauffez la moitié de l'huile dans une poêle à fond épais. Faites dorer le bœuf de tous côtés, en retournant souvent. Mettez dans un plat à four et faites cuire 10 à 15 min au four.

3 Retirez le bœuf du four, couvrez de papier d'aluminium et laissez reposer 10 à 15 min.

4 Pendant ce temps, préchauffez le gril. Coupez les patates douces en tranches de 1 cm. Enduisez du reste d'huile d'olive, salez et poivrez à votre goût et faites griller 5 à 6 min environ de chaque côté, jusqu'à ce qu'elles soient tendres et dorées. Coupez les tranches en lanières et mettez-les dans une jatte.

5 Coupez le bœuf en tranches ou en lanières et mélangez avec les patates douces, puis réservez la jatte.

6 Pour la sauce, hachez au robot l'ail avec le persil, la coriandre, les câpres, le piment, la moutarde et 2 cuil. à café de vinaigre. Le moteur étant toujours en action, versez peu à peu l'huile pour obtenir une sauce lisse. Assaisonnez de sel et de poivre et ajoutez du vinaigre, à votre goût. Incorporez les échalotes.

7 Mélangez la sauce avec les patates douces et le bœuf et laissez reposer jusqu'à 2 h avant de servir.

SALADE CÉSAR AUX ŒUFS ET JAMBON DE PARME

CETTE SALADE CLASSIQUE FUT INVENTÉE EN 1924 PAR CÉSAR CARDINI À TIJUANA, AU MEXIQUE. UNE BONNE LAITUE POMMÉE OU ROMAINE, DES CROÛTONS À L'AIL CROUSTILLANTS ET UNE SAUCE CRÉMEUSE FORMENT SES PRINCIPAUX INGRÉDIENTS.

POUR 6 PERSONNES EN ENTRÉE OU 4 PERSONNES EN PLAT PRINCIPAL LÉGER

INGRÉDIENTS
    3 tranches de pain blanc épaisses
        de 1 cm
    3 cuil. à soupe d'huile d'olive
    1 grosse gousse d'ail finement hachée
    3 ou 4 cœurs de laitues ou 2 romaines
    12 à 18 œufs de caille
    120 g de jambon de Parme,
        San Daniele ou Serrano coupé
        en tranches minces
    40 à 50 g de parmesan râpé
    sel et poivre noir du moulin
Pour la sauce
    1 gros œuf
    1 ou 2 gousses d'ail hachées
    4 filets d'anchois à l'huile, égouttés
    12 cl d'huile d'olive
    jus de citron ou vinaigre de vin blanc

1 Préchauffez le four à 190 °C (th. 6-7). Coupez le pain en croûtons que vous tournerez dans l'huile et l'ail. Salez et poivrez à votre goût.

2 Versez sur une plaque de four. Faites cuire 10 à 14 min au four, en remuant une ou deux fois, jusqu'à ce que les croûtons soient dorés.

3 Pendant ce temps, pour la sauce, portez à ébullition une casserole d'eau et faites cuire l'œuf 90 s. Plongez l'œuf dans l'eau froide, écalez et mettez dans le bol d'un robot ou d'un blender.

4 Ajoutez l'ail et les filets d'anchois et mélangez. Le moteur étant toujours en action, ajoutez peu à peu l'huile d'olive en filet. Quand toute l'huile est incorporée et que la sauce est crémeuse, ajoutez 2 ou 3 cuil. à café de jus de citron ou de vinaigre de vin et salez et poivrez à votre goût.

5 Préparez les salades en coupant les cœurs en quatre ou en séparant les feuilles des romaines. Mettez dans un grand saladier.

6 Mettez les œufs de caille dans une casserole, couvrez d'eau froide puis portez à ébullition et laissez cuire 2 min. Plongez les œufs dans l'eau froide, puis écalez à demi. Faites griller le jambon 2 ou 3 min de chaque côté jusqu'à ce qu'il soit croustillant.

7 Mélangez la sauce à la salade avec 25 g de parmesan. Ajoutez les croûtons. Coupez les œufs de caille en deux et ajoutez-les à la salade. Émiettez le jambon et éparpillez sur la salade avec le reste du fromage. Servez aussitôt.

L'oignon goûteux se marie bien avec les produits de la mer aux délicates saveurs. Indispensable au poisson mariné, il forme un lit parfumé pour le poisson au four ou une farce savoureuse pour le maquereau, le rouget ou la truite. L'ail s'accorde parfaitement avec les fruits de mer, comme dans les moules farcies à l'ail. L'aïoli provençal est merveilleux avec la morue salée ou la bouillabaisse. Moins vigoureux, poireaux et ciboulette sont excellents avec les soles délicates ou les coquilles Saint-Jacques.

Poisson et fruits de mer

Ceviche à l'Oignon Rouge, à l'Avocat et aux Patates Douces

Le ceviche est un plat sud-américain de poisson mariné dans le jus de citron et l'oignon, marinade qui « cuit » le poisson en le rendant opaque et ferme.

POUR 6 PERSONNES EN ENTRÉE

INGRÉDIENTS

500 à 700 g de filets de poisson blanc,
1 oignon rouge finement émincé
une pincée de flocons de piment
  rouge séché
le zeste râpé d'1 petit citron vert
  et le jus de 5 citrons verts
450 à 500 g de patates douces
5 cuil. à soupe d'huile d'olive
3 à 5 cuil. à café de vinaigre de riz
1/2 à 1 cuil. à café de sucre en poudre
1/2 cuil. à café de graines de cumin
  grillées et moulues
1/2 à 1 piment frais rouge ou vert,
  épépiné et finement haché
1 gros ou 2 petits avocats émincés
225 g de crevettes roses cuites
  et épluchées
3 cuil. à soupe de coriandre fraîche
  hachée
2 cuil. à soupe de cacahuètes
  grillées, hachées
sel et poivre noir du moulin

1 Coupez le poisson en lanières ou en morceaux. Saupoudrez le fond d'un plat en verre de la moitié de l'oignon et ajoutez le poisson. Parsemez de flocons de piment et couvrez de jus de citron vert. Couvrez et mettez 2 ou 3 h au frais, en arrosant le poisson une ou deux fois. Égouttez et jetez l'oignon.

2 Faites cuire les patates douces à l'eau ou à la vapeur 20 ou 25 min. Pelez et émincez, ou coupez en morceaux.

3 Dans une jatte, mélangez au fouet l'huile avec le vinaigre et le sucre, puis le cumin, assaisonnez et ajoutez le piment frais et le zeste de citron vert.

4 Dans une jatte en verre, mélangez le poisson avec les patates douces, les tranches d'avocats, les crevettes, la plus grande partie de la coriandre et la sauce.

5 Ajoutez le reste de l'oignon rouge. Parsemez du reste de coriandre et des cacahuètes et servez aussitôt.

CONSEIL
Choisissez de préférence pour ce plat des patates douces à chair orange.

MOUCLADE

CE PLAT TRADITIONNEL DE LA CÔTE ATLANTIQUE, COMPOSÉ DE MOULES CUITES AVEC DES ÉCHALOTES, DE L'AIL ET DU SAFRAN, EST AUSSI SAVOUREUX QUE PLAISANT À L'ŒIL.

POUR 6 PERSONNES

INGRÉDIENTS

2 kg de moules fraîches, nettoyées
   et débarrassées de leurs barbes
250 g d'échalotes finement hachées
30 cl de vin blanc pas trop sec,
   comme le vouvray
une bonne pincée de filaments
   de safran (environ 12 filaments)
75 g de beurre
2 branches de céleri finement hachées
1 cuil. à café de graines de fenouil
   légèrement écrasées
2 grosses gousses d'ail finement
   hachées
25 cl de bouillon de légumes
1 feuille de laurier
une pincée de poivre de cayenne
2 gros jaunes d'œufs
15 cl de crème épaisse
le jus d'1/2 citron
2 ou 3 cuil. à soupe de persil frais
   haché
sel et poivre noir du moulin

1 Jetez les moules qui ne se ferment pas quand vous les tapotez.

2 Portez à ébullition 2 cuil. à soupe d'échalotes et le vin dans une grande casserole. Ajoutez la moitié des moules, couvrez, faites bouillir à feu vif 1 min, en secouant une fois la casserole. Retirez les moules et jetez celles qui restent fermées. Recommencez avec le reste des moules. Laissez chaque moule dans une seule coquille. Passez le liquide de cuisson au chinois dans une jatte et ajoutez le safran. Réservez.

3 Mettez 50 g de beurre dans une casserole à fond épais. Ajoutez le reste des échalotes et le céleri, et faites cuire 5 à 6 min à feu doux, jusqu'à ce qu'ils soient souples, sans colorer. Ajoutez ensuite les graines de fenouil et la moitié de l'ail et laissez cuire encore 2 ou 3 min.

4 Versez le liquide des moules réservé, portez à ébullition, puis laissez frémir 5 min avant d'ajouter le bouillon, le laurier et le poivre de cayenne. Salez et poivrez à votre goût puis laissez frémir 5 à 10 min à découvert.

5 Fouettez les jaunes d'œufs avec la crème et ajoutez une louche du liquide bouillant, suivie par le jus d'1/2 citron. Reversez dans la sauce en fouettant. Laissez cuire 5 à 10 min à feu très doux. La sauce doit épaissir légèrement mais sans bouillir. Goûtez et ajoutez du jus de citron si nécessaire.

6 Ajoutez les moules, le reste de l'ail et du beurre et la plus grande partie du persil et réchauffez 30 à 60 s. Répartissez les moules entre six assiettes à soupe et arrosez de sauce. Saupoudrez du reste de persil et servez.

BEIGNETS DE MORUE SALÉE À L'AÏOLI

L'AÏOLI EST UNE MAYONNAISE PROVENÇALE À L'HUILE D'OLIVE VIGOUREUSEMENT AILLÉE.
IL ACCOMPAGNE TRADITIONNELLEMENT LA MORUE SALÉE.

POUR 6 PERSONNES

INGRÉDIENTS

  450 g de morue salée
  500 g de pommes de terre farineuses
  6 ciboules finement hachées
  30 cl de lait
  2 cuil. à soupe d'huile d'olive
  2 cuil. à soupe de persil frais haché
  le jus d'1/2 citron, à votre goût
  2 œufs battus
  4 cuil. à soupe de farine
  90 g de chapelure blanche sèche
  huile pour friture
  sel et poivre noir du moulin
  quartiers de citron et salade,
    pour servir
Pour l'aïoli
  2 grosses gousses d'ail
  2 jaunes d'œufs
  30 cl d'huile d'olive
  jus de citron, à votre goût

1 Faites tremper la morue salée 24 à 36 h dans l'eau froide, en changeant l'eau 5 ou 6 fois. La morue doit gonfler en se réhydratant et être juste assez salée. Goûtez un morceau pour vérifier. Égouttez bien.

2 Faites cuire les pommes de terre dans leur peau 20 min à l'eau bouillante salée, jusqu'à ce qu'elles soient tendres. Égouttez, pelez et écrasez.

3 Pochez la morue 10 à 15 min dans le lait à feu très doux avec la moitié des ciboules. Retirez du lait et effeuillez à la fourchette dans une jatte, en jetant les arêtes et la peau.

4 Ajoutez 4 cuil. à soupe de pommes de terre à la morue et battez à la cuillère en bois. Incorporez l'huile d'olive puis le reste des pommes de terre, peu à peu. Ajoutez le reste des ciboules et le persil. Assaisonnez à votre goût de jus de citron et de poivre et peut-être un peu de sel. Incorporez 1 œuf et mettez au frais à raffermir.

5 Formez 12 à 18 croquettes avec le mélange. Farinez, trempez dans l'œuf restant, puis roulez dans la chapelure. Mettez au frais jusqu'à usage.

CONSEILS
• Essayez de trouver un filet de morue bien blanc, coupé de préférence dans le milieu du poisson et non dans la queue. Évitez la morue mince et jaunâtre trop sèche et trop salée.
• Pour que la purée ne soit pas collante, écrasez les pommes de terre à la main et non au robot.
• L'aïoli est traditionnellement très aillé. Si vous le préférez plus doux, blanchissez l'ail une ou deux fois à l'eau bouillante avant de l'utiliser, 3 min à chaque fois.

6 Pendant ce temps, faites l'aïoli. Mettez l'ail et une bonne pincée de sel dans un mortier et réduisez en pâte au pilon. Incorporez peu à peu les jaunes d'œufs au fouet.

7 Ajoutez goutte à goutte la moitié de l'huile d'olive. Quand la sauce a la consistance de beurre mou, incorporez 1 ou 2 cuil. à soupe de jus de citron puis ajoutez de l'huile jusqu'à ce que l'aïoli soit très épais. Ajoutez du jus de citron à votre goût.

8 Chauffez 2 cm d'huile dans une grande poêle à fond épais. Ajoutez les croquettes et faites cuire environ 4 min à feu modéré. Retournez et laissez cuire encore 4 min de l'autre côté, jusqu'à ce qu'elles soient croustillantes et dorées. Égouttez sur du papier absorbant et servez avec l'aïoli, les quartiers de citron et les feuilles de salade.

BROCHETTES DE LOTTE ET DE SAINT-JACQUES AUX CIBOULES, SAUCE TARTARE

EN FAISANT DE PETITES BROCHETTES, VOUS POURREZ LES OFFRIR COMME AMUSE-BOUCHES À UN COCKTAIL OU AVANT LE DÎNER, EN DIP AVEC LA SAUCE TARTARE.

POUR 9 BROCHETTES

INGRÉDIENTS
700 g de queue de lotte, en filets,
  sans peau et sans membranes
1 botte de ciboules bien renflées
5 cuil. à soupe d'huile d'olive
1 gousse d'ail finement hachée
1 cuil. à soupe de jus de citron
1 cuil. à café d'origan séché
2 cuil. à soupe de persil plat frais
  haché
12 à 18 petites noix de Saint-Jacques
  ou grosses crevettes roses crues
75 g de chapelure fine fraîche
sel et poivre noir du moulin

Pour la sauce tartare
2 jaunes d'œufs
30 cl d'huile d'olive ou un mélange
  d'huile végétale et d'huile d'olive
1 ou 2 cuil. à soupe de jus de citron
1 cuil. à café de moutarde,
  à l'estragon de préférence
1 cuil. à soupe de cornichons
  hachés
1 cuil. à café de câpres hachées
2 cuil. à soupe de persil plat frais
  haché
2 cuil. à soupe de ciboulette fraîche
  ciselée
1 cuil. à café d'estragon frais haché

2 Ajoutez 1 cuil. à soupe de jus de citron au fouet et encore un peu d'huile. Incorporez la moutarde, les cornichons, câpres, persil, ciboulette, estragon et du jus de citron. Assaisonnez.

4 Mélangez la chapelure et le reste du persil et panez la lotte, les Saint-Jacques et les ciboules. Faites tremper neuf brochettes en bois dans l'eau froide.

1 Commencez par la sauce tartare. Fouettez les jaunes d'œufs avec une pincée de sel. Incorporez la moitié de l'huile goutte à goutte. Versez ensuite en filet, en fouettant sans arrêt. Arrêtez quand la mayonnaise est très épaisse.

3 Coupez la lotte et les ciboules en 18 tronçons de 5 à 6 cm de long. Mélangez l'huile, l'ail, le jus de citron, l'origan et la moitié du persil, le sel et le poivre. Ajoutez la lotte, les noix de Saint-Jacques ou les crevettes et les ciboules et laissez mariner 15 min.

5 Préchauffez le gril. Enfilez la lotte, les Saint-Jacques ou les crevettes et les ciboules sur les brochettes. Arrosez avec un peu de marinade et grillez 5 à 6 min en tout, en retournant une fois et en arrosant avec la marinade. Le poisson doit être juste cuit. Servez aussitôt avec la sauce tartare.

ROUGETS MARINÉS À L'OIGNON, AUX POIVRONS ET AUX AUBERGINES

VOUS POUVEZ REMPLACER LES ROUGETS PAR DES GRONDINS OU DE LA DORADE POUR CETTE RECETTE INSPIRÉE PAR L'ESCABÈCHE, PLAT ESPAGNOL OÙ LE POISSON EST FRIT PUIS MARINÉ.

POUR 6 PERSONNES

INGRÉDIENTS

1 cuil. à café et 1/2 de paprika doux
espagnol, de préférence
le pimenton fumé d'Espagne
3 cuil. à soupe de farine
12 cl d'huile d'olive
6 rougets, chacun pesant 300 g
environ, mis en filets
2 aubergines émincées ou coupées
en longs morceaux
2 poivrons rouges ou jaunes,
épépinés et coupés en tranches
épaisses
1 gros oignon rouge finement émincé
2 gousses d'ail émincées
1 cuil. à soupe de vinaigre de xérès
le jus d'1 citron
sucre roux, à votre goût
1 cuil. à soupe d'origan frais haché
18 à 24 olives noires
3 cuil. à soupe de persil plat frais haché
sel et poivre noir du moulin

3 Ajoutez 2 cuil. à soupe d'huile dans la poêle et faites cuire les poivrons et l'oignon 6 à 8 min à feu doux, sans colorer. Ajoutez l'ail et le reste du paprika et laissez cuire encore 2 min. Incorporez le vinaigre et le jus de citron ainsi que 2 cuil. à soupe d'eau et chauffez à frémissement. Ajoutez une pincée de sucre, à votre goût.

4 Ajoutez origan et olives et versez sur le poisson. Laissez refroidir, puis couvrez et laissez mariner au réfrigérateur plusieurs heures ou toute la nuit.

5 Environ 30 min avant de servir, ramenez le poisson et les légumes à température ambiante. Incorporez le persil au moment de servir.

1 Mélangez 1 cuil. à café de paprika avec la farine, assaisonnez bien de sel et de poivre. Chauffez la moitié de l'huile dans une grande poêle. Enrobez les filets de farine et faites frire 4 ou 5 min, jusqu'à ce qu'ils soient dorés des deux côtés. Mettez le poisson dans un plat en verre ou en porcelaine.

2 Versez 2 cuil. à soupe d'huile dans la poêle et faites cuire les aubergines. Égouttez sur du papier absorbant, puis ajoutez au poisson.

Soles Grillées au Beurre de Ciboulette et de Citronnelle

Faites à peine cuire la ciboulette pour ce délicieux beurre accompagnant du simple poisson grillé. La sole est idéale, mais le flétan et le turbot conviennent aussi. Servez avec des pommes de terre nouvelles à la vapeur et quelques légumes.

POUR 4 PERSONNES

INGRÉDIENTS

   120 g de beurre mou plus du beurre
     fondu
   1 cuil. à café de citronnelle hachée
   une pincée de zeste de citron vert râpé
   1 feuille de citron vert kaffir, très
     finement déchiré (facultatif)
   3 cuil. à soupe de ciboulette ciselée
     ou de fleurs de ciboulettes hachées,
     plus quelques brins pour décorer
   1 cuil. à café de sauce de poisson thaï
   4 soles, sans peau
   sel et poivre noir du moulin
   quartiers de citron ou citron vert

CONSEIL
Vous pouvez faire cuire de même des filets plus minces, comme la limande, mais réduisez légèrement le temps de cuisson.

1 Battez le beurre en crème avec la citronnelle, zeste et feuille (facultatif) de citron vert, ciboulette et fleurs de ciboulette, sauce de poisson, sel et poivre.

2 Faites raffermir le mélange, puis formez en boudin. Enveloppez de film plastique. Laissez raffermir au frais. Préchauffez le gril.

3 Enduisez le poisson de beurre fondu. Posez sur le gril et assaisonnez. Faites griller 5 min de chaque côté. Pendant ce temps, coupez le beurre raffermi en minces rondelles. Mettez des rondelles de beurre sur le poisson et servez, décoré de ciboulette. Offrez des quartiers de citron ou de citron vert avec le poisson.

PAVÉS DE THON GRILLÉS, SALSA À L'OIGNON ROUGE

LES OIGNONS ROUGES À LA SAVEUR DOUCE ET SUCRÉE ET À L'ASPECT APPÉTISSANT SONT PARFAITS POUR CETTE SALSA. DE LA SALADE, DU RIZ OU DU PAIN ET UNE COUPE DE YAOURT ÉPAIS PARFUMÉ AUX FINES HERBES HACHÉES PEUVENT ACCOMPAGNER LE THON.

POUR 4 PERSONNES

INGRÉDIENTS

4 pavés de thon, chacun pesant
  environ 180 à 200 g
1 cuil. à café de graines de cumin
  grillées et écrasées
une pincée de flocons de piment
  rouge séché
le zeste râpé et le jus d'1 citron vert
2 à 4 cuil. à soupe d'huile d'olive
  vierge extra
sel et poivre noir du moulin
quartiers de citron vert et brins de
  coriandre fraîche, pour décorer
Pour la salsa
1 petit oignon rouge finement
  haché
200 g de tomates cerises rouges
  ou jaunes, grossièrement hachées
1 avocat, pelé, dénoyauté et haché
2 kiwis pelés et hachés
1 piment rouge frais épépiné
  et finement haché
15 g de coriandre fraîche hachée
6 brins de menthe fraîche,
  les feuilles seulement, hachées
1 ou 2 cuil. à café de sauce
  de poisson thaï (nam pla)
environ 1 cuil. à café de sucre roux

1 Lavez et essuyez les pavés de thon. Saupoudrez de la moitié du cumin, du piment séché, sel, poivre et la moitié du zeste de citron vert. Frottez avec 2 cuil. à soupe d'huile et réservez 30 min dans un plat en verre ou en porcelaine.

2 Faites la salsa. Mélangez oignons, tomates, avocat, kiwis, piment frais, coriandre et menthe hachées, le reste du cumin et du zeste de citron vert et la moitié du jus de citron vert. Ajoutez la sauce thaï et du sucre à votre goût. Réservez 15 à 20 min, puis ajoutez un peu de sauce thaï, de jus de citron et d'huile d'olive, si nécessaire.

3 Chauffez un gril cannelé en fonte. Faites cuire le thon 2 min de chaque côté pour du thon peu cuit, un peu plus longtemps si vous l'aimez bien cuit.

4 Servez les pavés de thon garni de quartiers de citron vert et de brins de coriandre. Servez la salsa en saucière ou sur les assiettes avec le thon.

PISSALADIÈRE

CETTE CÉLÈBRE TARTE À L'OIGNON ET AUX ANCHOIS EST UNE SPÉCIALITÉ DE NICE. VOUS POUVEZ LA FAIRE AVEC DE LA PÂTE BRISÉE OU, COMME ICI, AVEC UNE PÂTE LEVÉE, SEMBLABLE À LA PÂTE À PIZZA. ELLE EST MEILLEURE TIÈDE QU'AU SORTIR DU FOUR.

POUR 6 PERSONNES

INGRÉDIENTS
250 g de farine, plus un peu pour fariner
50 g de polenta fine ou de semoule
1 cuil. à café de sel
18 cl d'eau tiède
1 cuil. à café de levure lyophilisée
1 cuil. à café de sucre en poudre
2 cuil. à soupe d'huile d'olive
Pour la garniture
4 à 5 cuil. à soupe d'huile d'olive vierge extra
6 gros oignons doux d'Espagne, finement émincés
2 grosses gousses d'ail finement émincées
1 cuil. à café de thym frais haché, plus plusieurs brins
1 brin de romarin frais
1 ou 2 boîtes de 50 g d'anchois à l'huile d'olive
50 à 70 g de petites olives noires, de préférence niçoises
sel et poivre noir du moulin

1 Mélangez la farine, la polenta ou la semoule et le sel dans une jatte. Versez la moitié de l'eau dans un bol. Ajoutez levure et sucre et laissez 10 min dans un endroit chaud, jusqu'à ce qu'elle mousse. Versez dans la farine avec le reste de l'eau et l'huile d'olive.

2 Mélangez tous les ingrédients avec les mains pour former une pâte, retournez et pétrissez 5 min, jusqu'à ce que la pâte soit lisse et élastique.

3 Remettez la pâte dans une jatte propre et farinée et couvrez avec un sac en plastique ou un film alimentaire huilé, puis laissez à température ambiante 30 à 60 minutes, la pâte doit lever et doubler de volume.

4 Pendant ce temps, commencez à préparer la garniture. Chauffez 3 cuil. à soupe d'huile d'olive dans une grande casserole épaisse et ajoutez les oignons émincés. Mélangez bien pour enrober les oignons d'huile, couvrez et laissez cuire à feu très doux 20 à 30 min, en remuant de temps à autre (un diffuseur de chaleur est conseillé).

5 Ajoutez un peu de sel (à votre goût) et l'ail, le thym haché et le brin de romarin. Mélangez bien et continuez la cuisson encore 15 à 25 min, jusqu'à ce que les oignons soient souples et bien dorés, mais pas trop foncés. Si les oignons sont trop juteux, ôtez le couvercle les 5 à 10 dernières minutes. Retirez et jetez le romarin. Laissez refroidir.

6 Préchauffez le four à 220 °C (th. 7-8). Étalez la pâte sur une mince épaisseur et tapissez une grande plaque à pâtisserie, de 30 x 23-25 cm environ. Rectifiez l'assaisonnement des oignons avant de les étaler sur la pâte.

7 Égouttez les anchois, coupez-les en deux dans la longueur et disposez en croisillons sur les oignons. Éparpillez les olives et les brins de thym sur le dessus de la pissaladière et arrosez du reste d'huile d'olive. Faites cuire environ 20 à 25 min ou jusqu'à ce que la pâte soit cuite et dorée. Poivrez et servez chaud, coupé en tranches.

VARIANTES
• Remplacez la pâte levée par de la pâte brisée : faites cuire à blanc 10 à 15 min avant d'ajouter la garniture.
• Si vous aimez les anchois, vous pouvez étaler 4 cuil. à soupe de purée d'anchois (anchoïade) sur le fond avant de mettre les oignons. Vous pouvez aussi étaler de la pâte d'olive sur la pâte.

LA TENTATION DE JANSSON

PLAT TRADITIONNEL SUÉDOIS, CE RICHE GRATIN EST ABSOLUMENT DÉLICIEUX. LE NOM NE SE RÉFÈRE PROBABLEMENT PAS À UN JANSSON SPÉCIFIQUE, MAIS SIGNIFIE « LA TENTATION DE TOUS », JANSSON ÉTANT UN NOM TRÈS COMMUN EN SUÈDE.

POUR 4 À 6 PERSONNES

INGRÉDIENTS

    50 g de beurre
    900 g de pommes de terre
    2 gros oignons doux d'Espagne
      émincés
    2 boîtes de 50 g d'anchois à l'huile
      d'olive, égouttés
    45 cl de crème liquide ou
      un mélange de crème fraîche
      et de crème liquide
    un peu de lait (facultatif)
    sel et poivre noir du moulin

1 Préchauffez le four à 200 °C (th. 6-7). Beurrez ensuite un plat à gratin d'une contenance de 1,5 l avec une noix de beurre.

2 Avec un couteau aiguisé, coupez les pommes de terre en fine julienne.

3 Tournez cette julienne dans le sel et le poivre noir du moulin et éparpillez la moitié sur le fond du plat à gratin préparé.

4 Posez la moitié des oignons sur les pommes de terre, poivrez et parsemez de beurre. Étalez les anchois sur les oignons puis ajoutez le reste des oignons et terminez par le reste des pommes de terre.

5 Mélangez la crème avec 2 cuil. à soupe d'eau froide et versez sur les pommes de terre. Ajoutez un peu de lait, si nécessaire pour que le liquide arrive juste sous la dernière couche de pommes de terre.

6 Parsemez du reste du beurre puis couvrez de papier d'aluminium et faites cuire 1 h au four.

7 Baissez le feu à 180 °C (th. 6) et découvrez le plat. Faites cuire encore 40 à 50 min ou jusqu'à ce que les pommes de terre soient tendres et dorées.

CONSEILS
• Couvrez le gratin de papier d'aluminium pendant la première partie de la cuisson pour que les pommes de terre ne colorent ni ne dessèchent. Si vous utilisez des anchois salés entiers ou des sprats salés, ôtez les arêtes au préalable. S'ils sont très salés, faites tremper dans un peu de lait, 30 min avant usage.
• Servez à la suédoise, avec des petits verres de schnaps très frais ou de la bière froide.

LOTTE AUX POMMES DE TERRE ET À L'AIL

VOUS POUVEZ UTILISER D'AUTRES POISSONS POUR CE PLAT SIMPLE. ACCOMPAGNEZ-LE D'UNE SAUCE TARTARE OU D'UNE VINAIGRETTE ÉPAISSE RELEVÉE DE CORNICHONS ET D'ŒUFS DURS HACHÉS.

POUR 4 PERSONNES

INGRÉDIENTS

1 kg de pommes de terre à chair
   ferme, coupées en morceaux
50 g de beurre
2 oignons émincés en tranches
   épaisses
4 gousses d'ail
quelques brins de thym frais
2 ou 3 feuilles de laurier frais
45 cl de bouillon de légumes ou
   de poisson, plus 3 cuil. à soupe
900 g de queue de lotte en un seul
   morceau, sans peau et sans
   membranes
2 ou 3 cuil. à soupe de vin blanc
50 g de chapelure blanche fraîche
15 g de persil frais haché
1 cuil. à soupe d'huile d'olive
sel et poivre noir du moulin

1 Préchauffez le four à 190 °C (th. 6-7). Mettez les pommes de terre dans un plat à four. Faites fondre la moitié du beurre dans une grande poêle et faites cuire les oignons 5 à 6 min à feu doux. Mélangez oignons et pommes de terre.

2 Émincez 2 ou 3 gousses d'ail et ajoutez aux pommes de terre avec le thym et le laurier, assaisonnez de sel et de poivre noir du moulin.

3 Versez les 45 cl de bouillon sur les pommes de terre et faites cuire au four 50 à 60 min, en remuant une ou deux fois.

4 Glissez la lotte entre les pommes de terre, salez et poivrez. Faites cuire 10 à 15 min. Mélangez le reste de bouillon et le vin et arrosez 2 ou 3 fois la lotte avec ce mélange pendant la cuisson.

5 Hachez finement le reste de l'ail. Faites fondre le reste du beurre et mélangez avec la chapelure, l'ail haché, la plus grande partie du persil haché, sel et poivre. Versez sur la lotte en appuyant avec le dos d'une cuillère.

6 Arrosez le poisson d'huile d'olive, remettez au four et laissez cuire encore 10 à 15 min, jusqu'à ce que la chapelure soit croustillante et dorée et que tout le liquide soit absorbé. Éparpillez le reste de persil sur les pommes de terre et servez aussitôt.

SAUMON EN PAPILLOTE AUX POIREAUX ET AUX POIVRONS JAUNES

LE POISSON CUIT EN PAPILLOTE GARDE TOUTE SA SAVEUR ET VOUS POUVEZ LE PARFUMER AVEC DES INGRÉDIENTS AROMATIQUES COMME LES POIREAUX ET LES HERBES. LES PAPILLOTES POUVANT ÊTRE PRÉPARÉES À L'AVANCE, CETTE RECETTE EST PARFAITE POUR RECEVOIR.

POUR 6 PERSONNES

INGRÉDIENTS

1 cuil. à soupe et 1/2 d'huile d'arachide

2 poivrons jaunes épépinés et finement émincés

4 cm de racine de gingembre frais, pelé et divisé en filaments

1 gros bulbe de fenouil finement émincé, feuilles hachées et réservées

1 piment vert épépiné et découpé en fines lanières

2 gros poireaux coupés en tronçons de 10 cm et découpés en lanières

2 cuil. à soupe de ciboulette ciselée

2 cuil. à café de sauce de soja claire

6 portions de filet de saumon, chacune pesant 150 à 180 g

2 cuil. à café d'huile de sésame

sel et poivre noir du moulin

1 Chauffez l'huile dans une poêle non adhésive, et faites cuire les poivrons, le gingembre et le fenouil 5 à 6 min. Ajoutez piment et poireaux et laissez cuire encore 2 ou 3 min. Incorporez la moitié de la ciboulette et la sauce de soja, assaisonnez à votre goût. Laissez refroidir.

2 Préchauffez le four à 190 °C (th. 6-7). Coupez 6 ronds de 35 cm dans du papier cuisson ou d'aluminium. Répartissez le mélange de légumes entre les 6 ronds et posez une portion de saumon sur chaque pile de légumes. Arrosez d'huile de sésame et parsemez du reste de ciboulette et de feuilles de fenouil haché. Salez et poivrez.

3 Repliez le papier pour enfermer le poisson, en roulant et tordant les bords ensemble pour fermer les papillotes. Mettez sur une plaque à pâtisserie et faites cuire 15 à 20 min au four, jusqu'à ce que les papillotes soient gonflées et légèrement brunies (papier cuisson). Transférez les papillotes sur des assiettes chaudes et servez aussitôt.

TRUITE AU LARD, FARCIE DE FLOCONS D'AVOINE ET D'OIGNONS

LA FARCE EST INSPIRÉE D'UNE SPÉCIALITÉ ÉCOSSAISE, MÉLANGE DE FLOCONS D'AVOINE ET D'OIGNON APPELÉ SKIRLIE. VOUS POUVEZ REMPLACER LA TRUITE PAR DU HARENG. DES POMMES DE TERRE CUITES, ÉMINCÉES, ENDUITES D'HUILE D'OLIVE ET GRILLÉES CONSTITUENT UN BON ACCOMPAGNEMENT.

POUR 4 PERSONNES

INGRÉDIENTS

10 minces tranches de lard
de poitrine salé
40 g de beurre ou de graisse de lard
1 oignon finement haché
120 g de flocons d'avoine
2 cuil. à soupe de persil frais haché
2 cuil. à soupe de ciboulette ciselée
4 truites de 350 g chacune environ,
vidées et désarêtées
le jus d'1/2 citron
sel et poivre noir du moulin
cresson, tomates cerises et quartiers
de citron, pour servir
Pour la mayonnaise aux herbes
6 brins de cresson
1 cuil. à soupe de ciboulette ciselée
2 cuil. à soupe de persil haché
6 cuil. à soupe de mayonnaise au citron
2 cuil. à soupe de fromage frais ou
de crème fraîche
1 cuil. à café de moutarde à l'estragon

1 Préchauffez le four à 190 °C (th. 6-7). Hachez 2 tranches de lard. Faites fondre 25 g de beurre ou de graisse de lard dans une grande poêle et faites cuire le lard rapidement. Ajoutez l'oignon finement haché et laissez cuire 5 à 8 min jusqu'à ce qu'il soit souple.

2 Ajoutez les flocons d'avoine et laissez cuire jusqu'à ce qu'ils dorent et absorbent la graisse. Ajoutez persil, ciboulette, sel et poivre. Laissez refroidir.

3 Lavez, séchez les truites et farcissez-les avec le mélange. Enveloppez chaque truite avec 2 tranches de lard et mettez dans un plat à four. Parsemez du reste du beurre et arrosez de jus de citron. Faites cuire 20 à 25 min, le lard doit être doré et croustillant.

4 Pour la mayonnaise, mettez le cresson, la ciboulette et le persil dans une passoire et arrosez d'eau bouillante. Égouttez, rincez à l'eau froide et séchez sur du papier absorbant.

5 Réduisez les herbes en purée au pilon dans un mortier (ce qui est plus facile qu'avec un robot pour de petites quantités). Incorporez la purée d'herbes à la mayonnaise au citron, avec le fromage frais ou la crème fraîche. Ajoutez la moutarde à votre goût et mélangez.

6 Après cuisson, transférez la truite sur des assiettes chaudes et servez aussitôt avec le cresson, les tomates et les quartiers de citron, et la mayonnaise aux herbes, présentée en saucière.

NOIX DE SAINT-JACQUES GRILLÉES AU RIZ SAUVAGE, SAUCE À LA CIBOULETTE

LES COQUILLES SAINT-JACQUES SONT ASSOCIÉES ICI À UNE DÉLICATE SAUCE À LA CIBOULETTE ET UN PILAF DE RIZ SAUVAGE AUX POIREAUX ET AUX CAROTTES.

POUR 4 PERSONNES

INGRÉDIENTS

12 à 16 noix de Saint-Jacques
3 cuil. à soupe d'huile d'olive
50 g de riz sauvage
65 g de beurre
4 carottes coupées en julienne
2 poireaux coupés en biais
 en tronçons épais
1 petit oignon finement haché
120 g de riz à grains longs
1 feuille de laurier frais
20 cl de vin blanc
45 cl de bouillon de poisson
4 cuil. à soupe de crème épaisse
un peu de jus de citron
5 cuil. à café de ciboulette ciselée
2 cuil. à soupe de brins de cerfeuil
sel et poivre noir du moulin

1 Assaisonnez légèrement les noix de Saint-Jacques, enduisez d'1 cuil. à soupe d'huile d'olive et réservez.

2 Faites cuire le riz sauvage 30 min dans beaucoup d'eau bouillante, jusqu'à ce qu'il soit tendre, égouttez.

3 Faites fondre la moitié du beurre dans une petite poêle et faites cuire les carottes 4 à 5 min à feu doux. Ajoutez les poireaux et laissez cuire encore 2 min. Salez et poivrez et ajoutez 2 ou 3 cuil. à soupe d'eau, puis couvrez et faites cuire encore quelques minutes. Découvrez et laissez réduire le liquide. Réservez hors du feu.

4 Faites fondre la moitié du reste du beurre et 1 cuil. à soupe du reste de l'huile dans une casserole épaisse. Ajoutez l'oignon et faites cuire 3 ou 4 min, jusqu'à ce qu'il soit souple.

5 Ajoutez le riz à longs grains et le laurier et faites cuire, en remuant constamment, jusqu'à ce que le riz soit translucide et enrobé d'huile.

6 Ajoutez la moitié du vin et du bouillon. Assaisonnez d'1/2 cuil. à café de sel et portez à ébullition. Remuez, couvrez et laissez cuire 15 min à feu très doux, ou jusqu'à ce que le liquide soit absorbé et le riz tendre.

7 Réchauffez les carottes et les poireaux à feu doux et incorporez au riz à longs grains avec le riz sauvage. Salez et poivrez à votre goût, si nécessaire.

8 Versez le reste du vin et du bouillon dans une petite casserole et faites réduire de moitié à gros bouillons.

CONSEIL

Choisissez des Saint-Jacques fraîches plutôt que congelées, ces dernières rendant beaucoup d'eau à la cuisson. Chauffez fortement la poêle à feu vif, la cuisson devant être très rapide, juste pour les colorer et les rendre opaques. N'omettez pas le corail, il est délicieux.

9 Chauffez une poêle à feu vif. Ajoutez le reste du beurre et de l'huile. Faites griller les Saint-Jacques 1 à 2 min de chaque côté, réservez au chaud.

10 Chauffez le bouillon réduit dans la poêle jusqu'à ébullition, ajoutez la crème et faites bouillir jusqu'à épaississement. Ajoutez jus de citron, sel et poivre, la ciboulette et les Saint-Jacques.

11 Ajoutez le cerfeuil au riz et empilez sur les assiettes. Disposez les Saint-Jacques sur le riz et arrosez de sauce.

POISSON VAPEUR À LA CHINOISE

VOICI UNE FAÇON CLASSIQUE DE CUIRE LE POISSON ENTIER, AVEC DE L'AIL, DES CIBOULES,
DU GINGEMBRE ET DES HARICOTS NOIRS, EN PLAT PRINCIPAL D'UN REPAS CHINOIS
OU PLUS SIMPLEMENT ACCOMPAGNÉ DE RIZ ET DE LÉGUMES POÊLÉS.

POUR 4 À 6 PERSONNES

INGRÉDIENTS

   2 dorades, mulets ou truites,
     de 650 à 800 g chacun
   1 cuil. à soupe et 1/2 de haricots
     noirs salés
   1 cuil. à café de sucre
   2 cuil. à soupe de racine de gingembre
     frais, détaillée en filaments
   4 gousses d'ail finement émincées
   2 cuil. à soupe de vin de riz chinois
     ou de xérès sec
   2 cuil. à soupe de sauce de soja claire
   4 à 6 ciboules coupées en julienne
   3 cuil. à soupe d'huile d'arachide
   2 cuil. à café d'huile de sésame

1 Lavez les poissons à l'intérieur
et l'extérieur à l'eau courante froide
et séchez-les sur du papier absorbant.
Avec un couteau aiguisé, faites 3 ou
4 incisions en croix sur chaque côté.

2 Écrasez la moitié des haricots noirs
avec le sucre dans un petit bol puis
incorporez le reste des haricots entiers.

3 Mettez un peu de gingembre et d'ail
dans chaque poisson et posez sur une
assiette de taille adaptée à un grand
panier pour cuisson vapeur. Frottez les
poissons avec le mélange de haricots,
dans les incisions en particulier, puis
parsemez du reste du gingembre et de
l'ail. Couvrez et mettez au frais 30 min.

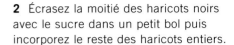

4 Mettez le panier sur une casserole
d'eau bouillante. Arrosez le poisson
de vin de riz ou de xérès et de la moitié
de la sauce de soja et faites cuire à la
vapeur 15 à 20 min.

5 Arrosez le poisson du reste de la
sauce de soja et parsemez de ciboules.

6 Dans une petite casserole, chauffez
l'huile d'arachide jusqu'à ce qu'elle
fume, puis versez-la sur les ciboules.
Arrosez d'huile de sésame et servez
aussitôt.

LAKSA DE POISSON ET DE FRUITS DE MER

Le laksa est un ragoût malais de poisson, volaille, viande ou légumes. Dans les laksas authentiques, très relevés, le feu des épices est atténué par du lait de coco et des nouilles. Si vous préférez la version épicée, remplacez un peu de paprika par du piment en poudre.

POUR 4 OU 5 PERSONNES

INGRÉDIENTS

    3 piments rouges frais assez fort,
        épépinés
    4 ou 5 gousses d'ail
    1 cuil. à café de paprika doux
    2 cuil. à café de pâte de crevettes
        fermentée (trassi)
    1 cuil. à soupe et 1/2 de racine de
        gingembre frais haché ou de galangal
    250 g de petites échalotes rouges
    25 g de coriandre fraîche
        (avec racines de préférence)
    3 cuil. à soupe d'huile d'arachide
    1 cuil. à café de graines de fenouil
        écrasées
    2 bulbes de fenouil coupés
        en minces tranches
    60 cl de bouillon de poisson
    300 g de nouilles de riz (vermicelles)
    45 cl de lait de coco
    le jus d'1 ou 2 citrons verts
    2 ou 3 cuil. à soupe de sauce de
        poisson thaï (nam pla)
    450 g de filets de poisson blanc
        ferme, comme la lotte, le flétan
        ou le rouget
    450 g de grosses crevettes roses
        crues (20 environ), épluchées,
        boyau noir retiré
    un petit bouquet de basilic frais
    2 ciboules finement émincées

1 Réduisez en pâte au robot les piments, l'ail, le paprika, la pâte de crevettes, le gingembre ou le galangal et 2 échalotes. Ajoutez les racines et les tiges de la coriandre à la pâte, hachez et réservez les feuilles. Ajoutez 1 cuil. à soupe d'huile à la pâte et actionnez le robot à nouveau pour obtenir une purée lisse.

2 Chauffez le reste de l'huile dans une grande casserole. Ajoutez le reste des échalotes, les graines et les tranches de fenouil. Faites colorer, puis ajoutez 3 cuil. à soupe de la pâte et laissez cuire 1 à 2 min. Versez le bouillon de poisson et portez à ébullition. Baissez le feu et laissez frémir 8 à 10 min.

3 Faites cuire les nouilles de riz en suivant les instructions portées sur le paquet. Égouttez et réservez.

4 Ajoutez lait de coco et jus d'1 citron vert aux échalotes, puis 2 cuil. à soupe de sauce de poisson. Portez alors à frémissement. Goûtez et ajoutez un peu de pâte épicée, de jus de citron vert et de sauce de poisson, si nécessaire.

5 Ajoutez le poisson coupé en morceaux. Faites cuire 2 ou 3 min, ajoutez les crevettes et faites cuire (elles doivent être roses). Hachez la majeure partie du basilic et ajoutez avec la coriandre réservée.

6 Répartissez les nouilles entre quatre ou cinq bols et ajoutez le ragoût. Parsemez de ciboules et du reste du basilic. Servez aussitôt.

L'oignon est présent dans les marinades, les ragoûts,

les rôtis et les braisés, et il peut être préparé de multiples

façons pour accompagner la viande ou la volaille

simplement grillées. Certains classiques sont bien connus,

gigot d'agneau piqué d'ail, steak à l'oignon frit

ou mélange cantonais d'ail, haricots noirs et ciboules,

servis avec du bœuf. Le curry thaï ne saurait se passer

d'ail et le foie des oignons. Il est difficile, en fait,

d'imaginer des recettes de viande et de volaille dont

l'oignon ne serait pas un ingrédient essentiel.

Viande et volaille

GIGOT BOULANGÈRE

L'AGNEAU CUIT À LA BOULANGÈRE EST UN CLASSIQUE DE LA CUISINE RÉGIONALE QUI ASSOCIE DÉLICIEUSEMENT L'AGNEAU ET L'AIL ET FORME UN PLAT SAVOUREUX ET TOUJOURS APPRÉCIÉ POUR LE DÉJEUNER DOMINICAL.

4 Versez le bouillon bouillant et ajoutez un peu d'eau, si nécessaire, pour que le liquide affleure les pommes de terre. Parsemez du reste du beurre, couvrez de papier d'aluminium et faites cuire 40 min au four. Montez la température à 200 °C (th. 7).

5 Coupez le reste de l'ail en minces lamelles. Faites des incisions sur la surface de l'agneau avec un petit couteau pointu et glissez des lamelles d'ail et des brins de thym ou de romarin dans ces incisions. Salez et poivrez.

POUR 6 PERSONNES

INGRÉDIENTS

   50 g de beurre plus un peu
     pour graisser le plat
   4 à 6 gousses d'ail
   2 oignons jaunes finement émincés
   12 à 18 brins de thym ou de romarin
   2 feuilles de laurier frais
   1,8 kg de pommes de terre rouges
     finement émincées
   45 cl de bouillon d'agneau ou
     de légumes bouillant
   2 kg de gigot d'agneau
   2 cuil. à soupe d'huile d'olive
   sel et poivre noir du moulin

1 Préchauffez le four à 190 °C (th. 6). Graissez avec un peu de beurre un grand plat à four de 6 cm de haut environ. Hachez finement la moitié de l'ail et parsemez-en un peu sur le plat préparé.

2 Faites cuire les oignons 5 à 8 min dans 25 g de beurre, ils doivent être souples. Hachez grossièrement le thym ou le romarin et émiettez le laurier.

3 Mettez une couche de pommes de terre dans le plat, sel, poivre, la moitié du reste d'ail, du romarin ou thym et du laurier et les oignons. Ajoutez le reste des pommes de terre, d'ail haché et d'herbes.

6 Découvrez les pommes de terre et parsemez de quelques brins de romarin ou de thym. Posez une grille sur le plat et mettez l'agneau sur la grille. Enduisez la viande d'huile d'olive et remettez le tout au four. Laissez cuire 1 h 30 à 1 h 45, selon votre degré de cuisson préféré, en retournant une ou deux fois. Laissez reposer 20 min dans un endroit chaud (four éteint par exemple) avant de découper.

CROQUETTES D'AGNEAU, SAUCE À L'OIGNON ROUGE ET À LA TOMATE

CETTE SAUCE AIGRE-DOUCE À L'OIGNON ROUGE SE MARIE BIEN AVEC LES CROQUETTES D'AGNEAU.
SERVEZ AVEC DU PAIN PITTA ET DU TABOULÉ, OU DES FRITES ET UNE SALADE VERTE.

POUR 4 PERSONNES

INGRÉDIENTS

    3 cuil. à soupe de boulgour
    500 g d'agneau maigre haché
    1 petit oignon rouge finement haché
    2 gousses d'ail finement hachées
    1 piment vert épépiné et haché
    1 cuil. à café de graines de cumin
      grillées et moulues
    1 1/2 cuil. à café de sumac en poudre
    15 g de persil plat frais haché
    2 cuil. à soupe de menthe fraîche
      hachée
    huile d'olive, pour la poêle
    sel et poivre noir du moulin
Pour la sauce
    2 poivrons rouges coupés en deux
      et épépinés
    2 oignons rouges coupés en tranches
      de 5 mm d'épaisseur
    5 ou 6 cuil. à soupe d'huile d'olive
    350 g de tomates cerises hachées
    1/2 à 1 piment frais rouge ou vert,
      épépiné et finement haché
    2 cuil. à soupe de menthe fraîche
      hachée
    2 cuil. à soupe de persil frais haché
    1 cuil. à soupe d'origan frais haché
      ou de marjolaine
    1/2 à 1 cuil. à café de graines
      de cumin grillées moulues
    1/2 à 1 cuil. à café de sumac
    le jus d'1/2 citron
    sucre en poudre, à votre goût

1 Versez 15 cl d'eau bouillante sur le boulgour dans une jatte et laissez reposer 15 min, puis égouttez dans une passoire et essorez l'eau en excès.

2 Mettez le boulgour dans une jatte et ajoutez l'agneau haché, l'oignon, l'ail, le piment, le cumin, le sumac, le persil et la menthe. Mélangez soigneusement à la main puis assaisonnez avec 1 cuil. à café de sel et beaucoup de poivre noir, mélangez à nouveau. Formez huit petites croquettes et réservez pendant que vous faites la sauce.

3 Mettez les poivrons sous le gril, peau vers le haut, jusqu'à ce que la peau brûle et boursoufle. Posez dans une jatte, couvrez et laissez 10 min. Pelez, hachez la chair et mettez dans une jatte.

4 Enduisez les oignons d'1 cuil. à soupe d'huile, faites griller 5 min de chaque côté. Laissez refroidir et hachez.

5 Ajoutez les oignons, les tomates, le piment (facultatif), le persil, l'origan ou la marjolaine et 1/2 cuil. à café de cumin et de sumac aux poivrons. Incorporez 4 cuil. à soupe du reste de l'huile et 1 cuil. à soupe de jus de citron. Assaisonnez de sel, poivre et sucre et laissez reposer 20 à 30 min.

6 Chauffez une poêle ou un gril cannelé en fonte à feu vif et graissez avec de l'huile d'olive. Faites cuire les croquettes 5 à 6 min de chaque côté, jusqu'à ce qu'elles soient cuites à cœur.

7 Pendant la cuisson, goûtez la sauce et rectifiez l'assaisonnement, en ajoutant sel, poivre, sucre, huile, piment, cumin, sumac et jus de citron à votre goût. Servez avec la sauce, dès que les croquettes sont cuites.

RAGOÛT D'AGNEAU AUX JEUNES OIGNONS ET AUX POMMES DE TERRE NOUVELLES

CE RAGOÛT CITRONNÉ EST ENROBÉ D'UN MÉLANGE À L'ITALIENNE D'AIL HACHÉ, DE PERSIL ET DE ZESTE DE CITRON, DU NOM DE GREMOLATA, INSÉPARABLE DE L'OSSO-BUCO.

POUR 6 PERSONNES

INGRÉDIENTS

1 kg d'épaule d'agneau désossée, dégraissée et coupée en morceaux de 5 cm

1 gousse d'ail finement hachée

le zeste finement râpé d'1/2 citron et le jus d'1 citron

6 cuil. à soupe d'huile d'olive

3 cuil. à soupe de farine

1 gros oignon émincé

5 filets d'anchois à l'huile d'olive égouttés

1/2 cuil. à café de sucre en poudre

30 cl de vin blanc fruité

48 cl de bouillon d'agneau ou moitié bouillon et moitié eau

1 feuille de laurier frais

1 brin de thym frais

1 brin de persil frais

500 g de petites pommes de terre nouvelles

250 g d'échalotes pelées mais laissées entières

3 cuil. à soupe de crème épaisse (facultatif)

sel et poivre noir du moulin

Pour le gremolata

1 gousse d'ail finement hachée

le zeste finement râpé d'1/2 citron

3 cuil. à soupe de persil plat haché

1 Mélangez l'agneau avec l'ail, le zeste et le jus d'1/2 citron. Poivrez et incorporez 1 cuil. à café d'huile d'olive, puis laissez reposer 12 à 24 h.

2 Égouttez l'agneau en réservant la marinade et séchez-le avec du papier absorbant. Préchauffez le four à 180 °C (th. 6).

CONSEIL

Le hachoir en demi-lune et à deux poignées est parfait pour hacher les ingrédients du gremolata. Si vous utilisez un robot, faites attention à ne pas trop hacher, au risque de réduire les ingrédients en pâte.

3 Chauffez 2 cuil. à soupe d'huile d'olive dans une grande poêle à fond épais. Assaisonnez la farine de sel et de poivre et farinez l'agneau, en secouant la farine en excès. Faites dorer de tous côtés dans l'huile brûlante. Faites plusieurs « tournées », en transférant chaque tournée dans une cocotte en fonte. Vous pouvez ajouter 1 cuil. à soupe d'huile d'olive dans la poêle.

4 Baissez le feu, ajoutez encore 1 cuil. à soupe d'huile dans la poêle et faites cuire l'oignon à feu très doux 10 min, en remuant souvent, jusqu'à ce qu'il soit souple et doré, sans brunir. Ajoutez les anchois et le sucre et faites cuire, en écrasant les anchois dans l'oignon avec une cuillère en bois.

5 Ajoutez la marinade réservée, montez un peu le feu et faites cuire 1 à 2 min, puis versez le vin et le bouillon (ou le bouillon et l'eau) et portez à ébullition. Laissez frémir 5 min environ, puis versez sur l'agneau.

6 Liez ensemble le laurier, le thym et le persil et ajoutez à l'agneau. Salez et poivrez, puis couvrez et faites cuire 1 h au four. Ajoutez les pommes de terre dans la cocotte et laissez cuire encore 20 min.

7 Pour le gremolata, hachez finement tous les ingrédients ensemble. Mettez dans un plat, couvrez et réservez.

8 Chauffez le reste de l'huile dans une poêle et faites dorer les échalotes puis ajoutez à l'agneau. Couvrez et laissez cuire encore 30 à 40 min, jusqu'à ce que l'agneau soit tendre. Transférez agneau et légumes dans un plat et gardez au chaud. Jetez les herbes.

9 Faites réduire le jus de cuisson à gros bouillons, puis ajoutez la crème (facultatif), et laissez frémir 2 ou 3 min. Rectifiez l'assaisonnement en ajoutant un peu de jus de citron, à votre goût. Versez la sauce sur l'agneau, parsemez de gremolata et servez aussitôt.

AGNEAU AUX OIGNONS ET AUX ÉPICES NORD-AFRICAINES

VOICI UNE MERVEILLEUSE FAÇON DE CUIRE UN GIGOT OU UNE ÉPAULE D'AGNEAU, EN LE FAISANT MARINER DANS LE YAOURT AVEC DES ÉPICES, PUIS EN LE COUVRANT D'OIGNONS ÉMINCÉS ET EN LE METTANT AU FOUR. SERVEZ AVEC DU COUSCOUS ET DU YAOURT À L'AIL.

POUR 6 PERSONNES

INGRÉDIENTS
    un gigot ou une épaule d'agneau
        de 2 kg
    2 cuil. à soupe d'huile d'olive
    2 gros oignons coupés en deux
        et finement émincés
    3 feuilles de laurier frais
    30 cl d'eau
    500 g de courge sucrine pelée,
        épépinée et coupée en gros morceaux
    2 poivrons verts ou rouges épépinés
        et coupés en tranches épaisses
    coriandre fraîche hachée, pour servir
Pour la pâte épicée
    1 cuil. à soupe de graines de cumin
    1 cuil. à soupe de graines de coriandre
    1 bâton de cannelle de 3 cm
    1 cuil. à café et 1/2 de paprika
    une pincée de filaments de safran
    1 piment vert épépiné et haché
    2 gousses d'ail hachées
    15 g de coriandre fraîche hachée
    2 cuil. à soupe de menthe hachée
    3 cuil. à soupe d'huile d'olive
    le zeste râpé et le jus d'1 citron
    25 cl de yaourt nature
    sel et poivre noir du moulin

1 Commencez par la pâte épicée. Réservez 1 cuil. à café de graines de cumin et autant de graines de coriandre, et faites griller le reste à sec séparément dans une petite poêle. Faites attention de ne pas cuire les épices trop ou trop vite, elles seraient amères.

2 Réduisez les épices grillées en poudre avec la cannelle dans un moulin à épices ou à café. Réduisez-les ensuite en pâte avec tous les ingrédients sauf le yaourt, au robot ou au blender. Salez et poivrez.

3 Incisez la viande et frottez la pâte épicée sur la surface en la faisant pénétrer dans les incisions. Mettez l'agneau dans un plat à four et enduisez de yaourt. Couvrez et laissez reposer plusieurs heures, toute la nuit de préférence, en tournant une ou deux fois.

4 Préchauffez le four à 180 °C (th. 6). Raclez la marinade de la viande et réservez. Chauffez un grand plat à four en métal et faites dorer l'agneau de tous côtés. Retirez et réservez. Ajoutez l'huile et faites cuire les oignons 6 à 8 min. Écrasez les graines de coriandre et de cumin, ajoutez les oignons et faites cuire 2 ou 3 min. Transférez les oignons dans un plat.

5 Ajoutez la marinade dans le plat avec le laurier et l'eau. Portez à ébullition. Remettez l'agneau dans le plat et tournez-le dans le liquide. Couvrez d'oignons, puis couvrez le plat avec du papier d'aluminium et faites cuire au four 1 h 45 à 2 h. Arrosez de temps à autre et ajoutez un peu d'eau, si nécessaire. Retirez l'agneau et les oignons, couvrez et gardez au chaud. Montez la température à 200 °C (th. 7).

6 Ajoutez la courge et les poivrons dans le plat et tournez dans le jus. Faite rôtir, à découvert, 30 à 35 min, en remuant une ou deux fois. Remettez l'agneau les 15 dernières minutes.

7 Transférez l'agneau et les légumes dans un plat de service chaud et parsemez de coriandre fraîche. Servez aussitôt, coupé en tranches épaisses.

OIGNONS FARCIS AU FOUR, À LA SAUCE TOMATE

CES OIGNONS SONT PARFAITS POUR RÉCHAUFFER LES FROIDES SOIRÉES D'HIVER. SERVEZ-LES AVEC DU CHOU ET DU RIZ, OU D'ÉPAISSES TRANCHES DE PAIN POUR SAUCER LE JUS.

POUR 8 PERSONNES

INGRÉDIENTS

8 oignons, de 8 à 9 cm de diamètre, pelés mais entiers
4 cuil. à soupe d'huile d'olive
1/2 cuil. à café de quatre-épices
50 g de pancetta ou de lard de poitrine, haché grossièrement
250 g de porc haché
120 g de chapelure fraîche
3 cuil. à soupe de persil frais haché
1 cuil. à soupe d'origan frais haché
1/2 cuil. à café de cannelle en poudre
5 cuil. à soupe d'eau
25 g de beurre

Pour la sauce tomate

2 cuil. à soupe d'huile d'olive
1 gousse d'ail, finement hachée
1/2 cuil. à café de quatre-épices
1 boîte de tomates hachées de 400 g
un petit morceau d'écorce de cannelle
1 feuille de laurier fraîche
2 cuil. à soupe d'origan frais haché
2 cuil. à soupe de crème épaisse
1/4 à 1/2 cuil. à café de harissa
une pincée de sucre roux
sel et poivre noir du moulin

1 Mettez les oignons dans une grande casserole, couvrez d'eau, portez à ébullition. Baissez le feu, laissez frémir 10 à 15 min. Égouttez, laissez refroidir.

2 Retirez un chapeau sur chaque oignon et creusez l'intérieur avec un couteau aiguisé et une petite cuillère, en laissant 2 ou 3 couches d'oignon.

3 Posez les oignons dans un grand plat à four et bouchez les trous éventuels avec des morceaux d'oignon. Hachez la chair retirée et réservez 3 cuil. à soupe pour la sauce. Chauffez 2 cuil. à soupe d'huile dans une poêle et faites cuire l'oignon haché à feu doux, jusqu'à ce qu'il commence à colorer. Ajoutez le quatre-épices et laissez cuire encore un peu. Retirez et réservez.

4 Faites revenir la pancetta ou le lard dans la poêle. Quand la graisse sort, ajoutez le porc et faites-le dorer. Préchauffez le four à 190 °C (th. 6).

5 Mettez 80 g de chapelure dans une jatte et ajoutez les oignons cuits, le porc, la moitié du persil, l'origan et la cannelle. Assaisonnez et mélangez pour former une farce.

6 Garnissez les oignons avec la farce. Versez l'eau autour des oignons et parsemez de beurre. Couvrez de papier d'aluminium et faites cuire 30 min au four.

7 Pour la sauce, chauffez l'huile et faites cuire l'oignon réservé et l'ail jusqu'à ce qu'ils commencent à colorer. Ajoutez le quatre-épices et faites dorer 2 min, puis ajoutez les tomates, la cannelle, le laurier et l'origan. Laissez cuire à découvert 15 à 20 min.

8 Retirez la cannelle et le laurier. Réduisez la sauce en pâte lisse au robot. Diluez avec 3 ou 4 cuil. à soupe d'eau. Ajoutez ensuite la crème avec l'assaisonnement, la harissa et le sucre à votre goût.

9 Arrosez les oignons avec la sauce que vous aurez versée tout autour. Couvrez le plat et faites cuire 20 à 25 min au four, puis découvrez et arrosez à nouveau. Mélangez le reste de la chapelure et le persil et versez sur les oignons, puis arrosez avec les 2 cuil. à soupe d'huile restante. Remettez le plat au four et faites cuire 15 à 20 min, jusqu'à ce que le dessus soit doré et croustillant. Servez aussitôt.

CÔTES DE PORC BRAISÉES, SAUCE À L'OIGNON ET À LA MOUTARDE

LA SAUCE PIQUANTE RÉVEILLE CE PLAT SIMPLE. SERVEZ-LE AVEC UNE PURÉE DE POMMES DE TERRE ET DE CÉLERI ET UN LÉGUME VERT, COMME LE BROCOLI OU LE CHOU.

POUR 4 PERSONNES

INGRÉDIENTS

4 côtes de porc dans l'échine,
  épaisses de 2 cm au moins
2 cuil. à soupe de farine
3 cuil. à soupe d'huile d'olive
2 oignons d'Espagne finement émincés
2 gousses d'ail finement hachées
25 cl de cidre sec
15 cl de bouillon de légumes,
  de poulet ou de porc
une bonne pincée de sucre roux
2 feuilles de laurier frais
6 brins de thym frais
2 lanières de zeste de citron
12 cl de crème épaisse
2 ou 3 cuil. à soupe de moutarde
  à l'ancienne
2 cuil. à soupe de persil frais haché
sel et poivre noir du moulin

1 Préchauffez le four à 200 °C (th. 7). Dégraissez les côtes de porc. Assaisonnez la farine de sel et de poivre et farinez les côtes. Chauffez 2 cuil. à soupe d'huile dans une poêle et faites revenir les côtes des deux côtés, puis transférez dans un plat à four.

2 Ajoutez le reste de l'huile dans la poêle et faites cuire les oignons à feu doux jusqu'à ce qu'ils s'assouplissent et colorent légèrement. Ajoutez l'ail et laissez cuire encore 2 min.

3 Poudrez avec la farine restant des côtelettes, puis ajoutez peu à peu le cidre et le bouillon. Salez et poivrez, ajoutez le sucre brun, le laurier, le thym et le zeste de citron. Portez la sauce à ébullition, en remuant sans arrêt, puis versez sur les côtes de porc.

4 Couvrez de papier d'aluminium et faites cuire au four 20 min. Baissez la température à 180 °C (th. 6) et continuez la cuisson encore 30 à 40 min. Découvrez les 10 dernières minutes. Retirez les côtes du plat et gardez au chaud, sous du papier d'aluminium.

5 Versez dans une casserole la sauce qui reste dans le plat de cuisson ou, si le plat le permet, mettez-le sur le feu. Jetez les herbes et le zeste et portez à ébullition.

6 Ajoutez la crème et continuez l'ébullition, en remuant sans arrêt. Vérifiez l'assaisonnement, en ajoutant une pincée de sucre, si nécessaire. Pour finir, incorporez la moutarde à votre goût et versez la sauce sur les côtes braisées. Parsemez de persil haché et servez aussitôt.

VARIANTE
Pour une sauce moins riche, supprimez la crème et mixez la sauce. Réchauffez, en l'allongeant avec un peu de bouillon si nécessaire, rectifiez l'assaisonnement et ajoutez de la moutarde à votre goût. Vous obtiendrez ainsi une sauce moins piquante qui nécessitera moins de moutarde.

RÔTI DE PORC FARCI À LA SAUGE ET AUX OIGNONS

SAUGE ET OIGNON FORMENT UNE FARCE CLASSIQUE POUR LE RÔTI DE PORC, LE CANARD ET LA DINDE. ACCOMPAGNEZ D'UNE SAUCE AUX POMMES ET DE POMMES DE TERRE RÔTIES.

POUR 6 À 8 PERSONNES

INGRÉDIENTS
   1,3 kg à 1,6 kg de rôti de porc
     désossé (filet ou palette)
   4 cuil. à soupe de chapelure fine
   2 cuil. à soupe de sauge fraîche hachée
   1 cuil. à soupe et 1/2 de farine
   30 cl de cidre
   15 cl d'eau
   2 cuil. à café de gelée de groseilles
   sel et poivre noir du moulin
   brins de thym, pour décorer
Pour la farce
   25 g de beurre
   50 g de lard finement haché
   2 gros oignons finement hachés
   75 g de chapelure blanche fraîche
   2 cuil. à soupe de sauge fraîche hachée
   1 cuil. à café de thym frais haché
   2 cuil. à café de zeste de citron
     finement râpé
   1 petit œuf battu

1 Préchauffez le four à 220 °C (th. 7). Commencez par la farce. Faites fondre le beurre dans une casserole épaisse, et faites revenir le lard, puis ajoutez les oignons et laissez cuire à feu doux jusqu'à ce qu'ils soient souples, mais sans colorer. Mélangez avec la chapelure, la sauge, le thym, le zeste de citron et l'œuf, salez et poivrez.

2 Retirez la couenne du rôti de porc et incisez-la en plusieurs endroits. Elle sera ainsi plus croustillante que si vous la laissez sur le rôti.

3 Mettez le porc côté graisse vers le bas et assaisonnez. Ajoutez une couche de farce, roulez et ficelez.

4 Posez la couenne sur le porc et frottez avec 1 cuil. à café de sel. Faites rôtir 2 h à 2 h 30, en arrosant une ou deux fois. Baissez le four à 190 °C (th. 6) après 20 min. Formez le reste de la farce en boulette et ajoutez dans le plat de cuisson les 30 dernières minutes.

5 Retirez la couenne. Montez la température à 220 °C (th. 7-8) et faites rôtir la couenne encore 20 à 25 min, jusqu'à ce qu'elle soit croustillante.

6 Mélangez la chapelure sèche et la sauge et appuyez le mélange sur le gras du rôti. Faites cuire le porc 10 min, couvrez et gardez au chaud 15 à 20 min.

7 Retirez la graisse du plat de cuisson, en laissant 2 ou 3 cuil. à soupe, et posez le plat sur le feu pour faire le jus. Incorporez la farine, puis le cidre et l'eau. Portez à ébullition et laissez cuire 10 min à feu doux. Passez la sauce dans une casserole, ajoutez la gelée de groseilles et laissez cuire encore 5 min. Rectifiez l'assaisonnement.

8 Servez le porc coupé en tranches épaisses et la couenne en lanières, avec la sauce au cidre, décoré de thym.

RAGOÛT DE PORC AUX OIGNONS, AUX PIMENTS ET AUX FRUITS SECS

Un mole (pâte) de piments, échalotes et amandes inspiré par la cuisine sud-américaine, parfume ce ragoût de porc aux oignons. Une partie du mole est ajoutée en fin de cuisson pour garder son arôme. Servez avec du riz et une salade verte.

POUR 6 PERSONNES

INGRÉDIENTS

1 cuil. à soupe et 1/2 de farine
1 kg d'épaule ou de jarret de porc, coupé en gros cubes de 5 cm
3 ou 4 cuil. à soupe d'huile d'olive
2 gros oignons hachés
2 gousses d'ail finement hachées
60 cl de vin blanc fruité
7 cuil. à soupe d'eau
120 g de pruneaux moelleux
120 g d'abricots séchés moelleux
le zeste râpé et le jus d'1 petite orange
une pincée de sucre roux (facultatif)
2 cuil. à soupe de persil frais haché
1/2 à 1 piment vert frais épépiné et finement haché (facultatif)
sel et poivre noir du moulin
Pour le mole
3 piments ancho et 2 piments pasilla (ou autres variétés de gros piments rouges séchés, assez forts)
2 cuil. à soupe d'huile d'olive
2 échalotes hachées
2 gousses d'ail hachées
1 piment vert frais épépiné et haché
2 cuil. à café de coriandre moulue
1 cuil. à café de paprika doux espagnol ou pimenton
50 g d'amandes émondées grillées
1 cuil. à soupe d'origan frais haché ou 1/2 cuil. à café d'origan séché

1 Commencez par le mole. Faites griller les piments séchés à sec dans une poêle, à feu doux 1 à 2 min, pour faire sortir l'arôme, puis faites-les tremper 30 min dans l'eau chaude.

2 Égouttez les piments, en réservant l'eau de trempage, et jetez les tiges et les pépins. Préchauffez le four à 160 °C (th. 5-6).

3 Chauffez l'huile dans une petite poêle et faites revenir 5 min à feu très doux les échalotes, l'ail, le piment vert frais et la coriandre moulue.

4 Transférez ce mélange dans le bol d'un robot et ajoutez les piments égouttés, le paprika ou pimenton, les amandes et l'origan. Réduisez en pâte en ajoutant 3 ou 4 cuil. à soupe du liquide de trempage des piments.

5 Salez et poivrez la farine et farinez le porc. Chauffez 3 cuil. à soupe d'huile d'olive dans une poêle épaisse et faites revenir le porc, en remuant fréquemment, jusqu'à ce qu'il soit saisi de tous côtés. Transférez dans une cocotte en fonte.

6 Si nécessaire, ajoutez le reste de l'huile dans la poêle et faites cuire les oignons et l'ail 8 à 10 min à feu doux, en remuant de temps à autre.

7 Ajoutez le vin et l'eau dans la poêle, faites cuire 2 min. Incorporez la moitié du mole, portez à ébullition et laissez bouillir quelques secondes avant de verser sur le porc.

8 Assaisonnez légèrement de sel et de poivre et mélangez, couvrez et faites cuire 1 h 30 au four.

9 Montez la température du four à 180 °C (th. 6). Incorporez les pruneaux, les abricots et le jus d'orange. Vérifiez l'assaisonnement, en ajoutant le sucre roux si nécessaire, couvrez et laissez cuire encore 30 à 45 min.

10 Mettez la cocotte sur le feu et incorporez le reste du mole. Laissez frémir 5 min, en remuant une ou deux fois. Servez parsemé de zeste d'orange, de persil haché, et de piment frais haché (facultatif).

Poireaux au Jambon et à la Crème

Choisissez des poireaux pas trop gros pour ce plat savoureux. Servez du bon pain pour apprécier la sauce et une salade verte pour rafraîchir le palais.

POUR 4 PERSONNES

INGRÉDIENTS

8 à 12 poireaux pas trop gros
8 à 12 grandes tranches de jambon de Parme ou de Serrano
15 g de beurre
70 g de parmesan frais râpé
25 cl de crème épaisse
1 cuil. à soupe de menthe fraîche hachée
une pincée de poivre de cayenne
3 cuil. à soupe de chapelure blanche
sel et poivre noir du moulin

1 Coupez les poireaux de façon à ce qu'ils soient tous de la même taille. Portez à ébullition une grande casserole d'eau légèrement salée, ajoutez les poireaux et faites cuire 5 à 8 min. Vérifiez la cuisson avec la pointe d'un couteau. Égouttez, en réservant 4 cuil. à soupe de l'eau de cuisson. Pressez les poireaux pour en exprimer l'eau. Préchauffez le four à 190 °C (th. 6-7).

VARIANTES
• Disposez les poireaux sur un lit de 350 g de tomates mûres, pelées, épépinées et finement hachées.
• Enveloppez les poireaux dans du lard poêlé. Arrosez d'une sauce au fromage faite avec une quantité égale d'eau de cuisson et de lait. Assaisonnez à votre goût avec de la moutarde, du cheddar râpé et un peu de muscade. Poudrez de parmesan frais râpé et de chapelure blanche fine et faites cuire au four comme ci-dessus.
• Enveloppez 8 poireaux minces, crus, dans des tranches de pancetta ou prosciutto, puis faites poêler 5 min à feu doux dans 25 g de beurre. Ajoutez 6 cuil. à soupe de vin blanc et un peu de thym, salez et poivrez. Couvrez et faites cuire 15 à 20 min à feu très doux. Retirez les poireaux, montez le feu, ajoutez 4 cuil. à soupe de crème épaisse et laissez bouillir pour faire une sauce. Rectifiez l'assaisonnement et versez sur les poireaux. Parsemez de persil haché avant de servir.

2 Enveloppez chaque poireau dans une tranche de jambon. Beurrez un plat à gratin juste assez grand pour contenir les poireaux en une seule couche et mettez les poireaux dans le plat. Salez et poivrez et poudrez de la moitié du parmesan râpé.

3 Mélangez la crème, l'eau de cuisson et la menthe. Assaisonnez de sel, poivre et poivre de cayenne et versez sur les poireaux. Parsemez de chapelure et du reste du parmesan. Faites cuire 30 à 35 min, jusqu'à ce que le tout bouillonne et soit doré. Servez aussitôt.

JAMBON SALÉ BOUILLI, SAUCE À L'OIGNON ET AUX CÂPRES

LES OIGNONS ET LES CÂPRES DONNENT UNE SAUCE PIQUANTE DÉLICIEUSE AVEC DU JAMBON OU DU JAMBONNEAU BOUILLI. SERVEZ AVEC DE PETITES POMMES DE TERRE NOUVELLES, SAUTÉES DANS LE BEURRE ET UN PEU D'AIL, ET DES FÈVES FRAÎCHES.

POUR 6 PERSONNES

INGRÉDIENTS

    1,8 kg à 2 kg de jambon ou
      jambonneau salé, mis à dessaler
      dans l'eau froide si nécessaire
    4 clous de girofle
    1 oignon coupé en quatre
    1 grosse carotte émincée
    1 branche de céleri
    1 feuille de laurier frais
    1 brin de thym frais
    2 cuil. à soupe de moutarde de Dijon
    3 à 4 cuil. à soupe de sucre roux
Pour la sauce
    50 g de beurre
    250 g d'oignons hachés
    25 g de farine
    25 cl de lait
    1 feuille de laurier frais
    2 cuil. à soupe de petites câpres salées
      rincées et grossièrement hachées
    2 cuil. à soupe de persil frais haché
    1 cuil. à soupe de moutarde de Dijon
    sel et poivre noir du moulin

1 Mettez le jambon dans une grande casserole et couvrez d'eau. Portez à ébullition et laissez frémir 5 min. Égouttez, rincez, remettez la viande dans la casserole et couvrez d'eau fraîche. Piquez l'oignon de clous de girofle, ajoutez dans la casserole avec la carotte et un bouquet garni de céleri, laurier et thym. Portez à ébullition, couvrez à demi et laissez frémir à feu très doux, 30 min par 500 g.

2 Préchauffez le four à 200 °C (th. 6-7). Égouttez la viande, en réservant 45 cl de liquide de cuisson. Mettez la viande dans un plat à four et retirez et jetez la peau. Étalez la moutarde sur le gras et pressez le sucre sur toute la surface.

3 Faites cuire au four 20 à 25 min, la viande doit être dorée. Gardez au chaud, sous du papier d'aluminium, jusqu'au moment de servir.

4 Faites la sauce juste avant la fin de la cuisson à l'eau. Faites fondre 40 g de beurre dans une casserole et faites cuire les oignons à feu doux 20 min environ, à demi couvert, ils doivent être souples, mais sans colorer. Remuez de temps à autre.

5 Incorporez la farine et faites cuire 2 ou 3 min, en remuant sans arrêt. Versez peu à peu 30 cl du liquide de cuisson bouillant réservé. Laissez cuire pour obtenir une sauce épaisse et lisse, et versez peu à peu le lait. Ajoutez le laurier et faites cuire 20 à 25 min à feu très doux, en remuant souvent.

6 Ajoutez encore un peu de liquide de cuisson pour donner une sauce fluide et laissez cuire encore 5 min. Retirez le laurier. Ajoutez les câpres et le persil haché (facultatif), 1 cuil. à soupe de moutarde et vérifiez l'assaisonnement. Ajoutez du sel, du poivre et de la moutarde si nécessaire. Incorporez le reste du beurre et servez aussitôt avec la viande coupée en tranches.

VEAU AUX OIGNONS ET AUX CAROTTES, SAUCE À LA BIÈRE BLANCHE

ON TROUVE DE LA BIÈRE BLANCHE EN BAVIÈRE, EN BELGIQUE ET DANS LE NORD DE LA FRANCE.
LA LÉGÈRE AMERTUME APPORTÉE PAR LA BIÈRE À LA SAUCE DE CE SAVOUREUX RAGOÛT
EST ÉQUILIBRÉE PAR LA SUAVITÉ DES OIGNONS ET DES CAROTTES CARAMÉLISÉES.

POUR 4 PERSONNES

INGRÉDIENTS

3 cuil. à soupe de farine
900 g d'épaule de veau désossée
  coupée en gros cubes de 5 cm
70 g de beurre
3 échalotes finement hachées
1 branche de céleri
1 brin de persil frais
2 feuilles de laurier frais
1 cuil. à café de sucre roux,
  plus une bonne pincée
20 cl de bière blanche
45 cl de bouillon de veau
20 à 25 petits oignons à confire
450 g de carottes coupées en
  grosses rondelles
2 gros jaunes d'œufs
7 cuil. à soupe de crème entière
  liquide
un peu de jus de citron (facultatif)
2 cuil. à soupe de persil frais haché
sel et poivre noir du moulin

1 Assaisonnez la farine et farinez
le veau. Chauffez 25 g de beurre dans
une sauteuse à couvercle, ajoutez le
veau et faites revenir sur toutes les
faces. Le veau doit être doré, sans trop
colorer. Retirez avec une écumoire
et réservez.

2 Baissez le feu, ajoutez 15 g de
beurre dans la poêle et faites cuire les
échalotes 5 à 6 min à feu doux, elles
doivent être souples et jaunes.

3 Remettez le veau dans la sauteuse.
Liez ensemble le céleri, le persil et
1 feuille de laurier, ajoutez au veau avec
une bonne pincée de sucre. Montez
alors le feu, versez la bière et laissez
bouillonner brièvement avant de verser
le bouillon. Assaisonnez, portez à
ébullition, couvrez et laissez frémir 40 à
50 min ou jusqu'à ce que le veau soit
tendre, en remuant une ou deux fois.

4 Pendant ce temps, faites fondre
le reste du beurre dans une autre poêle
et ajoutez les oignons, faites-les poêler
à feu doux jusqu'à ce qu'ils soient dorés.
Retirez ensuite avec une écumoire
et réservez.

5 Ajoutez les carottes et tournez-les
dans le beurre restant des oignons.
Ajoutez 1 cuil. à café de sucre, une
pincée de sel, la feuille de laurier
restant et assez d'eau pour couvrir les
carottes. Portez à ébullition et laissez
cuire 10 à 12 min, à découvert.

6 Remettez les oignons dans la
poêle avec les carottes et continuez
la cuisson jusqu'à réduction du liquide
à quelques cuillerées et jusqu'à ce
que les oignons et les carottes soient
tendres et légèrement caramélisés.
Gardez au chaud.

7 Transférez le veau dans une jatte
et jetez le bouquet garni.

8 Battez les jaunes d'œufs et la
crème dans une autre jatte, et ajoutez
le liquide des carottes, chaud mais pas
bouillant. Reversez dans la poêle et
faites cuire à feu très doux, sans bouillir
et en remuant constamment, jusqu'à
ce que la sauce ait un peu épaissi.

9 Mettez le veau dans la sauce,
ajoutez les oignons et les carottes et
réchauffez à cœur à feu doux. Goûtez,
rectifiez l'assaisonnement, en ajoutant
un peu de jus de citron, si nécessaire,
et servez aussitôt, parsemé de persil.

POULET AUX QUARANTE GOUSSES D'AIL

CE PLAT N'ÉTANT PAS D'UNE PRÉCISION MATHÉMATIQUE, NE VOUS INQUIÉTEZ PAS SI VOUS AVEZ 35 OU MÊME 50 GOUSSES D'AIL, L'IMPORTANT EST LA QUANTITÉ ! LES SENTEURS QUI S'ÉCHAPPENT DU FOUR OÙ CUISENT LE POULET ET L'AIL SONT INCROYABLEMENT DÉLICIEUSES.

POUR 4 OU 5 PERSONNES

INGRÉDIENTS

5 ou 6 têtes d'ail entières

15 g de beurre

3 cuil. à soupe d'huile d'olive

un poulet de 1,8 kg à 2 kg

150 g de farine, plus 1 cuil. à café

5 cuil. à soupe de porto blanc, pineau des Charentes ou autre vin blanc cuit

2 ou 3 brins d'estragon ou de romarin

2 cuil. à soupe de crème fraîche (facultatif)

quelques gouttes de jus de citron (facultatif)

sel et poivre noir du moulin

1 Séparez trois des têtes d'ail en gousses et épluchez-les. Retirez la première pelure des têtes d'ail restantes et coupez le dessus pour exposer les gousses ou laissez-les telles quelles, à votre choix. Préchauffez le four à 180 °C (th. 6).

2 Chauffez le beurre et 1 cuil. à soupe d'huile d'olive dans une cocotte pouvant aller sur le feu, juste assez grande pour contenir le poulet et l'ail. Ajoutez le poulet et faites cuire à feu modéré 10 à 15 min, en retournant fréquemment, jusqu'à ce qu'il soit doré sur toutes les faces.

3 Saupoudrez d'1 cuil. à café de farine et faites cuire 1 min. Ajoutez le porto ou le vin, les têtes d'ail entières et les gousses pelées, l'estragon ou le romarin. Arrosez du reste de l'huile, salez et poivrez à votre goût.

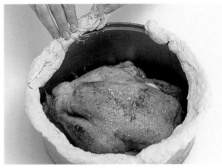

4 Mélangez les 150 g de farine avec assez d'eau pour faire une pâte ferme. Roulez en un long boudin et pressez sur le pourtour de la cocotte avant de poser le couvercle en appuyant et en repliant la pâte pour fermer hermétiquement. Faites cuire 1 h 30 au four.

5 Pour servir, retirez le couvercle pour casser la pâte et mettez le poulet et les têtes d'ail entières sur un plat de service, gardez au chaud. Jetez les herbes, puis mettez la cocotte sur le feu et fouettez pour mélanger les gousses d'ail avec le jus de cuisson. Ajoutez la crème fraîche (facultatif), et un peu de jus de citron, à votre goût. Mixez la sauce ou passez-la à travers une passoire pour qu'elle soit lisse. Servez la purée d'ail avec le poulet.

POULET AUX ÉCHALOTES, À L'AIL ET AU FENOUIL

VOICI UNE FAÇON SIMPLE ET DÉLICIEUSE DE CUIRE LE POULET. SI VOUS AVEZ LE TEMPS, LAISSEZ MARINER LE POULET QUELQUES HEURES, POUR QU'IL SOIT PLUS PARFUMÉ.

POUR 4 PERSONNES

INGRÉDIENTS

un poulet de 1,6 kg à 1,8 kg coupé en
    8 morceaux, ou 8 cuisses de poulets
250 g d'échalotes épluchées
1 tête d'ail séparée en gousses
    et épluchées
4 cuil. à soupe d'huile d'olive
3 cuil. à soupe de vinaigre d'estragon
3 cuil. à soupe de vin blanc ou
    de vermouth (facultatif)
1 cuil. à café de graines de fenouil
    écrasées
2 bulbes de fenouil coupés en
    tranches, feuilles réservées
15 cl de crème entière liquide
1 cuil. à café de gelée de groseilles
1 cuil. à soupe de moutarde à l'estragon
sucre en poudre (facultatif)
2 cuil. à soupe de persil plat haché
sel et poivre noir du moulin

1 Mettez les morceaux de poulet, les échalotes et l'ail (réservez une gousse) dans un plat à four. Ajoutez l'huile, le vinaigre, le vin ou le vermouth (facultatif), et les graines de fenouil. Poivrez et laissez macérer 2 ou 3 h.

2 Préchauffez le four à 190 °C (th. 6-7). Ajoutez le fenouil au poulet, salez et mélangez.

3 Faites cuire le poulet au four, 50 à 60 min, en remuant une ou deux fois. Si vous percez la cuisse du poulet avec une brochette, le jus qui en sort doit être transparent.

4 Mettez le poulet et les légumes dans un plat de service et gardez au chaud. Dégraissez légèrement le jus de cuisson et portez-le à ébullition, puis incorporez la crème. Mélangez en raclant le fond du plat. Incorporez la gelée de groseilles au fouet ainsi que la moutarde. Vérifiez l'assaisonnement, en ajoutant un peu de sucre, à votre goût.

5 Hachez la gousse d'ail réservée avec le feuillage des fenouils et mélangez avec le persil. Versez la sauce sur le poulet et parsemez d'ail haché et d'herbes. Servez aussitôt.

CONSEILS

• Utilisez de préférence pour ce plat de l'ail nouveau, juteux et parfumé. L'ail le plus recherché par les cuisinières est l'ail rose.
• Le fenouil coupé noircissant rapidement à l'air, ne le préparez pas longtemps à l'avance ou mettez les tranches dans une jatte d'eau acidulée d'un jus de citron.

COQ AU VIN

CE CÉLÈBRE PLAT BOURGUIGNON EST GARNI DE PETITS OIGNONS ET DE CHAMPIGNONS.
TRÈS COURU DANS LES ANNÉES 1960, IL REVIENT À LA MODE AUJOURD'HUI.

POUR 4 PERSONNES

INGRÉDIENTS

1 branche de céleri
1 feuille de laurier frais
1 brin de thym frais
1 bouteille de vin rouge avec
  du corps
60 cl de bon bouillon de poulet
50 g de beurre
2 cuil. à soupe d'huile d'olive
24 petits oignons à confire
120 g de lard de poitrine ou
  de pancetta non fumée, coupé
  en lardons
3 cuil. à soupe de farine
un poulet de 2,25 kg, découpé
  en 8 morceaux
3 cuil. à soupe de cognac
2 gousses d'ail hachées
1 cuil. à soupe de purée de tomates
un morceau de couenne de
  15 cm x 15 cm environ (facultatif)
250 g de petits champignons
  de Paris
2 cuil. à soupe de persil frais haché
sel et poivre noir du moulin
croûtons, en garniture (facultatif)

1 Ficelez le céleri avec le laurier et
le thym et mettez dans une casserole.
Versez le vin et le bouillon et laissez
frémir 15 min, à découvert.

2 Faites fondre 15 g de beurre avec la
moitié de l'huile d'olive dans une poêle
épaisse et faites dorer 16 oignons.
Retirez avec une écumoire et mettez
sur une assiette.

3 Ajoutez le lard ou la pancetta et
faites dorer, réservez.

CONSEIL
Pour donner encore plus de parfum,
suivez la recette jusqu'à l'étape 5, puis
laissez refroidir et mettez au réfrigérateur
toute la nuit. Le jour suivant, dégraissez
la surface et réchauffez à feu doux
20 min avant de suivre les étapes 6 à 11.

4 Pendant ce temps, assaisonnez
2 cuil. à soupe de farine de sel et de
poivre. Farinez les morceaux de poulet
et faites les revenir dans la graisse
restant dans la poêle, à feu modéré,
en les tournant fréquemment, 10 min
ou jusqu'à ce qu'ils soient bien dorés.

5 Versez le cognac et flambez avec
précaution. Quand les flammes sont
éteintes, retirez le poulet de la poêle
et réservez.

6 Hachez le reste des oignons.
Ajoutez à nouveau 15 g de beurre
dans la poêle et faites cuire 5 min
les oignons hachés avec l'ail, sur feu
modéré, en remuant fréquemment,
jusqu'à ce qu'ils soient souples et
dorés. Préchauffez le four à 190 °C
(th. 6-7).

7 Ajoutez le mélange de vin et de
bouillon et le bouquet garni, puis
incorporez la purée de tomate. Baissez
le feu et laissez frémir 20 min à feu
doux, en remuant souvent. Goûtez et
rectifiez l'assaisonnement, si nécessaire.

8 Mettez la couenne (facultatif), peau
vers le bas, dans une cocotte allant sur
le feu, puis ajoutez le poulet et le lard
ou la pancetta. Versez la sauce (avec
le bouquet garni). Couvrez et mettez au
four. Baissez aussitôt la température à
160 °C (th. 5-6), et laissez cuire 1 h 30.
Ajoutez les oignons entiers dorés et
laissez cuire encore 30 min.

9 Pendant ce temps, faites cuire
les champignons dans 15 g de beurre
et le reste de l'huile jusqu'à ce qu'ils
soient dorés. Réservez. Mélangez le
reste du beurre et la farine pour faire
une pâte (beurre manié).

10 Avec une écumoire, transférez
le poulet et les oignons dans un plat
de service. Jetez la couenne et chauffez
le jus de cuisson de la cocotte sur
le feu, jusqu'à frémissement. Ajoutez
le beurre manié par petits morceaux,
en fouettant pour incorporer la pâte
dans la sauce lorsqu'il fond. Continuez
à ajouter des petits morceaux de beurre
manié, en laissant chaque morceau
fondre complètement avant d'ajouter
le suivant, jusqu'à ce que la sauce
ait épaissi à votre goût (vous n'aurez
peut-être pas besoin de tout le beurre
manié).

11 Ajoutez les champignons et faites
cuire quelques minutes. Versez la sauce
sur le poulet et parsemez de persil
haché. Garnissez de croûtons (facultatif)
et servez aussitôt.

RAGOÛT DE PINTADE AUX LÉGUMES DE PRINTEMPS

LES POIREAUX DOUX ET SUCRÉS FONT MERVEILLE DANS CE LÉGER RAGOÛT DE PINTADE ET DE LÉGUMES. VOUS POUVEZ REMPLACER LA PINTADE PAR DES MORCEAUX DE POULET OU DE LAPIN.

POUR 4 PERSONNES

INGRÉDIENTS

3 cuil. à soupe d'huile d'olive
120 g de pancetta coupée en lardons
2 cuil. à soupe de farine
2 pintades de 1,2 kg à 1,6 kg chacune,
 chaque pintade découpée en 4 parts
1 oignon haché
1 tête d'ail séparée en gousses
 épluchées
1 bouteille de vin blanc sec
1 brin de thym frais
1 feuille de laurier frais
quelques tiges de persil
250 g de jeunes carottes nouvelles
250 g de jeunes navets nouveaux
6 minces poireaux en tronçons de 8 cm
250 g de petits pois écossés
1 cuil. à soupe de moutarde aux
 fines herbes
15 g de persil plat haché
1 cuil. à soupe de menthe hachée
sel et poivre noir du moulin

1 Chauffez 2 cuil. à soupe d'huile dans une grande poêle et faites cuire les lardons à feu modéré, jusqu'à ce qu'ils soient dorés, en remuant de temps à autre. Retirez de la poêle et réservez.

2 Salez et poivrez la farine et farinez les morceaux de pintade. Faites revenir dans l'huile restant dans la poêle jusqu'à ce qu'ils soient bien dorés. Transférez dans une cocotte allant sur le feu. Préchauffez le four à 180 °C (th. 6).

3 Ajoutez l'huile restante dans la poêle et faites cuire l'oignon (il doit être souple). Ajoutez l'ail et dorez 3 ou 4 min. Incorporez les lardons et le vin.

4 Ficelez le thym avec le laurier et le persil et ajoutez à la poêle. Portez à ébullition, puis laissez frémir 3 ou 4 min. Versez sur la pintade et assaisonnez. Couvrez et faites cuire 40 min au four.

5 Ajoutez les carottes et les navets dans la cocotte et laissez cuire encore 30 min, sous couvercle, jusqu'à ce que les légumes soient juste tendres.

6 Ajoutez les poireaux et laissez cuire encore 15 à 20 min, les légumes doivent être bien cuits.

7 Pendant ce temps, blanchissez les petits pois 2 min à l'eau bouillante, puis égouttez. Transférez la pintade et les légumes sur un plat de service chaud. Mettez la cocotte sur le feu et faites bouillir le jus vigoureusement à feu vif, jusqu'à réduction de moitié.

8 Incorporez les pois et laissez cuire 2 ou 3 min à feu doux, puis ajoutez la moutarde et rectifiez l'assaisonnement. Ajoutez la plus grande partie du persil haché et la menthe. Versez la sauce sur la pintade ou remettez les morceaux de pintade et les légumes dans la cocotte. Parsemez du reste du persil et servez aussitôt.

FAJITAS DE POULET AUX OIGNONS GRILLÉS

LE POULET MARINÉ ET LES OIGNONS, SERVIS AVEC DES TORTILLAS, DE LA SALSA, DU GUACAMOLE ET DE LA CRÈME AIGRE, FORMENT UN REPAS TEX-MEX CLASSIQUE.

POUR 6 PERSONNES

INGRÉDIENTS

le zeste finement râpé d'1 citron vert
et le jus de 2 citrons verts
12 cl d'huile d'olive
1 gousse d'ail finement hachée
1 cuil. à café d'origan séché
une bonne pincée de flocons de
piment rouge séchés
1 cuil. à café de graines de coriandre
écrasées
6 escalopes de poulet
3 oignons d'Espagne émincés
2 gros poivrons rouges, jaunes ou
orange épépinés et coupés en lanières
2 cuil. à soupe de coriandre hachée
sel et poivre noir du moulin

Pour la salsa

450 g de tomates pelées et hachées
2 gousses d'ail finement hachées
1 petit oignon rouge finement haché
1 ou 2 piments verts finement hachés
le zeste finement râpé d'1/2 citron vert
2 cuil. à soupe de coriandre hachée
une pincée de sucre en poudre
1/2 à 1 cuil. à café de graines
de cumin grillées et moulues

Pour servir

12 à 18 tortillas
guacamole
12 cl de crème acidulée d'1 jus de citron
feuilles de laitue croquante
brins de coriandre
quartiers de citrons verts

1 Dans un plat à four, mélangez zeste et jus de citron vert, 5 cuil. à soupe d'huile, l'ail, l'origan, les flocons de piment et les graines de coriandre, sel et poivre. Incisez la peau des escalopes de poulet en plusieurs endroits et tournez-les dans le mélange, couvrez et laissez mariner plusieurs heures.

2 Pour la salsa, mélangez les tomates, ail, oignon, piments, zeste de citron vert et coriandre écrasée. Assaisonnez de sel, poivre, sucre et cumin. Réservez 30 min, puis goûtez et rectifiez l'assaisonnement, en ajoutant du cumin et du sucre, si nécessaire.

3 Chauffez le gril. Enfilez les tranches d'oignon sur une brochette ou posez-les sur une grille. Enduisez d'1 cuil. à soupe d'huile, salez et poivrez. Faites cuire sous le gril. Préchauffez le four à 200 °C (th. 7).

4 Faites cuire les filets de poulet 10 min au four dans leur marinade, sous couvercle. Découvrez et mettez sous le gril 8 à 10 min, jusqu'à ce qu'ils soient grillés et bien cuits.

5 Chauffez le reste de l'huile dans une grande poêle et faites cuire les poivrons 10 min, jusqu'à ce qu'ils soient souples. Ajoutez les oignons grillés et faites cuire 2 ou 3 min à feu vif.

6 Ajoutez le jus de cuisson du poulet et faites cuire à feu vif, en remuant fréquemment, jusqu'à évaporation du liquide. Incorporez la coriandre hachée.

7 Réchauffez les tortillas en suivant les instructions du fabricant. Coupez le poulet grillé en lanières et posez dans un plat de service. Servez séparément le mélange d'oignons et de poivrons et la salsa.

8 Servez les plats de poulet, oignons et poivrons, et salsa avec les tortillas, le guacamole, la crème acidulée, la laitue et la coriandre et laissez les convives se servir. Offrez des quartiers de citron vert à presser sur le poulet.

Si l'on excepte certains végétariens auxquels leurs

croyances religieuses interdisent de manger des alliums,

la famille des oignons forme un élément essentiel de

la cuisine végétarienne du monde entier. Ail piquant

ou ciboulette délicate, tous les alliums sont délicieux avec

les œufs, le fromage et les produits laitiers. Les plats

classiques, comme la tarte à l'oignon, la tortilla espagnole

ou le risotto italien, seraient inconcevables sans oignons.

Voici un choix de plats végétariens qui montrent bien

la polyvalence des oignons.

Plats
végétariens

TARTE À L'OIGNON

AUCUN LIVRE DE CUISINE SUR LES OIGNONS NE SERAIT COMPLET SANS CETTE TARTE ALSACIENNE CLASSIQUE. SOUVENT PROPOSÉE EN PETITES PARTS COMME ENTRÉE, ELLE FAIT AUSSI UN DÉLICIEUX PLAT PRINCIPAL, SERVIE CHAUDE ET ACCOMPAGNÉE PAR UNE SALADE VERTE.

POUR 4 À 6 PERSONNES

INGRÉDIENTS
    180 g de farine
    90 g de beurre froid
    2 ou 3 cuil. à soupe d'eau glacée
Pour la garniture
    50 g de beurre
    900 g d'oignons d'Espagne
      finement émincés
    1 œuf plus 2 jaunes
    25 cl de crème entière liquide
    1/4 cuil. à café de muscade
      fraîchement râpée
    sel et poivre noir du moulin

VARIANTES

Il existe de nombreuses variantes de cette tarte classique. Vous pouvez ajouter des fines herbes hachées comme le thym. La tarte est aussi délicieuse avec une pâte au fromage : ajoutez 50 g de parmesan râpé à la farine.

1 Mixez la farine, une pincée de sel et le beurre froid au robot, pour obtenir un mélange semblable à de la chapelure. Ajoutez l'eau glacée et mixez pour former une pâte. Enveloppez dans un film plastique et mettez au frais 40 min.

2 Faites fondre le beurre dans une casserole, ajoutez les oignons et une pincée de sel. Mélangez. Couvrez et laissez cuire 30 à 40 min à feu très doux en remuant fréquemment. Laissez tiédir.

3 Préchauffez le four à 190 °C (th. 6-7). Étalez la pâte et tapissez un moule à tarte à fond amovible de 23-25 cm. Tapissez de papier d'aluminium ou de papier cuisson et de haricots secs, et faites cuire à blanc 10 min.

4 Retirez le papier d'aluminium ou le papier cuisson et les haricots et faites cuire encore 4 à 5 min environ, jusqu'à ce que la pâte soit blonde et légèrement cuite. Baissez alors la température à 180 °C (th. 6).

5 Battez l'œuf avec les jaunes et la crème. Assaisonnez de sel, beaucoup de poivre et la muscade râpée. Mettez la moitié des oignons dans la croûte de tarte et ajoutez la moitié du mélange d'œufs. Ajoutez le reste des oignons, puis versez le reste du mélange d'œufs.

6 Posez sur une plaque et faites cuire au milieu du four 40 à 50 min, ou jusqu'à ce que la crème soit gonflée, dorée et prise au centre. Servez chaud mais non brûlant.

TARTE AUX OIGNONS, À LA SEMOULE DE MAÏS

LES OIGNONS ROUGES, DOUX ET SUCRÉS, SE MARIENT BIEN AVEC LA FONTINA ET LE THYM DANS CETTE TARTE. LA SEMOULE DE MAÏS DONNE À LA PÂTE UNE TEXTURE SABLEUSE QUI CONTRASTE AVEC LES OIGNONS JUTEUX. ACCOMPAGNEZ D'UNE SALADE DE TOMATES AU BASILIC.

POUR 5 À 6 PERSONNES

INGRÉDIENTS

    4 cuil. à soupe d'huile d'olive
    1 kg d'oignons rouges finement émincés
    2 ou 3 gousses d'ail finement
      émincées
    1 cuil. à café de thym frais haché,
      plus quelques brins entiers
    1 cuil. à café de sucre roux
    2 cuil. à café de vinaigre de xérès
    220 g de fromage fontina émincé
    sel et poivre noir du moulin
Pour la pâte
    110 g de farine
    70 g de semoule fine de maïs
    1 cuil. à café de sucre roux
    1 cuil. à café de thym frais haché
    90 g de beurre
    1 jaune d'œuf
    2 ou 3 cuil. à soupe d'eau glacée

1 Pour la pâte, mélangez farine, semoule de maïs et 1 cuil. à café de sel dans une jatte. Ajoutez du poivre, le sucre et le thym. Incorporez le beurre en frottant du bout des doigts. Battez le jaune d'œuf avec 2 cuil. à soupe d'eau glacée et incorporez pour former une pâte, en ajoutant 1 autre cuil. à soupe si nécessaire. Formez la pâte en boule, enveloppez dans un film plastique et mettez au frais 30 à 40 min.

2 Chauffez 3 cuil. à soupe d'huile dans une sauteuse et ajoutez les oignons. Couvrez et laissez cuire à feu doux 20 à 30 min, en remuant de temps à autre. Ils doivent se défaire, sans colorer.

3 Ajoutez l'ail et le thym haché et faites cuire encore 10 min, en remuant de temps à autre. Montez légèrement le feu, puis ajoutez le sucre et le vinaigre de xérès. Laissez cuire à découvert 5 à 6 min, jusqu'à ce que les oignons commencent à caraméliser. Salez et poivrez à votre goût. Laissez tiédir.

4 Préchauffez le four à 190 °C (th. 6-7). Étalez la pâte et tapissez un moule à tarte de 25 cm à fond amovible.

5 Piquez le fond à la fourchette et protégez les bords par du papier d'aluminium. Faites cuire 12 à 15 min.

6 Retirez le papier d'aluminium et étalez uniformément les oignons caramélisés sur le fond de tarte. Ajoutez les tranches de fontina et les brins de thym et poivrez. Arrosez du reste de l'huile et faites cuire 15 à 20 min, jusqu'à ce que la garniture soit brûlante et que le fromage commence à bouillonner. Décorez de thym et servez aussitôt.

TARTE AUX POIREAUX ET AU ROQUEFORT, PÂTE AUX NOIX

LES POIREAUX DÉLICATS ET SUCRÉS SE MARIENT PARTICULIÈREMENT BIEN AVEC LE ROQUEFORT ET LA PÂTE AUX NOIX. SERVEZ LA TARTE CHAUDE AVEC UNE SALADE DE ROQUETTE OU DE CRESSON POIVRÉE.

POUR 4 À 6 PERSONNES

INGRÉDIENTS

25 g de beurre
450 g de poireaux (poids épluchés), émincés
170 g de roquefort émincé
2 gros œufs
25 cl de crème entière
2 cuil. à café d'estragon frais haché
sel et poivre noir du moulin

Pour la pâte
180 g de farine
1 cuil. à café de sucre brun
90 g de beurre
70 g de noix en poudre
1 cuil. à soupe de jus de citron
2 cuil. à soupe d'eau glacée

1 Faites la pâte. Mélangez la farine, 1/2 cuil. à café de sel, du poivre et le sucre dans une jatte. Incorporez le beurre puis les noix en frottant du bout des doigts. Ajoutez jus de citron et eau glacée pour faire une pâte. Formez en boule, enveloppez dans un film plastique et mettez au frais 30 à 40 min.

2 Préchauffez le four à 190 °C (th. 6-7). Étalez la pâte et tapissez un moule à tarte de 21-23 cm, à fond amovible.

CONSEIL
Réduisez les noix en poudre avec un peu de farine, dans un petit robot ou un moulin à café propre.

3 Protégez les bords de la pâte avec du papier d'aluminium, piquez le fond à la fourchette et faites cuire 15 min. Retirez le papier et faites cuire encore 5 à 10 min. Baissez la température à 180 °C (th. 6).

4 Pour la garniture, faites cuire les poireaux 10 min dans le beurre, sous couvercle. Assaisonnez et laissez cuire encore 10 min. Laissez tiédir.

5 Versez les poireaux dans le fond de tarte et disposez les lamelles de roquefort sur le dessus. Battez les œufs avec la crème et assaisonnez de poivre (le fromage est assez salé). Incorporez l'estragon et versez avec précaution le mélange dans la tarte.

6 Faites cuire la tarte 30 à 40 min au milieu du four, jusqu'à ce que la garniture soit gonflée, dorée et ferme sous le doigt. Laissez tiédir 10 min avant de servir.

TARTE TATIN AUX ÉCHALOTES ET À L'AIL, PÂTE AU PARMESAN

LES VERSIONS SALÉES DE LA CÉLÈBRE TARTE TATIN AUX POMMES SONT EXCELLENTES. ICI, LES ÉCHALOTES SONT CARAMÉLISÉES DANS LE BEURRE, LE SUCRE ET LE VINAIGRE, SOUS UNE PÂTE AU PARMESAN. DÉLICIEUX AVEC UNE SALADE DE CRESSON AUX POIRES ET AU FROMAGE.

2 Faites fondre le beurre dans un moule épais de 23 à 25 cm ou une sauteuse pouvant aller au four. Ajoutez les échalotes et l'ail et laissez dorer.

3 Poudrez de sucre et montez le feu. Laissez le sucre commencer à caraméliser, puis tournez les échalotes et l'ail pour bien les enrober du mélange. Ajoutez le vinaigre, l'eau, le thym, sel et poivre. Laissez cuire 5 à 6 min, à demi couvert, jusqu'à ce que les gousses d'ail soient tendres. Laissez tiédir.

POUR 4 À 6 PERSONNES

INGRÉDIENTS

300 g de pâte feuilletée, décongelée si elle était congelée
50 g de beurre
70 g de parmesan fraîchement râpé
Pour la garniture
40 g de beurre
500 g d'échalotes
12 à 16 gousses d'ail pelées mais entières
1 cuil. à soupe de sucre roux
1 cuil. à soupe de vinaigre balsamique ou de xérès
2 cuil. à soupe d'eau
1 cuil. à café de thym frais haché plus quelques brins (facultatif)
sel et poivre noir du moulin

1 Étalez la pâte en rectangle. Enduisez de beurre, en laissant une bordure de 2 cm. Parsemez de parmesan. Repliez le tiers inférieur, puis le tiers supérieur vers le milieu. Soudez les bords, faites pivoter d'un quart de tour et étalez en rectangle puis pliez à nouveau en trois. Mettez 30 min au frais.

4 Préchauffez le four à 190 °C (th. 6-7). Étalez la pâte au diamètre du moule ou de la sauteuse et posez sur les échalotes et l'ail. Piquez la pâte avec la pointe d'un couteau et faites cuire 25 à 35 min au four, jusqu'à ce que la pâte soit gonflée et dorée. Laissez tiédir 5 à 10 min, puis retournez la tarte sur un plat de service. Parsemez de quelques brins de thym et servez.

TOURTE AUX POMMES DE TERRE ET POIREAUX

LA PÂTE FILO DONNE UNE TOURTE ÉLÉGANTE ET ORIGINALE POUR UN BUFFET VÉGÉTARIEN.
SERVEZ FROID, AVEC PLUSIEURS SALADES.

POUR 8 PERSONNES

INGRÉDIENTS
    800 g de pommes de terre
      nouvelles émincées
    400 g de poireaux (poids épluchés)
    80 g de beurre
    15 g de persil finement haché
    4 cuil. à soupe d'herbes fraîches
      en mélange (cerfeuil, ciboulette,
      un peu d'estragon et de basilic)
    12 feuilles de pâte filo
      (ou brick)
    150 g de cantal émincé
    2 gousses d'ail finement hachées
    25 cl de crème entière
    2 gros jaunes d'œufs
    sel et poivre noir du moulin

1 Préchauffez le four à 190 °C
(th. 6-7). Faites cuire les pommes
de terre à l'eau bouillante légèrement
salée 3 ou 4 min. Égouttez et réservez.

2 Émincez les poireaux, faites fondre
25 g de beurre dans une poêle et faites-
les cuire à feu doux, en remuant de
temps à autre, jusqu'à ce qu'ils soient
souples. Retirez du feu, poivrez et
ajoutez la moitié du persil et des herbes.

3 Faites fondre le reste du beurre.
Tapissez un moule à gâteau démontable
de 23 cm de 6 à 7 feuilles de pâte filo,
en enduisant chaque feuille de beurre.
Laissez la pâte retomber sur les bords.

4 Alternez pommes de terre, poireaux et
fromage dans le moule, chaque couche
parsemée d'herbes et d'ail. Assaisonnez.

5 Rabattez la pâte sur la garniture
et couvrez avec 2 feuilles de filo, en
rentrant les bords et en enduisant la pâte
de beurre fondu comme précédemment.
Couvrez de papier d'aluminium et faites
cuire 35 min au four. (Gardez le reste
de la pâte dans un sac en plastique
et un torchon mouillé.)

6 Pendant ce temps, battez la crème
avec les jaunes d'œufs et le reste des
herbes. Faites un trou au centre de la
tourte et versez peu à peu le mélange.

7 Disposez le reste de la pâte sur
le dessus en formant des plis et des
volutes et enduisez de beurre fondu.
Baissez la température du four
à 180 °C (th. 6) et faites cuire encore
25 à 30 minutes, jusqu'à ce que le
dessus soit doré et croustillant. Laissez
refroidir avant de servir.

TORTILLA AUX POMMES DE TERRE, AUX OIGNONS ET AUX FÈVES

LA TORTILLA CLASSIQUE ESPAGNOLE NE COMPORTE QUE DES OIGNONS, DES POMMES DE TERRE, DES ŒUFS ET DE L'HUILE D'OLIVE. DES HERBES HACHÉES ET QUELQUES FÈVES ÉPLUCHÉES EN FONT UN PLAT ESTIVAL DÉLICIEUX. VOUS POUVEZ AUSSI LA PRÉSENTER EN « TAPAS ».

POUR 2 PERSONNES

INGRÉDIENTS

3 cuil. à soupe d'huile d'olive
2 oignons d'Espagne finement
  émincés
300 g de pommes de terre fermes
  coupées en dés de 1 cm
250 g de fèves épluchées
1 cuil. à café de thym frais haché
  ou de sarriette
6 gros œufs
3 cuil. à soupe de ciboulette
  et persil plat haché
sel et poivre noir du moulin

1 Chauffez 2 cuil. à soupe d'huile dans une sauteuse non adhésive de 23 cm. Ajoutez oignons et pommes de terre et tournez. Couvrez et laissez cuire 20 à 25 min à feu doux, en remuant souvent, les pommes de terre devant être cuites et les oignons défaits. Ne laissez pas dorer.

2 Pendant ce temps, faites cuire les fèves 5 min à l'eau bouillante salée. Égouttez et laissez refroidir.

3 Quand les fèves sont assez froides pour les éplucher, retirez la fine peau qui les entoure. Ajoutez les fèves dans la poêle avec le thym ou la sarriette, salez et poivrez à votre goût. Mélangez bien et laissez cuire encore 2 ou 3 min environ.

4 Battez les œufs avec du sel, du poivre et les herbes hachées, puis versez sur les pommes de terre et les oignons et montez légèrement le feu. Laissez cuire jusqu'à ce que les œufs prennent et dorent dans le fond, en ramenant les bords de l'omelette vers le centre et en inclinant la sauteuse pour laisser les œufs encore liquides passer en dessous.

5 Retournez la tortilla sur un plat. Ajoutez le reste de l'huile dans la sauteuse et chauffez fortement. Faites glisser la tortilla dans la sauteuse, côté non cuit vers le bas, et laissez cuire encore 3 à 5 min pour dorer le fond. Faites glisser la tortilla sur un plat. Divisez en portions et servez chaud mais non brûlant.

FRITTATA AUX POIREAUX, POIVRON ROUGE ET ÉPINARDS

BIEN QUE LA FRITTATA ITALIENNE NE CONTIENNE PAS DE POMMES DE TERRE ET QUE SA TEXTURE SOIT PLUS MOELLEUSE, ELLE DIFFÈRE PEU DE LA TORTILLA ESPAGNOLE. CE MÉLANGE DE POIREAUX, POIVRON ROUGE ET ÉPINARDS SE MARIE DÉLICIEUSEMENT AVEC LES ŒUFS.

POUR 3 OU 4 PERSONNES

INGRÉDIENTS

2 cuil. à soupe d'huile d'olive
1 gros poivron rouge épépiné
  et coupés en dés
1/2 à 1 cuil. à café de cumin grillé
  et moulu
3 poireaux (environ 450 g) finement
  émincés
150 g de petites feuilles d'épinards
3 cuil. à soupe de pignons grillés
5 gros œufs
1 cuil. à soupe de basilic frais haché
1 cuil. à soupe de persil plat haché
sel et poivre noir du moulin
du cresson, en garniture
50 g de parmesan râpé, pour servir
  (facultatif)

1 Chauffez l'huile dans une poêle. Ajoutez le poivron rouge et laissez cuire 6 à 8 min à feu modéré, en remuant de temps à autre, il doit être souple et coloré. Ajoutez 1/2 cuil. à café de cumin et laissez cuire encore 1 à 2 min.

2 Incorporez les poireaux et laissez cuire 5 min à feu doux, à demi couvert, jusqu'à ce que les poireaux soient souples et se défassent. Salez et poivrez.

3 Ajoutez les épinards et couvrez. Laissez-les fondre 3 ou 4 min sous l'action de la vapeur, puis incorporez aux légumes et ajoutez les pignons.

4 Battez les œufs avec du sel, du poivre, le reste du cumin, le basilic et le persil. Versez dans la poêle et laissez cuire à feu doux jusqu'à ce que le fond prenne et soit doré. Ramenez les bords de l'omelette vers le centre et inclinez la poêle pour que les œufs encore liquides passent dessous.

5 Préchauffez le gril. Passez la frittata quelques secondes sous le gril brûlant pour faire prendre le dessus mais ne laissez pas brûler. Coupez la frittata en parts et servez chaud, garni de cresson et poudré de parmesan (facultatif).

VARIANTE
Une excellente façon de servir la frittata est de la tasser dans un pain rond et légèrement creusé, en l'arrosant avec un peu d'huile d'olive vierge extra. Enveloppez serré dans un film plastique et laissez reposer 1 ou 2 h avant de couper en tranches épaisses. L'ensemble est parfait pour un pique-nique.

POIVRONS FARCIS AUX LÉGUMES ÉPICÉS

DES ÉPICES INDIENNES AGRÉMENTENT LA FARCE DE POMMES DE TERRE ET D'AUBERGINE DE CES POIVRONS COLORÉS, EXCELLENTS AVEC DU RIZ ET UN DHAL DE LENTILLES, OU AVEC UNE SALADE, DU PAIN INDIEN ET UN RAITA AU YAOURT, AU CONCOMBRE OU À LA MENTHE.

POUR 6 PERSONNES

INGRÉDIENTS

6 gros poivrons jaunes ou rouges
   de forme régulière
500 g de pommes de terre à chair
   ferme
1 petit oignon haché
2 gousses d'ail hachées
un morceau de 5 cm de racine
   de gingembre frais.
1 ou 2 piments verts frais épépinés
   et hachés
7 cuil. à soupe d'eau
7 cuil. à soupe d'huile d'arachide
1 aubergine coupée en dés de 1 cm
2 cuil. à café de graines de cumin
1 cuil. à café de graines de kalonji
1 cuil. à café de curcuma en poudre
1 cuil. à café de coriandre moulue
1 cuil. à café de graines de cumin
   grillées et moulues
une pincée de poivre de cayenne
2 cuil. à soupe de jus de citron
sel et poivre noir du moulin
2 cuil. à soupe de coriandre fraîche
   hachée, en garniture

1 Coupez un chapeau sur les poivrons rouges ou jaunes, retirez et jetez les graines. Coupez une mince tranche à la base des poivrons, si nécessaire, pour qu'ils se tiennent debout.

2 Portez une grande casserole d'eau légèrement salée à ébullition. Ajoutez les poivrons et laissez cuire 5 à 6 min. Égouttez et laissez à l'envers dans une passoire.

3 Faites cuire les pommes de terre 10 à 12 min à l'eau bouillante salée. Égouttez, laissez tiédir et pelez. Coupez en dés de 1 cm.

4 Mixez en purée l'oignon, avec l'ail, le gingembre et les piments verts, en ajoutant 4 cuil. à soupe d'eau.

5 Chauffez 3 cuil. à soupe d'huile dans une grande sauteuse et faites cuire l'aubergine, en remuant de temps à autre, jusqu'à ce qu'elle soit dorée. Retirez de la poêle et réservez. Ajoutez encore 2 cuil. à soupe d'huile dans la poêle et faites dorer les pommes de terre. Retirez de la poêle et réservez.

6 Si nécessaire, ajoutez 1 cuil. à soupe d'huile dans la poêle et faites dorer rapidement les graines de cumin et de kalonji, puis ajoutez le curcuma, la coriandre et le cumin en poudre. Laissez cuire 15 s. Incorporez la purée d'oignon et d'ail et faites dorer, en raclant la poêle avec une spatule.

7 Remettez pommes de terre et aubergine dans la poêle, salez, poivrez, ajoutez 1 ou 2 pincées de cayenne. Ajoutez le reste de l'eau et 1 cuil. à soupe de jus de citron, et faites cuire, en remuant, jusqu'à évaporation du liquide. Préchauffez le four à 190 °C (th. 6-7).

8 Remplissez les poivrons du mélange précédent et posez sur une plaque légèrement graissée. Enduisez les poivrons d'un peu d'huile et mettez 30 à 35 min au four, jusqu'à ce qu'ils soient cuits. Laissez tiédir, puis arrosez de jus de citron, garnissez de coriandre et servez.

CONSEIL
La kalonji, ou nigella, est une petite graine noire très utilisée dans la cuisine indienne, surtout sur les pains ou dans les plats de pommes de terre. L'épice est douce, avec un goût de noisette, et son arôme sera plus prononcé si vous faites griller les graines quelques secondes à sec, à feu modéré.

CROQUETTES DE POMMES DE TERRE AUX OIGNONS, CONDIMENT AUX BETTERAVES

CES IRRÉSISTIBLES CROQUETTES SONT INSPIRÉES DU TRADITIONNEL LATKE DE POMMES DE TERRE RÂPÉES. ELLES SONT DÉLICIEUSES AVEC UN CONDIMENT AUX BETTERAVES ET DE LA CRÈME ACIDULÉE.

POUR 4 PERSONNES

INGRÉDIENTS

500 g de pommes de terre fermes
1 petite pomme acide (Granny Smith), pelée, cœur retiré, râpée
1 petit oignon finement haché
50 g de farine
2 gros œufs battus
2 cuil. à soupe de ciboulette ciselée
huile végétale pour la poêle
sel et poivre noir du moulin
25 cl de crème fraîche acidulée d'un filet de citron
brins d'aneth frais et ciboulette fraîche ou fleurs de ciboulette, en garniture

Pour le condiment aux betteraves

250 g de betteraves cuites et pelées
1 grosse pomme à dessert, cœur retiré, détaillée en petits dés
1 cuil. à soupe d'oignon rouge haché
1 ou 2 cuil. à soupe de vinaigre d'estragon
1 cuil. à soupe d'aneth frais haché
1 ou 2 cuil. à soupe d'huile d'olive
une pincée de sucre en poudre

1 Pour la confiture, coupez les betteraves en petits dés, mélangez avec la pomme et l'oignon. Ajoutez 1 cuil. à soupe de vinaigre, l'aneth et 1 cuil. à soupe d'huile. Assaisonnez à votre goût, en ajoutant vinaigre, huile et du sucre.

2 Râpez grossièrement les pommes de terre, rincez, égouttez et séchez dans un torchon.

3 Mélangez pommes de terre, pomme et oignon dans une jatte. Ajoutez farine, œufs, ciboulette. Assaisonnez, mélangez.

4 Chauffez 5 mm d'huile dans une poêle et faites frire des cuillerées du mélange. Aplatissez en croquettes de 8 à 10 cm de diamètre et laissez cuire 3 ou 4 min de chaque côté. Égouttez sur du papier absorbant et gardez au chaud. Faites cuire le reste des croquettes.

5 Servez plusieurs croquettes ensemble (vous en aurez 16 à 20 en tout) avec une cuil. à soupe de crème acidulée et une de condiment de betteraves. Garnissez de brins d'aneth ou de brins ou de fleurs de ciboulette et poudrez de poivre noir moulu juste avant de servir.

VARIANTE
Crêpe de poireaux et de pommes de terre : faites cuire 400 g de poireaux finement émincés dans 25 g de beurre jusqu'à ce qu'ils soient tendres. Assaisonnez bien. Râpez grossièrement 500 g de pommes de terre épluchées et assaisonnez. Faites fondre 25 g de beurre dans une poêle et ajoutez la moitié des pommes de terre. Couvrez de poireaux et ajoutez le reste des pommes de terre, en appuyant avec une spatule pour former une crêpe. Faites cuire 20 à 25 min à feu doux, puis retournez et laissez cuire encore 15 à 20 min.

POLENTA GRILLÉE AUX OIGNONS CARAMÉLISÉS, À LA TRÉVISE ET AU TALEGGIO

La polenta grillée, l'un des classiques de la cuisine de l'Italie du Nord, est savoureuse avec des oignons caramélisés et du taleggio fondant.

POUR 4 PERSONNES

INGRÉDIENTS

90 cl d'eau
1 cuil. à café de sel
150 g de polenta ou semoule de maïs
50 g de parmesan fraîchement râpé
1 cuil. à café de thym frais haché
6 cuil. à soupe d'huile d'olive
700 g d'oignons, coupés en deux
  et émincés
2 gousses d'ail hachées
quelques brins de thym frais
1 cuil. à café de sucre roux
2 cuil. à soupe de vinaigre balsamique
2 cœurs de trévise, coupée en
  grosses tranches ou en quartiers
225 g de taleggio (fromage italien)
  émincé
sel et poivre noir du moulin

1 Dans une grande casserole, portez l'eau à ébullition et ajoutez le sel. Baissez le feu à frémissement. En remuant sans arrêt, versez la polenta en pluie et portez à ébullition. Faites cuire à feu très doux 30 à 40 min, jusqu'à ce que le mélange soit lisse et épais.

2 Incorporez le parmesan et le thym haché, et versez sur un plan de travail. Étalez uniformément et laissez refroidir.

3 Chauffez 2 cuil. à soupe d'huile dans une poêle à feu modéré. Ajoutez les oignons et enrobez d'huile, couvrez et laissez cuire 15 min à feu très doux, en remuant de temps à autre.

4 Ajoutez l'ail et la plus grande partie des brins de thym et faites cuire encore 10 min, à découvert.

5 Ajoutez le sucre, 1 cuil. à soupe de vinaigre, sel et poivre. Laissez cuire encore 5 à 10 min, jusqu'à ce qu'ils soient souples. Goûtez et ajoutez du vinaigre, sel et poivre, si nécessaire.

6 Préchauffez le gril. Coupez la polenta en tranches épaisses et enduisez avec un peu d'huile, puis faites griller jusqu'à ce qu'elle soit croustillante et dorée.

7 Retournez la polenta et ajoutez la trévise sur la grille. Assaisonnez la trévise et enduisez d'huile. Faites griller 5 min environ, jusqu'à ce que la polenta et la trévise soient bien dorées. Ajoutez un peu de vinaigre sur la trévise.

8 Posez les oignons en tas sur la polenta. Parsemez de fromage et de quelques brins de thym sur la polenta et la trévise. Faites griller jusqu'à ce que le fromage bouillonne. Assaisonnez de poivre et servez aussitôt.

CRÊPES FARCIES AUX POIREAUX, ENDIVES ET COURGE

SERVEZ UNE SAUCE TOMATE FAITE MAISON ET UNE SALADE VERTE CROQUANTE AVEC CES DÉLICIEUSES CRÊPES QUI FONDENT DANS LA BOUCHE.

POUR 4 PERSONNES

INGRÉDIENTS
  120 g de farine
  50 g de semoule de maïs jaune
  1/2 cuil. à café de sel
  1/2 cuil. à café de piment en poudre
  2 gros œufs
  45 cl de lait
  2 cuil. à soupe de beurre fondu
  huile végétale pour la poêle
Pour la garniture
  2 cuil. à soupe d'huile d'olive
  450 g de courge sucrine (poids
    épluchée) épépinée et coupée en dés
  une grosse pincée de flocons de
    piment rouge séchés
  2 gros poireaux coupés en rondelles
  1/2 cuil. à café de thym frais haché
  3 endives coupées en rondelles
  120 g de chèvre coupé en dés
  90 g de noix grossièrement hachées
  2 cuil. à café de persil plat haché
  25 g de parmesan râpé
  3 cuil. à soupe de beurre fondu
    ou d'huile d'olive
  sel et poivre noir du moulin

1 Mélangez farine, semoule, sel et piment en poudre dans une jatte, faites un puits au centre. Ajoutez les œufs et un peu de lait. Battez les œufs et le lait, en incorporant peu à peu les ingrédients secs et en ajoutant du lait à mesure que le mélange se fait. Ajoutez assez de lait pour obtenir une pâte semblable à de la crème épaisse. Vous aurez peut-être trop de lait.

2 Quand vous êtes prêt à cuire les crêpes, incorporez au fouet le beurre fondu dans la pâte. Chauffez une poêle épaisse de 18 cm, huilée. Versez environ 4 cuil. à soupe de pâte dans la poêle et laissez cuire 2 ou 3 min, jusqu'à ce qu'elle soit prise et dorée dessous. Retournez et faites cuire le second côté 2 ou 3 min. Toutes les deux crêpes, graissez légèrement la poêle.

3 Pour la garniture, chauffez l'huile dans une grande poêle. Ajoutez la courge et faites cuire 10 min, en remuant souvent. Ajoutez les flocons de piment et faites cuire 1 à 2 min en remuant. Ajoutez les poireaux et le thym et laissez cuire 4 à 5 min de plus.

4 Ajoutez les endives et faites cuire encore 4 à 5 min, en remuant souvent, jusqu'à ce que les poireaux soient cuits et les endives chaudes, mais en étant encore croquantes. Laissez tiédir, puis incorporez le fromage, les noix et le persil. Assaisonnez le mélange.

5 Préchauffez le four à 200 °C (th. 7). Graissez légèrement un plat à four. Versez 2 ou 3 cuil. à soupe de garniture sur chaque crêpe. Roulez ou repliez chaque crêpe pour enfermer la garniture et posez dans le plat préparé.

6 Saupoudrez les crêpes de parmesan et arrosez de 3 cuil. à soupe de beurre fondu ou d'huile d'olive. Faites cuire 10 à 15 min au four, jusqu'à ce que le fromage bouillonne et que les crêpes soient brûlantes. Servez aussitôt.

OIGNONS FARCIS AU FROMAGE DE CHÈVRE ET AUX TOMATES SÉCHÉES

LES OIGNONS RÔTIS ET LE FROMAGE DE CHÈVRE FORMENT UN MARIAGE HEUREUX.
CES OIGNONS FARCIS FONT UN EXCELLENT PLAT PRINCIPAL SI VOUS LES SERVEZ AVEC DU RIZ.

POUR 4 PERSONNES

INGRÉDIENTS

4 gros oignons
150 g de fromage de chèvre émietté
  ou coupé en dés
50 g de chapelure fraîche
8 tomates séchées, à l'huile d'olive,
  égouttées et hachées
1 ou 2 gousses d'ail finement hachées
1/2 cuil. à café de thym frais haché
2 cuil. à soupe de persil frais haché
1 petit œuf battu
3 cuil. à soupe de pignons grillés
2 cuil. à soupe d'huile d'olive
  (utilisez l'huile des tomates)
sel et poivre noir du moulin

1 Portez à ébullition une casserole d'eau salée. Ajoutez les oignons dans leur peau et faites bouillir 10 min. Égouttez, laissez refroidir, et coupez en deux horizontalement et épluchez.

2 Retirez le centre des oignons à l'aide d'une cuillère, en laissant une « écorce » épaisse. Réservez la chair et mettez les oignons dans un plat à four huilé. Préchauffez le four à 190 °C (th. 6-7).

3 Hachez la chair réservée. Ajoutez le fromage de chèvre, la chapelure, les tomates, l'ail, le thym, le persil et l'œuf. Mélangez bien, salez et poivrez et ajoutez les pignons grillés.

4 Répartissez la farce entre les oignons et couvrez de papier d'aluminium. Faites cuire 25 min au four. Découvrez, arrosez d'huile et faites cuire encore 30 à 40 min en arrosant de temps à autre, jusqu'à ce que l'oignon soit cuit.

VARIANTES

• Remplacez le fromage de chèvre par de la feta et le thym, l'ail et le persil par de la menthe, des raisins secs et des olives noires dénoyautées.
• Remplacez le mélange de fromage de chèvre et de tomates séchées par un mélange d'épinards, de riz, de mozzarella fumée et d'amandes grillées
• Remplacez les tomates par des poivrons rouges et jaunes à l'huile d'olive.
• Remplacez le fromage de chèvre par 170 g de roquefort ou de gorgonzola, supprimez les tomates et les pignons et ajoutez 70 g de noix hachées et 110 g de céleri haché, cuit avec l'oignon haché dans 1 cuil. à soupe d'huile d'olive.

SOUFFLÉ AU FROMAGE DE CHÈVRE ET À L'AIL RÔTI

LA SAVEUR SUCRÉE DE L'AIL RÔTI SE COMMUNIQUE À CE SIMPLE SOUFFLÉ. ÉQUILIBREZ LA RICHESSE DU SOUFFLÉ PAR UNE SALADE VERTE CROQUANTE ET QUELQUES FEUILLES DE CRESSON PIQUANT.

5 Faites cuire la sauce 10 min à feu très doux, en remuant fréquemment. Assaisonnez de sel, de poivre et d'une pincée de cayenne. Laissez tiédir. Préchauffez le four à 200 °C (th. 6-7).

6 Ajoutez les jaunes d'œufs au fouet, un par un. Incorporez de même le fromage de chèvre, le parmesan (en réservant 1 cuil. à soupe) et le thym haché. Avec le reste du beurre, beurrez un grand plat à soufflé (1 litre), ou quatre grands ramequins (environ 25 cl).

7 Battez les blancs d'œufs avec le bicarbonate en neige ferme. Incorporez 3 cuil. à soupe de blancs en neige dans la sauce, puis ajoutez délicatement le reste.

8 Versez le mélange dans le ou les plats préparés. Passez un couteau sur le pourtour de chaque plat, en détachant le mélange du bord. Parsemez du parmesan réservé.

9 Mettez le ou les plats sur la tôle du four et faites cuire 25 à 30 min pour un grand soufflé ou 20 min pour les petits. Le mélange doit gonfler et être ferme au toucher, au centre, et ne pas s'effondrer sur les bords.

POUR 3 OU 4 PERSONNES

INGRÉDIENTS
 2 grosses têtes d'ail
  (choisissez des gousses charnues)
 3 brins de thym frais
 1 cuil. à café d'huile d'olive
 25 cl de lait
 1 feuille de laurier frais
 2 rondelles d'oignon épaisses de 1 cm
 2 clous de girofle
 50 g de beurre
 40 g de farine
 poivre de cayenne
 3 œufs, le blanc séparé du jaune,
  plus 1 blanc d'œuf
 150 g de fromage de chèvre émietté
 50 g de parmesan fraîchement râpé
 1/2 à 1 cuil. à café de thym frais haché
 1/2 cuil. à café de bicarbonate
  de soude
 sel et poivre noir du moulin

1 Préchauffez le four à 180 °C (th. 6). Mettez l'ail et les brins de thym sur un papier d'aluminium. Arrosez d'huile et refermez le papier sur l'ail. Faites cuire 1 h jusqu'à ce que l'ail soit tendre. Laissez refroidir.

2 Pressez les gousses pour faire sortir la chair. Jetez le thym et les peaux. Mixez la chair avec l'huile.

3 Mettez le lait, le laurier, les rondelles d'oignon et les clous de girofle dans une petite casserole. Portez à ébullition et retirez du feu. Couvrez et laissez infuser 30 min.

4 Faites fondre 40 g de beurre dans une autre casserole. Ajoutez la farine et laissez cuire 2 min à feu doux, en remuant. Réchauffez et passez le lait et incorporez peu à peu à la farine.

CRÈMES PRISES À L'AIL RÔTI ET AUX AUBERGINES, SAUCE AU POIVRON ROUGE

CES ÉLÉGANTES PETITES TIMBALES FONT UNE EXCELLENTE ENTRÉE POUR UN DÎNER ENTRE AMIS. ACCOMPAGNEZ DE BON PAIN ET DE BROCOLIS À LA VAPEUR.

POUR 6 PERSONNES

INGRÉDIENTS
- 2 grosses têtes d'ail
- 6 ou 7 brins de thym
- 4 cuil. à soupe d'huile d'olive, plus un peu pour graisser les ramequins
- 350 g d'aubergines coupées en dés de 1 cm
- 2 gros poivrons rouges coupés en deux et épépinés
- une pincée de filaments de safran
- 30 cl de crème liquide entière
- 2 gros œufs
- une pincée de sucre en poudre
- 2 cuil. à soupe de feuilles de basilic frais, déchirées
- sel et poivre noir du moulin

Pour la sauce
- 6 cuil. à soupe d'huile d'olive
- 1 cuil. à soupe et 1/2 de vinaigre balsamique
- une pincée de sucre en poudre
- 120 g de tomates pelées, épépinées et détaillées en petits dés
- 1/2 petit oignon rouge finement haché
- une généreuse pincée de graines de cumin grillées et moulues
- une poignée de feuilles de basilic frais

1 Préchauffez le four à 190 °C (th. 6-7). Mettez l'ail sur un papier d'aluminium avec le thym et arrosez d'1 cuil. à soupe d'huile. Enveloppez dans le papier d'aluminium et faites cuire 35 à 45 min, ou jusqu'à ce que l'ail soit souple. Laissez tiédir. Baissez la température à 180 °C (th. 6).

2 Pendant ce temps, chauffez le reste de l'huile d'olive dans une casserole à fond épais. Ajoutez les dés d'aubergines et faites revenir à feu modéré, en remuant souvent, 5 à 8 min ou jusqu'à ce qu'elles soient cuites et dorées.

3 Faites griller les poivrons, peau vers le haut, jusqu'à ce qu'ils noircissent. Mettez dans une jatte, couvrez puis laissez reposer 10 min.

4 Quand ils sont tièdes, pelez et coupez en dés. Faites tremper le safran 10 min dans 1 cuil. à soupe d'eau chaude.

5 Retirez l'ail du papier d'aluminium et faites sortir la purée des gousses dans le bol d'un robot. Jetez le thym. Ajoutez l'huile de cuisson, la crème et les œufs à l'ail. Mixez pour obtenir une purée lisse. Ajoutez le safran et son eau et assaisonnez de sel, poivre et une pincée de sucre. Incorporez la moitié des poivrons rouges et le basilic.

6 Graissez légèrement six grands ramequins (environ 20 à 25 cl) et tapissez le fond de chaque ramequin avec un rond de papier cuisson. Graissez le papier.

CONSEIL
Pour que·les crèmes ne se fissurent pas, il est important de poser les ramequins dans l'eau, ce qui assure une température uniforme.

7 Répartissez les aubergines entre les ramequins. Ajoutez le mélange du robot et posez-les dans un plat à four. Couvrez chaque ramequin de papier d'aluminium et faites un petit trou au centre pour laisser s'échapper la vapeur. Versez de l'eau bouillante dans le plat jusqu'à mi-hauteur des ramequins. Faites cuire 25 à 30 min au four, les crèmes doivent être juste prises au centre.

8 Faites la sauce pendant que les crèmes cuisent. Fouettez l'huile et le vinaigre avec le sel, le poivre et une pincée de sucre. Incorporez les tomates, l'oignon rouge, le reste du poivron rouge et le cumin. Réservez quelques feuilles de basilic pour décorer, hachez le reste et ajoutez à la sauce.

9 Laissez les crèmes refroidir 5 min, puis retournez sur des assiettes de service chaudes. Versez la sauce autour des crèmes et décorez avec les feuilles de basilic frais réservées.

RISOTTO AUX TROIS ALLIUMS, AUX OIGNONS FRITS ET AU PARMESAN

LA CUISSON LENTE DE L'OIGNON HACHÉ DANS LE BEURRE EST LE PRÉLUDE AU RISOTTO CLASSIQUE. DANS CETTE RECETTE, L'AIL ET LA CIBOULETTE AJOUTENT LEUR PARFUM ET LES OIGNONS FRITS APPORTENT LEUR TEXTURE CROUSTILLANTE.

POUR 4 PERSONNES

INGRÉDIENTS

70 g de beurre
1 cuil. à soupe d'huile d'olive
  plus un peu pour frire les oignons
1 oignon finement haché
4 gousses d'ail finement hachées
350 g de riz à risotto
15 cl de vin blanc sec
une pincée de filaments de safran
environ 1,2 litre de bouillon de
  légumes bouillant
1 gros oignon jaune finement émincé
15 g de ciboulette ciselée,
  plus un peu pour la garniture
70 g de parmesan râpé
sel et poivre noir du moulin

1 Faites fondre la moitié du beurre avec l'huile dans une grande sauteuse ou une casserole à fond épais. Ajoutez l'oignon avec une pincée de sel et faites cuire 10 à 15 min à feu très doux, en remuant souvent, jusqu'à ce qu'il soit souple et doré. Ne laissez pas colorer.

2 Ajoutez l'ail et le riz et faites cuire 3 ou 4 min, en remuant sans arrêt, jusqu'à ce que le riz soit enrobé et paraisse translucide. Assaisonnez d'un peu de sel et de poivre.

3 Versez le vin, ajoutez le safran et une louche de bouillon bouillant. Faites cuire lentement, en remuant souvent, jusqu'à ce que le liquide soit absorbé.

4 Continuez la cuisson 18 à 20 min, en ajoutant 1 ou 2 louches de bouillon à la fois, le riz doit être gonflé et tendre à l'extérieur, mais *al dente* à l'intérieur. Laissez à feu doux et remuez souvent. Le risotto terminé doit être mouillé, mais sans ressembler à de la soupe.

5 Séparez l'oignon jaune en anneaux. Chauffez une mince épaisseur d'huile dans une poêle. Faites cuire les anneaux à feu doux jusqu'à ce qu'ils soient souples, puis montez le feu et faites frire à feu vif. Égouttez sur du papier absorbant.

6 Incorporez la ciboulette, le reste du beurre et la moitié du parmesan au risotto, jusqu'à ce qu'il soit crémeux. Rectifiez l'assaisonnement, si nécessaire.

7 Servez le risotto dans des bols chauds, couronnés d'oignons croustillants et de ciboulette. Servez avec un bol de parmesan râpé.

RISOTTO D'ORGE À LA COURGE RÔTIE ET AUX POIREAUX

CE RISOTTO, QUI SE RAPPROCHE D'UN PILAF, EST FAIT AVEC DE L'ORGE PERLÉ AU GOÛT DE NOISETTE. LES POIREAUX SUCRÉS ET LA COURGE RÔTIE SE MARIENT PARFAITEMENT AVEC CETTE CÉRÉALE.

3 Chauffez la moitié du beurre avec le reste de l'huile dans une grande poêle. Faites cuire les poireaux et l'ail 5 min à feu doux. Ajoutez les champignons et le reste du thym, et faites cuire jusqu'à ce que l'eau des champignons s'évapore et qu'ils commencent à colorer.

4 Incorporez les carottes et laissez cuire 2 min, puis ajoutez l'orge et la plus grande partie du bouillon. Assaisonnez et couvrez à demi. Laissez cuire encore 5 min. Versez le reste du bouillon si le mélange paraît sec.

5 Incorporez le persil, le reste du beurre et la moitié du pecorino. Ajoutez la courge. Salez et poivrez à votre goût et servez aussitôt, parsemé de graines de citrouille grillées ou de noix et du reste du pecorino.

POUR 4 À 5 PERSONNES

INGRÉDIENTS
200 g d'orge perlée
1 courge sucrine pelée, épépinée et coupée en morceaux
2 cuil. à café de thym frais haché
4 cuil. à soupe d'huile d'olive
25 g de beurre
4 poireaux coupés en biais en rondelles assez épaisses
2 gousses d'ail finement hachées
180 g de champignons de Paris rosés émincés
2 carottes grossièrement râpées
environ 12 cl de bouillon de légumes
2 cuil. à soupe de persil plat frais haché
50 g de fromage pecorino, râpé ou en copeaux
3 cuil. à soupe de graines de citrouille grillées ou de noix hachées
sel et poivre noir du moulin

1 Rincez l'orge perlée puis faites-la cuire dans l'eau frémissante, à demi couvert, 35 à 45 min, ou jusqu'à ce qu'elle soit tendre. Préchauffez le four à 200 °C (th. 7).

2 Mettez la courge dans un plat à four avec la moitié du thym. Poivrez et tournez dans la moitié de l'huile. Faites rôtir 30 à 35 min en remuant une fois, elle doit être tendre et dorée.

PÂTES À L'AIL ET AU PIMENT

Voici le plus simple des plats de pâtes et l'un des meilleurs. Menthe et origan donnent des résultats très différents mais également délicieux. Le parmesan est inutile, il vaut mieux laisser toute la place au parfum de l'ail et de l'huile d'olive.

POUR 3 OU 4 PERSONNES

INGRÉDIENTS

400 g de spaghettis secs
7 cuil. à soupe d'huile d'olive vierge
  extra, plus un peu, à votre goût
1/4 cuil. à café de flocons de
  piments rouges séchés ou 2 petits
  piments rouges entiers, séchés
6 grosses gousses d'ail hachées
1 cuil. à soupe de menthe fraîche
  hachée ou d'origan
15 g de persil plat frais haché
sel et poivre noir du moulin

1 Faites cuire les spaghettis *al dente*, à l'eau bouillante légèrement salée, 9 à 11 min ou selon les instructions portées sur le paquet.

2 Faites chauffer l'huile dans une grande poêle ou une casserole à feu très doux. Ajoutez les flocons de piment ou les piments entiers et faites cuire 2 ou 3 min à feu très doux.

CONSEIL
Si vous préférez les spaghettis frais, ne les faites cuire que 3 min à l'eau bouillante.

3 Ajoutez l'ail dans la poêle. Laissez cuire 2 min, toujours à feu très doux de façon à ce que l'ail ne colore pas, et secouez la poêle de temps à autre. Retirez du feu et laissez tiédir, puis ajoutez la menthe ou l'origan frais haché.

4 Égouttez les pâtes, et ajoutez aussitôt au mélange de la poêle, avec le persil. Tournez soigneusement. Assaisonnez de poivre noir du moulin et transférez dans des assiettes de service chaudes. Servez aussitôt, en offrant de l'huile d'olive aux convives.

VARIANTE
Faites cuire 250 g de bouquets de brocolis 4 min à l'eau salée bouillante. Ajoutez à l'huile pimentée et faites sauter 5 à 8 min à feu doux.

Pâtes aux Oignons, au Chou, au Parmesan et aux Pignons

Voici une façon originale mais savoureuse de servir les pâtes. Le cavolo nero, chou noir de Toscane, offre de longues feuilles et une saveur épicée.

POUR 4 PERSONNES

INGRÉDIENTS

25 g de beurre

1 cuil. à soupe d'huile d'olive vierge extra, plus un peu pour arroser les pâtes, à votre goût (facultatif)

500 g d'oignons d'Espagne, coupés en deux et finement émincés

1 ou 2 cuil. à café de vinaigre balsamique

400 à 500 g de cavolo nero, ou de feuilles de chou, de vert de bette ou de ciboule, déchirées

400 à 500 g de pâtes sèches (penne ou fusilli)

75 g de parmesan fraîchement râpé

50 g de pignons de pin grillés

sel et poivre noir du moulin

VARIANTE

Pour faire un délicieux pilaf, remplacez les pâtes par 250 g de riz brun basmati.

1 Chauffez beurre et huile d'olive dans une casserole. Ajoutez les oignons, couvrez et laissez cuire 20 min à feu très doux, en remuant de temps à autre, les oignons doivent être très tendres.

2 Découvrez et continuez la cuisson à feu doux, jusqu'à ce que les oignons soient dorés. Ajoutez le vinaigre balsamique, assaisonnez, puis laissez cuire encore 1 à 2 min. Réservez.

3 Faites blanchir 3 min le cavolo nero, les feuilles de chou ou le vert de bette ou de ciboule à l'eau bouillante légèrement salée. Égouttez et ajoutez aux oignons, laissez cuire 3 ou 4 min à feu doux.

4 Faites cuire les pâtes *al dente*, à l'eau bouillante légèrement salée, 8 à 12 min ou selon les instructions portées sur le paquet. Égouttez, puis ajoutez dans la poêle avec les oignons et les feuilles vertes et mélangez intimement.

5 Assaisonnez bien de sel et de poivre et incorporez la moitié du parmesan. Transférez les pâtes dans des assiettes chaudes. Éparpillez les pignons et du parmesan sur le dessus et servez aussitôt, en offrant de l'huile d'olive pour en arroser les pâtes.

PÂTES AU PISTOU, AUX POMMES DE TERRE ET AUX HARICOTS VERTS

VOICI UNE RECETTE TRADITIONNELLE DE PISTOU DE LIGURIE. BIEN QUE LE MÉLANGE DE PÂTES ET DE POMMES DE TERRE PUISSE SEMBLER ÉTRANGE, IL EST DÉLICIEUX AVEC LA RICHE SAUCE AU PISTOU.

POUR 4 PERSONNES

INGRÉDIENTS
- 50 g de pignons de pin
- 2 grosses gousses d'ail hachées
- 90 g de feuilles de basilic frais, plus quelques feuilles
- 6 cuil. à soupe d'huile d'olive
- 50 g de parmesan fraîchement râpé
- 40 g de fromage pecorino fraîchement râpé

Pour les pâtes
- 250 g de pommes de terre à chair ferme, détaillées en tranches épaisses ou en dés de 1 cm
- 200 g de haricots verts très fins
- 350 g de pâtes sèches (trenette, linguine, tagliatelle ou tagliarini)
- sel et poivre noir du moulin

Pour servir
- huile d'olive supplémentaire
- pignons de pin grillés
- parmesan râpé

1 Faites griller les pignons à sec dans la poêle jusqu'à ce qu'ils soient dorés (surveillez pour ne pas les laisser brûler). Écrasez au pilon avec l'ail et une pincée de sel. Ajoutez le basilic et continuez à écraser. Ajoutez un peu d'huile en filet pour former une pâte. Incorporez ensuite le parmesan et le pecorino avec le reste de l'huile. (Vous pouvez aussi mixer les pignons, l'ail, le basilic et l'huile au robot, puis incorporer les fromages.)

2 Portez à ébullition une casserole d'eau salée et ajoutez les pommes de terre. Laissez cuire 10 à 12 min, ou jusqu'à ce qu'elles soient tendres. Ajoutez les haricots verts les cinq ou six dernières minutes de cuisson.

3 Pendant ce temps, faites cuire les pâtes *al dente*, 8 à 12 min à l'eau bouillante salée, ou selon les instructions portées sur le paquet. Le temps de cuisson varie selon la forme des pâtes. Essayez de terminer la cuisson des pâtes et des pommes de terre en même temps.

4 Égouttez les pâtes, les pommes de terre et les haricots. Mettez dans un grand plat chaud et tournez avec les deux tiers du pistou. Poivrez et parsemez de feuilles de basilic.

5 Servez aussitôt avec le reste du pistou, l'huile d'olive, les pignons et le parmesan râpé.

CONSEIL
Pour congeler le pistou, faites-le sans les fromages et mettez-le au congélateur. Pour l'utiliser, laissez décongeler et incorporez simplement les fromages. Si vous voulez congeler le pistou pour plus longtemps que quelques semaines, supprimez aussi l'ail et ajoutez-le avec les fromages, après décongélation (le parfum de l'ail peut s'altérer si vous le congelez trop longtemps).

SAUCISSES AUX POIREAUX ET AU FROMAGE, SAUCE TOMATE À L'AIL ET AU PIMENT

CETTE RECETTE EST INSPIRÉE D'UNE SPÉCIALITÉ GALLOISE, LES SAUCISSES DE GLAMORGAN, FAITES UNIQUEMENT AVEC DE LA MIE DE PAIN BLANC OU COMPLET. EN AJOUTANT UN PEU DE POMMES DE TERRE ÉCRASÉES, LES SAUCISSES SERONT PLUS LÉGÈRES ET PLUS FACILES À FAÇONNER.

POUR 4 PERSONNES

INGRÉDIENTS

200 g de poireaux finement hachés
25 g de beurre
6 cuil. à soupe de pommes de terre
 écrasées froides
120 g de mie de pain blanc
 ou complet émiettée
150 g de cantal
2 cuil. à soupe de persil frais haché
1 cuil. à café de sauge fraîche
 ou de marjolaine
2 gros œufs battus
poivre de cayenne
70 g de chapelure blanche sèche
de l'huile pour friture

Pour la sauce

2 cuil. à soupe d'huile d'olive
2 gousses d'ail finement émincées
1 piment rouge frais, épépiné
 et finement haché ou une bonne
 pincée de flocons de piment rouge
 séchés
1 petit oignon finement haché
500 g de tomates pelées, épépinées
 et hachées
quelques brins de thym frais
2 cuil. à café de vinaigre balsamique
 ou de vinaigre de vin rouge
une pincée de sucre roux
1 ou 2 cuil. à soupe de marjolaine
 fraîche hachée ou d'origan
sel et poivre noir du moulin

1 Faites cuire les poireaux 4 à 5 min à feu doux dans le beurre fondu. Mélangez avec les pommes de terre, la mie de pain, le fromage, le persil et la sauge ou la marjolaine. Ajoutez assez d'œuf battu (environ deux tiers) pour lier le mélange. Assaisonnez et ajoutez une pincée de poivre de cayenne.

CONSEIL
Ces saucisses sont délicieuses avec de la mayonnaise à l'ail ou de la confiture d'oignons.

2 Formez le mélange en 12 saucisses. Trempez dans le reste des œufs et enrobez de chapelure sèche. Mettez au frais.

3 Pour la sauce, chauffez l'huile à feu doux dans une casserole, ajoutez ail, piment, oignon et laissez cuire 3 ou 4 min. Ajoutez tomates, thym et vinaigre. Assaisonnez de sel, poivre et sucre.

4 Faites cuire la sauce 40 à 50 min jusqu'à ce qu'elle soit très réduite. Retirez le thym et mixez en purée. Réchauffez avec la marjolaine ou l'origan, rectifiez l'assaisonnement, en ajoutant du sucre, si nécessaire.

5 Faites bien dorer les saucisses dans l'huile. Égouttez sur du papier absorbant et servez avec la sauce.

RAGOÛT DE LÉGUMES, SAUCE À L'AIL ET AUX TOMATES RÔTIES

CE RAGOÛT LÉGÈREMENT ÉPICÉ SE MARIE À LA PERFECTION AVEC DU COUSCOUS ENRICHI D'UN PEU DE BEURRE OU D'HUILE D'OLIVE. AJOUTEZ DE LA CORIANDRE FRAÎCHE HACHÉE ET UNE POIGNÉE DE RAISINS ET DE PIGNONS DE PIN GRILLÉS POUR DONNER UN EXCELLENT PLAT.

POUR 6 PERSONNES

INGRÉDIENTS

3 cuil. à soupe d'huile d'olive
250 g de petits oignons à confire
  ou d'échalotes
1 gros oignon haché
2 gousses d'ail hachées
1 cuil. à café de graines de cumin
1 cuil. à café de graines de coriandre
  moulues
1 cuil. à café de paprika
un morceau de 5 cm d'écorce
  de cannelle
2 feuilles de laurier frais
30 à 45 cl de bon bouillon de légumes
une pincée de filaments de safran
450 g de carottes émincées
  en épaisses rondelles
2 poivrons verts épépinés et émincés
  en tranches épaisses
120 g d'abricots secs moelleux
1 à 1 cuil. à café et 1/2 de graines
  de cumin grillées et moulues
450 g de courge pelée, épépinée
  et coupée en morceaux
une pincée de sucre, à votre goût
25 g de beurre (facultatif)
sel et poivre noir du moulin
3 cuil. à soupe de feuilles de
  coriandre fraîche, en garniture
Pour la sauce
1 kg de tomates coupées en deux
1 cuil. à café de sucre
3 cuil. à soupe d'huile d'olive
1 ou 2 piments rouges frais,
  épépinés et hachés
2 ou 3 gousses d'ail hachées
1 cuil. à café de feuilles de thym frais

VARIANTE

Vous pouvez utiliser d'autres légumes. Le mélange aubergine/pommes de terre est bon. Faites cuire des aubergines (2 moyennes) en dés avec les échalotes, et des petites pommes de terre (500 g) comme la courge. Supprimez carottes et abricots.

1 Préchauffez le four à 180 °C (th. 6). Commencez par la sauce. Mettez les tomates dans un plat à four, côté coupé vers le haut. Assaisonnez bien de sel et de poivre et poudrez de sucre puis arrosez d'huile d'olive. Faites rôtir 30 min.

2 Éparpillez les piments, l'ail et le thym sur les tomates, mélangez et faites rôtir encore 30 à 45 min, jusqu'à ce que les tomates s'effondrent mais soient encore juteuses. Laissez refroidir et mixez au robot en sauce épaisse. Passez pour éliminer les graines.

3 Chauffez 2 cuil. à soupe d'huile dans une grande casserole ou une sauteuse et faites cuire les petits oignons ou les échalotes jusqu'à ce qu'ils soient dorés. Retirez de la casserole et réservez. Ajoutez l'oignon haché et faites cuire à feu doux 5 à 7 min, pour l'assouplir. Ajoutez ail et graines de cumin et laissez cuire encore 3 ou 4 min.

4 Ajoutez les graines de coriandre moulues, le paprika, la cannelle et le laurier. Laissez cuire encore 2 min, en remuant sans arrêt, puis incorporez le bouillon de légumes, le safran, les carottes et les poivrons. Assaisonnez, couvrez et laissez frémir 10 min.

5 Incorporez les abricots, 1 cuil. à café de cumin en poudre, les oignons ou les échalotes réservés et la courge. Ajoutez la sauce tomate.

6 Couvrez la casserole et laissez cuire encore 5 min. Découvrez et continuez à cuire encore 10 à 15 min, en remuant de temps à autre, jusqu'à ce que les légumes soient bien cuits.

7 Rectifiez l'assaisonnement, en ajoutant un peu de cumin et une pincée de sucre à votre goût. Retirez et jetez la cannelle. Incorporez le beurre (facultatif) et servez parsemé de feuilles de coriandre fraîche.

RAGOÛT D'AUBERGINES ET DE PATATES DOUCES À L'AIL ET AU LAIT DE COCO

INSPIRÉ PAR LA CUISINE THAÏ, CE RAGOÛT D'AUBERGINES ET DE PATATES DOUCES CUIT DANS UNE SAUCE À LA NOIX DE COCO, EST PARFUMÉ DE CITRONNELLE, DE GINGEMBRE ET D'AIL.

POUR 6 PERSONNES

INGRÉDIENTS

    4 cuil. à soupe d'huile d'arachide
    400 g de mini aubergines, coupées
       en deux, ou 2 aubergines normales
       coupées en morceaux
    220 g d'échalotes thaïs rouges
       ou autres petites échalotes
    1 cuil. à café de graines de fenouil
       légèrement écrasées
    4 ou 5 gousses d'ail finement émincées
    1 cuil. à soupe et 1/2 de racine de
       gingembre frais finement hachée
    50 cl de bouillon de légumes
    2 tiges de lemon grass (citronnelle thaï),
       (retirez les peaux extérieures), hachée
    15 g de coriandre fraîche, tiges
       et feuilles hachées séparément
    3 feuilles de citron vert kaffir, froissées
    2 ou 3 petits piments rouges
    3 ou 4 cuil. à soupe de pâte de curry
       verte thaï
    700 g de patates douces, pelées
       et coupées en gros morceaux
    40 cl de lait de coco
    1/2 à 1 cuil. à café de sucre roux
    250 g de champignons coupés
       en tranches épaisses
    le jus d'1 citron vert, à votre goût
    sel et poivre noir du moulin
    18 feuilles de basilic thaï frais ou
       de basilic ordinaire, pour servir.

1 Chauffez la moitié de l'huile dans une casserole ou une sauteuse à couvercle. Ajoutez les aubergines et faites cuire à feu modéré, en remuant, jusqu'à ce qu'elles soient dorées. Retirez de la casserole et réservez.

2 Émincez 4 ou 5 échalotes, réservez. Faites dorer les autres échalotes entières dans l'huile restant dans la casserole, ajoutez un peu d'huile si nécessaire. Réservez avec les aubergines. Ajoutez le reste de l'huile et faites cuire les échalotes émincées avec les graines de fenouil, l'ail et le gingembre, jusqu'à ce qu'elles soient souples.

3 Ajoutez le bouillon de légumes, la citronnelle, les tiges et racines de coriandre hachées, les feuilles de citron vert et les piments entiers. Couvrez et laissez cuire 5 min à feu doux.

4 Incorporez 2 cuil. à soupe de pâte de curry ainsi que les patates douces. Laissez frémir 10 min, et remettez les aubergines et les échalotes dorées dans la casserole, faites cuire encore 5 min.

5 Ajoutez lait de coco et sucre. Assaisonnez, ajoutez les champignons et laissez frémir 5 min, ou jusqu'à ce que tous les légumes soient cuits.

6 Ajoutez de la pâte de curry et du jus de citron vert à votre goût, ainsi que des feuilles de coriandre. Rectifiez l'assaisonnement et versez les légumes dans des assiettes chaudes. Parsemez de feuilles de basilic et servez.

PANAIS ET POIS CHICHES, CRÈME À L'OIGNON, À L'AIL, AU PIMENT, ET AU GINGEMBRE

LA SAVEUR DOUCE DES PANAIS SE MARIE BIEN AVEC LES ÉPICES DE CE RAGOÛT DE LÉGUMES À L'INDIENNE. OFFREZ DU PAIN INDIEN POUR APPRÉCIER LA SAUCE SAVOUREUSE.

POUR 4 PERSONNES

INGRÉDIENTS

200 g de pois chiches secs, trempés toute la nuit dans l'eau froide et égouttés

7 gousses d'ail finement hachées

1 petit oignon haché

un morceau de 5 cm de racine de gingembre frais, hachée

2 piments verts épépinés et finement hachés

45 cl d'eau plus 5 cuil. à soupe

4 cuil. à soupe d'huile d'arachide

1 cuil. à café de graines de cumin

2 cuil. à café de graines de coriandre moulues

1 cuil. à café de curcuma

1/2 à 1 cuil. à café de piment en poudre ou de paprika doux

50 g de noix de cajou grillées et moulues

250 g de tomates pelées et hachées

900 g de panais coupés en morceaux

1 cuil. à café de graines de cumin rôties et moulues

le jus d'1 citron vert, à votre goût

sel et poivre noir du moulin

Pour servir

feuilles de coriandre fraîche

quelques noix de cajou grillées

1 Mettez les pois chiches dans une casserole, couvrez d'eau froide et portez à ébullition. Faites bouillir 10 min à feu vif, puis baissez le feu pour que l'eau bouille à petits bouillons et laissez cuire 1 h à 1 h 30, ou jusqu'à ce que les pois chiches soient tendres (le temps de cuisson dépend de l'âge des pois). Égouttez.

2 Réservez 2 cuil. à café d'ail haché et mettez le reste dans un robot avec l'oignon, le gingembre et la moitié des piments. Ajoutez 5 cuil. à soupe d'eau et mixez en pâte lisse.

3 Chauffez l'huile dans une sauteuse et faites cuire les graines de cumin 30 s. Ajoutez les graines de coriandre, le curcuma, le piment en poudre ou le paprika et les noix de cajou moulues. Ajoutez pâte de piment et gingembre et laissez cuire, en remuant souvent, jusqu'à ce que l'eau s'évapore. Ajoutez les tomates et faites cuire jusqu'à ce que le mélange devienne brun-rouge.

4 Ajoutez les pois chiches et les panais avec 45 cl d'eau, 1 cuil. à café de sel et beaucoup de poivre noir. Portez à ébullition, mélangez, et laissez frémir 15 à 20 min, à découvert, jusqu'à ce que les panais soient tendres.

5 Faites réduire le liquide à gros bouillons, si nécessaire, jusqu'à ce que la sauce épaississe. Ajoutez le cumin moulu avec du sel et/ou du jus de citron vert à votre goût. Incorporez l'ail et les piments verts réservés et laissez cuire encore 1 à 2 min. Parsemez de feuilles de coriandre fraîche et de noix de cajou grillées. Servez aussitôt.

CONSEIL

N'ajoutez pas de sel à l'eau de cuisson des pois chiches, cela les durcirait.

Les oignons sont des légumes à part entière,

et les recettes de ce chapitre montrent toute leur

importance. Des aliments comme le pain et le riz sont

particulièrement bons avec les oignons, l'ail, les poireaux

et la ciboulette. Les oignons sont savoureux rôtis ou cuits

avec d'autres légumes, auxquels ils ajoutent un délicieux

goût de caramel. Casserolée d'échalotes caramélisées,

anneaux d'oignons frits ou riz parfumé à la ciboulette,

les alliums sont indispensables pour donner

du piquant à nos repas.

Accompagnements

ÉCHALOTES CARAMÉLISÉES

CES ÉCHALOTES SONT EXCELLENTES AVEC DE LA VOLAILLE OU DE LA VIANDE BRAISÉE OU GRILLÉE, DINDE, PORC, VEAU ET BŒUF. ELLES SONT AUSSI SAVOUREUSES AVEC D'AUTRES LÉGUMES BRAISÉS OU RÔTIS, COMME LES MARRONS, LES CAROTTES OU DE LA COURGE SUCRINE.

POUR 4 À 6 PERSONNES

INGRÉDIENTS

50 g de beurre ou 4 cuil. à soupe
   d'huile d'olive

500 g d'échalotes ou petits oignons,
   pelés en gardant la base intacte

1 cuil. à soupe de sucre roux

2 cuil. à soupe de vin rouge ou blanc
   ou de porto

15 cl de bouillon de veau
   ou de poulet ou d'eau

2 ou 3 feuilles de laurier frais
   et/ou 2 ou 3 brins de thym frais

sel et poivre noir du moulin

persil frais haché, en garniture

1 Chauffez le beurre ou l'huile dans une grande poêle et ajoutez échalotes ou oignons en une seule couche. Faites cuire à feu doux, en les retournant.

2 Saupoudrez de sucre et laissez cuire à feu doux, en tournant les échalotes dans le jus, jusqu'à ce que le sucre commence à caraméliser. Ajoutez le vin ou le porto et laissez bouillonner 4 à 5 min.

3 Ajoutez le bouillon, le sel, le poivre et les herbes. Couvrez, faites cuire 5 min, découvrez, laissez cuire jusqu'à ce que le liquide s'évapore et que les échalotes soient tendres. Rectifiez l'assaisonnement et parsemez de persil.

VARIANTE
Échalotes aux marrons et à la pancetta
Faites cuire les échalotes dans le beurre avec 90 g de pancetta coupée en lanières. Remplacez le vin ou le porto par de l'eau ou du bouillon. Ajoutez 250 à 350 g de marrons à demi cuits à l'étape 3. Laissez cuire 5 à 10 min, et servez, parsemé de persil plat haché.

TOPINAMBOURS À L'AIL, AUX ÉCHALOTES ET AU LARD

LE GOÛT LÉGÈREMENT FUMÉ DES TOPINAMBOURS SE MARIE FORT BIEN AVEC LES ÉCHALOTES ET LE LARD FUMÉ. EXCELLENT AVEC DU POULET, DE LA MORUE AU FOUR OU DE LA LOTTE.

3 Salez et poivrez à votre goût et ajoutez l'eau. Couvrez et laissez cuire encore 8 à 10 min, en secouant la poêle de temps à autre.

4 Découvrez la poêle, montez le feu et laissez cuire 5 à 6 min, jusqu'à ce que le liquide soit évaporé et que les topinambours soient tendres.

POUR 4 PERSONNES

INGRÉDIENTS
50 g de beurre
120 g de lard fumé ou de pancetta, haché
800 g de topinambours pelés
8 à 12 gousses d'ail pelées
120 g d'échalotes hachées
5 cuil. à soupe d'eau
2 cuil. à soupe d'huile d'olive
25 g de chapelure blanche fraîche
2 ou 3 cuil. à soupe de persil frais haché
sel et poivre noir du moulin

1 Faites fondre la moitié du beurre dans une poêle, et faites revenir le lard haché ou la pancetta jusqu'à ce qu'il dore. Retirez la moitié du lard de la poêle et réservez.

2 Ajoutez les topinambours, l'ail et les échalotes et faites cuire, en remuant souvent, jusqu'à ce que les **topinambours** et l'ail commencent à dorer.

CONSEILS
Ne pelez pas les topinambours trop longtemps à l'avance, ils noirciraient rapidement. Si nécessaire, mettez-les dans une jatte d'eau acidulée de citron.

5 Dans une autre poêle, faites fondre le reste du beurre dans l'huile d'olive. Ajoutez la chapelure blanche et faites cuire à feu modéré, en remuant fréquemment, jusqu'à ce qu'elle soit croustillante et dorée. Incorporez le persil haché et le lard ou la pancetta réservés.

6 Mélangez les topinambours et la préparation avec la chapelure. Rectifiez l'assaisonnement, si nécessaire, puis versez dans un plat de service chaud. Servez aussitôt.

CHAMP

Ce plat irlandais traditionnel de pommes de terre, ciboules et lait aigre, est enrichi par une bonne quantité de beurre.

2 Mettez le lait, les ciboules et la moitié du beurre dans une petite casserole et posez sur feu doux jusqu'à frémissement. Laissez cuire 2 ou 3 min, jusqu'à ce que le beurre soit fondu et que les ciboules soient souples.

3 Incorporez à la cuillère en bois le mélange de lait aux pommes de terre écrasées. Ajoutez le lait aigre ou la crème fraîche et battez jusqu'à ce que le mélange soit mousseux. Réchauffez à feu doux, salez et poivrez à votre goût.

4 Versez les pommes de terre dans un plat de service chaud et faite un puits au centre avec une cuillère. Mettez le reste du beurre dans le puits et laissez fondre. Servez aussitôt, parsemé de ciboule.

VARIANTES

• **Colcannon** Autre spécialité irlandaise. Suivez la recette principale, avec la moitié de beurre. Faites cuire environ 500 g de chou vert finement émincé dans un peu d'eau jusqu'à ce qu'il soit tendre, égouttez et incorporez dans les pommes de terre en purée. Délicieux avec des saucisses et du lard grillé ou poêlé dans le beurre puis doré légèrement sous le gril.

• **Clapshot** Pour ce plat écossais, remplacez la moitié des pommes de terre par des rutabagas. Utilisez moins de beurre et supprimez la crème, assaisonnez de poivre noir et de beaucoup de muscade. Traditionnellement, on fait cuire un oignon haché avec les pommes de terre et le rutabaga.

POUR 4 PERSONNES

INGRÉDIENTS

   1 kg de pommes de terre
     farineuses, coupées en morceaux
   25 cl de lait
   1 botte de ciboules finement
     émincées, plus quelques-unes
     pour décorer
   120 g de beurre légèrement salé
   4 cuil. à soupe de lait aigre (Ribot)
     ou de crème fraîche
   sel et poivre noir du moulin

1 Faites bouillir les pommes de terre 20 à 25 min, elles doivent être tendres. Égouttez et écrasez à la fourchette.

PURÉE DE FENOUIL, POMMES DE TERRE ET AIL

CETTE PURÉE DE POMMES DE TERRE PARFUMÉE DE FENOUIL ET D'AIL SE MARIE PARTICULIÈREMENT BIEN AVEC DU POISSON, DU POULET OU DU PORC RÔTI.

POUR 4 PERSONNES

INGRÉDIENTS

1 tête d'ail séparée en gousses
800 g de pommes de terre
  farineuses coupées en gros
  morceaux
2 gros bulbes de fenouil
70 g de beurre ou 6 cuil. à soupe
  d'huile d'olive vierge extra
12 à 15 cl de lait ou de crème
  allégée
muscade fraîchement râpée
sel et poivre noir du moulin

1 Pelez les gousses, sauf si vous utilisez un moulin à légumes. Faites bouillir l'ail avec les pommes de terre 20 min à l'eau salée.

2 Épluchez et hachez grossièrement le fenouil, en réservant les feuilles. Hachez les feuilles et réservez. Chauffez 25 g de beurre ou 2 cuil. à soupe d'huile dans une casserole à fond épais. Ajoutez le fenouil, couvrez et laissez cuire 20 à 30 min à feu doux, jusqu'à ce qu'il soit tendre mais non coloré.

3 Égouttez et écrasez les pommes de terre. Réduisez le fenouil en purée au moulin à légumes et incorporez aux pommes de terre avec le reste du beurre ou de l'huile.

CONSEIL

Le moulin à légumes est parfait pour écraser les pommes de terre. N'utilisez pas de robot ou de blender, la purée serait collante.

4 Chauffez le lait ou la crème et incorporez à la purée pour donner un mélange léger et crémeux. Assaisonnez à votre goût et ajoutez de la muscade.

5 Réchauffez à feu doux, et incorporez les feuilles de fenouil. Versez dans un plat chaud et servez aussitôt.

VARIANTES

• Pour un parfum plus aillé, ajoutez 2 ou 3 cuil. à soupe de purée d'ail rôti.
• Pour un parfum de fenouil plus prononcé, faites cuire 1/2 à 1 cuil. à café de graines de fenouil avec le fenouil.
• Remplacez tout ou partie du lait ou de la crème par du bouillon chaud (le bouillon de poisson est très bon).
• Remplacez la moitié du lait (ou crème) par 5 cuil. à soupe de jus d'orange et la muscade par du zeste d'orange râpé.

OIGNONS RÔTIS À L'AIGRE-DOUCE

DÉLICIEUX AVEC DU PORC OU DE L'AGNEAU RÔTI, OU AVEC UN PILAF DE BLÉ CONCASSÉ.

POUR 4 PERSONNES

INGRÉDIENTS
    4 gros oignons
    4 cuil. à soupe d'huile d'olive
    2 cuil. à café de graines de coriandre
    écrasées
    1 cuil. à soupe de miel
    2 cuil. à soupe de mélasse de grenade
    1 cuil. à soupe de vinaigre de xérès
    sel et poivre noir du moulin

CONSEIL
La mélasse de grenade est faite en faisant
bouillir le jus des fruits pour donner un
liquide épais et collant, au délicieux
goût aigre-doux. Vous la trouverez dans
les épiceries orientales et certains
supermarchés. Produit irremplaçable.

1 Coupez les oignons en quartiers.
Préchauffez le four à 200 °C (th. 7).
Mettez les oignons, l'huile d'olive
et la coriandre écrasée dans un plat
à four et mélangez à la main.
Assaisonnez à votre goût et faites
rôtir 20 min.

2 Mélangez le miel, la mélasse
de grenade et le vinaigre avec 1 cuil.
à soupe d'eau. Arrosez les oignons
avec ce liquide et mélangez. Baissez la
température du four à 180 °C (th. 6) et
laissez cuire encore 20 à 30 min, jusqu'à
ce qu'ils soient dorés. Servez aussitôt.

OIGNONS ROUGES AU FROMAGE ET AU BEURRE DE TOMATES SÉCHÉES

LES OIGNONS RÔTIS DANS LEUR PEAU DEVIENNENT MOELLEUX ET SUCRÉS. POUR METTRE EN VALEUR
LEUR SUAVITÉ, IL LEUR FAUT DU BEURRE, BEAUCOUP DE POIVRE ET DES PLATS SALÉS.

POUR 6 PERSONNES

INGRÉDIENTS
    6 oignons rouges de grosseur
    uniforme, non pelés
    180 à 220 g de fromage s'émiettant
    (cantal, lancashire, chester), émincé
    quelques brins de ciboulette ciselée
    sel et poivre noir du moulin
Pour le beurre de tomates séchées
    120 g de beurre mou
    70 g de tomates séchées à l'huile
    d'olive, égouttées et finement
    hachées
    2 cuil. à soupe de basilic frais
    haché ou de persil

VARIANTES
• Remplacez le cantal par du chèvre.
• Faites frire de la chapelure blanche
fraîche dans le beurre avec un peu d'ail
et mélangez avec beaucoup de persil
frais haché. Éparpillez sur les oignons
avant de servir.

1 Préchauffez le four à 180 °C.
Mettez les oignons non pelés dans
un plat à four et faites rôtir 1 h 15 à
1 h 30, jusqu'à ce qu'ils soient tendres
et souples sous la pression du doigt.

2 Préparez le beurre de tomates
séchées. Battez le beurre en crème
puis incorporez les tomates et le basilic
ou le persil. Salez et poivrez et formez
en boudin, puis enveloppez de papier
d'aluminium et mettez au frais.

3 Fendez le haut des oignons et
écartez. Assaisonnez de beaucoup de
poivre et ajoutez des rondelles de beurre
de tomates. Parsemez de fromage et
de ciboulette et dégustez aussitôt, en
écrasant le beurre et le fromage dans
la chair onctueuse et sucrée de l'oignon.

CONSEIL
Les tomates séchées sont faciles à
hacher si vous les ciselez en petits
morceaux avec des ciseaux de cuisine.

GRATIN DE POMMES DE TERRE ET D'OIGNONS

Voici une façon simple mais délicieuse de cuire les pommes de terre avec des oignons. Choisissez un bouillon qui se marie avec le plat principal. Vous pouvez aussi le remplacer par de l'eau et ajouter du lard pour donner du goût.

POUR 4 À 6 PERSONNES

INGRÉDIENTS
40 g de beurre ou 3 cuil. à soupe d'huile d'olive
2 à 4 gousses d'ail finement hachées
900 g de pommes de terre émincées
450 g d'oignons finement émincés
45 cl de bouillon de poulet, bœuf, agneau ou poisson
sel et poivre noir du moulin

VARIANTES
• Alternez 180 g de fromage finement émincé avec les pommes de terre. Environ 15 à 20 min avant la fin de la cuisson, saupoudrez le gratin de 50 g de fromage râpé, parsemez de beurre et terminez la cuisson. Cette version est aussi très bonne avec des poireaux.
• Pour agrémenter le dessus, émiettez 170 g de fromage de chèvre sur le gratin 15 min avant la fin de la cuisson.

1 Graissez un plat à gratin d'une contenance de 1,5 l avec la moitié du beurre ou de l'huile. Préchauffez le four à 180 °C (th. 6).

2 Éparpillez un peu d'ail haché sur le fond du plat puis étalez les pommes de terre et les oignons alternativement, en assaisonnant chaque couche de sel et de poivre et en ajoutant le reste de l'ail. Terminez par une couche de pommes de terre se chevauchant.

3 Portez le bouillon à ébullition dans une casserole et versez sur le gratin. Parsemez le dessus du reste du beurre coupé en petits morceaux, ou arrosez du reste de l'huile d'olive. Couvrez avec du papier d'aluminium et faites cuire 1 h 30 au four.

4 Montez la température du four à 200 °C (th. 7). Découvrez le gratin et laissez cuire encore 35 à 40 min, jusqu'à ce que les pommes de terre soient bien cuites et le dessus doré et croustillant. Servez aussitôt.

GRATIN DE TOMATES, POIREAUX ET COURGE

CE GRATIN AUTOMNAL ACCOMPAGNE BIEN L'AGNEAU RÔTI OU GRILLÉ OU LE POULET.
VOUS POUVEZ AUSSI LE SERVIR SEUL POUR LE DÎNER, AVEC UNE SALADE VERTE ET DU BON PAIN.

4 Chauffez la crème dans une petite casserole avec le piment et l'ail. Portez à ébullition puis incorporez la menthe et versez sur le gratin, en raclant le contenu de la casserole.

POUR 4 À 6 PERSONNES

INGRÉDIENTS

    450 g de courge épépinée et pelée, coupée en tranches de 1 cm
    4 cuil. à soupe d'huile d'olive
    450 g de poireaux coupés en biais en épaisses rondelles
    700 g de tomates pelées et coupées en tranches épaisses
    1/2 cuil. à café de graines de cumin grillées et moulues
    45 cl de crème allégée
    1 piment rouge frais épépiné émincé
    1 gousse d'ail finement hachée
    1 cuil. à soupe de menthe hachée
    2 cuil. à soupe de persil frais haché
    4 cuil. à soupe de chapelure fine
    sel et poivre noir du moulin

1 Faites cuire la courge 10 min à la vapeur, sur de l'eau bouillante salée.

2 Chauffez la moitié de l'huile dans une poêle et faites à peine colorer les poireaux 5 à 6 min à feu doux en laissant les tranches intactes. Préchauffez le four à 190 °C (th. 6).

3 Mettez la courge, les poireaux et les tomates dans un plat à gratin de 2 l, en les disposant en rangées. Assaisonnez de sel, poivre et cumin.

5 Faites cuire 50 à 55 min ou jusqu'à ce que le gratin bouillonne et que les légumes soient tendres. Parsemez de persil et de chapelure et arrosez de l'huile restante. Faites cuire encore 15 à 20 min, jusqu'à ce que la chapelure soit croustillante. Servez aussitôt.

LAITUES BRAISÉES ET PETITS POIS AUX CIBOULES ET À LA MENTHE

RECETTE PRINTANIÈRE CLASSIQUE ET DÉLICIEUSE QUI ASSOCIE LES PETITS POIS ET LES LAITUES BRAISÉES DANS LE BEURRE. ACCOMPAGNE PARFAITEMENT LE POISSON OU LE CANARD RÔTI.

POUR 4 PERSONNES

INGRÉDIENTS

   50 g de beurre

   4 laitues pommées coupées en deux

   2 bottes de ciboules épluchées

   1 cuil. à café de sucre en poudre

   400 g de petits pois écossés

     (environ 1,2 kg en cosses)

   4 brins de menthe fraîche

   12 cl de bouillon de légumes

     ou de poulet, ou d'eau

   1 cuil. à soupe de menthe fraîche

     hachée

sel et poivre noir du moulin

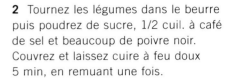

1 Faites fondre la moitié du beurre à feu doux dans une grande casserole. Ajoutez les laitues et les ciboules.

2 Tournez les légumes dans le beurre puis poudrez de sucre, 1/2 cuil. à café de sel et beaucoup de poivre noir. Couvrez et laissez cuire à feu doux 5 min, en remuant une fois.

3 Ajoutez les petits pois et les brins de menthe. Tournez les pois dans le jus et arrosez de bouillon ou d'eau, puis couvrez et laissez cuire encore 5 min à feu doux. Découvrez et montez le feu pour faire réduire le liquide à quelques cuillerées à soupe.

4 Incorporez le reste du beurre et rectifiez l'assaisonnement. Versez dans un plat de service chaud et parsemez de menthe hachée. Servez aussitôt.

VARIANTES

• Faites braiser 250 g de jeunes carottes avec les laitues.

• N'utilisez qu'une laitue, en la déchirant grossièrement et supprimez la menthe. Vers la fin de la cuisson, incorporez environ 150 g de roquette (de préférence la roquette sauvage, plus piquante) et laissez fondre brièvement.

• Faites frire dans le beurre 120 g de lard fumé haché ou de pancetta avec 1 petit oignon haché. Utilisez une seule botte de ciboules et supprimez la menthe. Ajoutez du persil haché avant de servir. Cette version est aussi très bonne avec des petits navets d'été, braisés avec la laitue.

POIREAUX BRAISÉS AUX CAROTTES

LES CAROTTES SUCRÉES SE MARIENT BIEN AVEC LES POIREAUX, LA MENTHE, LE CERFEUIL OU LE PERSIL. VOICI UN BON ACCOMPAGNEMENT POUR DU BŒUF RÔTI, DE L'AGNEAU OU DU POULET.

POUR 6 PERSONNES

INGRÉDIENTS
- 70 g de beurre
- 700 g de carottes coupées en épaisses rondelles
- 2 feuilles de laurier frais
- sucre en poudre
- 5 cuil. à soupe d'eau
- 700 g de poireaux coupés en tronçons de 5 cm
- 12 cl de vin blanc
- 2 cuil. à soupe de menthe fraîche hachée, de cerfeuil ou de persil
- sel et poivre noir du moulin

1 Faites fondre 25 g de beurre dans une casserole et faites cuire les carottes 4 à 5 min à feu doux, sans les laisser dorer.

2 Salez, poivrez, ajoutez laurier, sucre et eau. Portez à ébullition, couvrez et laissez cuire 10 à 15 min, les carottes doivent être tendres. Découvrez, faites évaporer le jus, en laissant les carottes moelleuses et confites.

3 Pendant ce temps, faites fondre 25 g de beurre dans une casserole ou une sauteuse assez grande pour accepter les poireaux en une seule couche. Ajoutez les poireaux et faites cuire dans le beurre 4 à 5 min à feu doux, sans les laisser colorer.

5 Découvrez et tournez les poireaux dans la sauce. Montez le feu puis faites réduire la sauce à quelques cuillerées, à feu vif.

VARIANTE
Poireaux braisés à la crème d'estragon
Faites cuire 900 g de poireaux dans 40 g de beurre comme ci-dessus. Salez, poivrez, ajoutez une pincée de sucre, 3 cuil. à soupe de vinaigre d'estragon, 6 brins d'estragon frais ou 1 cuil. à café d'estragon séché et 4 cuil. à soupe de vin blanc. Couvrez et faites cuire comme ci-dessus. Ajoutez 15 cl de crème épaisse et laissez épaissir. Rectifiez l'assaisonnement et servez parsemé d'estragon frais haché.

4 Ajoutez sel et poivre, une bonne pincée de sucre, le vin et la moitié de la menthe (ou autres herbes). Couvrez et laissez cuire 5 à 8 min à feu doux, les poireaux doivent être tendres.

6 Ajoutez les carottes aux poireaux et réchauffez à feu doux puis ajoutez le reste du beurre. Si nécessaire, rectifiez l'assaisonnement. Transférez dans un plat de service chaud et servez saupoudré du reste des herbes.

CHOU AUX OIGNONS, AU LARD ET À L'AIL

*SERVEZ CE PLAT RAPIDE, FACILE À PRÉPARER ET SAVOUREUX AVEC DE L'OIE, DE LA DINDE OU
DU PORC, OU ENCORE AVEC DES SAUCISSES ET DE LA PURÉE DE POMMES DE TERRE.*

POUR 4 PERSONNES

INGRÉDIENTS
    25 g de beurre ou de saindoux,
        ou 2 cuil. à soupe d'huile d'olive
    120 g de lard haché ou de pancetta
    1 oignon coupé en deux et finement
        émincé
    1 cuil. à café de graines de carvi
        ou de cumin (facultatif)
    2 gousses d'ail finement hachées
    1 chou vert, trognon retiré et feuilles
        déchirées
    7 cuil. à soupe d'eau
    sel et poivre noir du moulin

1 Chauffez le beurre ou l'huile dans
une grande poêle à feu doux. Faites
cuire le lard ou la pancetta et l'oignon
à feu doux, l'oignon doit être souple.

2 Montez un peu le feu, éparpillez
les graines de carvi ou de cumin
(facultatif), et faites cuire, en remuant
de temps à autre, jusqu'à ce que
l'oignon commence à colorer.

3 Ajoutez l'ail haché et faites sauter
environ 2 min.

4 Ajoutez le chou et tournez-le
dans le jus pour l'enrober, puis ajoutez
1 cuil. à café de sel et l'eau. Couvrez
hermétiquement et laissez cuire 5 à
6 min à feu vif, en remuant une fois.
Le chou doit être tendre mais encore
croquant. Poivrez à votre goût et
servez aussitôt.

ANNEAUX D'OIGNONS FRITS

*CES ANNEAUX FRITS SONT TOUJOURS APPRÉCIÉS AVEC LES VIANDES GRILLÉES. ILS OFFRENT AUSSI
UN CONTRASTE CROUSTILLANT AVEC DES ŒUFS DURS DANS UNE SAUCE À L'OIGNON.*

POUR 4 PERSONNES

INGRÉDIENTS
    2 oignons d'Espagne, émincés
    1 gros blanc d'œuf légèrement battu
    4 cuil. à soupe de farine
    huile d'arachide pour friture
    sel et poivre noir du moulin

1 Séparez les tranches d'oignons en
anneaux. Trempez dans le blanc d'œuf.

2 Assaisonnez la farine de sel et de
poivre, et farinez les anneaux d'oignon,
un par un, en secouant la farine
en excès.

3 Chauffez l'huile pour la friture
à 190 °C (un dé de pain doit dorer
en 30 à 40 s). Faites frire les anneaux
3 ou 4 min, jusqu'à ce qu'ils soient
dorés et croustillants. Égouttez sur
du papier absorbant et servez aussitôt.

VARIANTES
• Faites tremper des anneaux d'oignon
rouge dans le lait 30 min. Égouttez
et tournez dans la semoule à polenta
mélangée avec une pincée de flocons de
piment rouge, de paprika et de graines
de cumin grillées et moulues. Faites frire.
• Mélangez 6 cuil. à soupe de farine de
pois chiche (gram) avec 1/2 cuil. à café
de cumin moulu, autant de coriandre
moulue, de piment en poudre et de
garam masala. Salez, poivrez, ajoutez
1 piment vert haché et 2 cuil. à soupe
de coriandre fraîche hachée. Ajoutez
4 cuil. à soupe d'eau froide pour faire
une pâte épaisse. Trempez les anneaux
dans la pâte et faites frire.
• Battez 2 jaunes d'œufs avec 15 cl
d'eau pétillante glacée. Incorporez 120 g
de farine avec poudre levante et une
pincée de sel, sans écraser les grumeaux.
Trempez les anneaux dans la pâte et
faites frire.

POMMES DE TERRE AU FENOUIL, AUX OIGNONS, À L'AIL ET AU SAFRAN

LES POMMES DE TERRE, LE FENOUIL ET LES OIGNONS PARFUMÉS D'AIL, DE SAFRAN ET D'ÉPICES FORMENT UN ACCOMPAGNEMENT ORIGINAL ET SAVOUREUX POUR LE POISSON OU LE POULET.

POUR 4 À 6 PERSONNES

INGRÉDIENTS

500 g de petites pommes de terre
à chair ferme, coupées en
morceaux
une bonne pincée de filaments
de safran (12 ou 15 filaments)
1 tête d'ail séparée en gousses
12 petits oignons rouges ou jaunes,
pelés mais entiers
3 bulbes de fenouils coupés
en quartiers, feuillage réservé
4 à 6 feuilles de laurier frais
6 à 9 brins de thym
18 cl de bouillon de poulet
ou de légumes
2 cuil. à soupe de vinaigre de xérès
1/2 cuil. à café de sucre
1 cuil. à café de graines de fenouil
légèrement écrasées
1/2 cuil. à café de paprika
3 cuil. à soupe d'huile d'olive
sel et poivre noir du moulin

1 Faites cuire les pommes de terre
8 à 10 min à l'eau bouillante salée.
Égouttez. Préchauffez le four à 190 °C
(th. 6). Faites tremper le safran 10 min
dans 2 cuil. à soupe d'eau chaude.

2 Pelez et hachez finement 2 gousses
d'ail. Mettez les pommes de terre,
oignons, gousses d'ail non pelées, fenouil,
laurier et thym dans un plat à rôtir.

3 Mélangez le bouillon avec le safran
et son eau de trempage, le vinaigre et le
sucre et versez sur les légumes. Ajoutez
les graines de fenouil, le paprika, l'ail
et l'huile, salez et poivrez.

4 Faites cuire 1 h à 1 h 30, en remuant
à l'occasion, les légumes doivent être
tendres. Parsemez des feuilles de
fenouil réservées et hachées et servez.

PATATES DOUCES RÔTIES AUX OIGNONS ET AUX BETTERAVES, PÂTE AU GINGEMBRE

LES PATATES DOUCES ET LA BETTERAVE RÔTIES, DÉLICIEUSEMENT SUCRÉES, SONT EXCELLENTES AVEC LES OIGNONS SALÉS ET LA PÂTE AU GINGEMBRE, AU LAIT DE COCO ET À L'AIL.

POUR 4 PERSONNES

INGRÉDIENTS

2 cuil. à soupe d'huile d'arachide
450 g de patates douces pelées
et coupées en gros morceaux
4 betteraves cuites, pelées et
coupées en quartiers
450 g de petits oignons rouges
ou jaunes coupés en deux
1 cuil. à café de graines de coriandre
légèrement écrasées
3 ou 4 petits piments rouges frais
sel et poivre noir du moulin
coriandre fraîche hachée,
en garniture
Pour la pâte
2 grosses gousses d'ail hachées
1 ou 2 piments verts épépinés
et hachés
1 cuil. à soupe de racine
de gingembre frais haché
3 cuil. à soupe de coriandre fraîche
hachée
5 cuil. à soupe de lait de coco
2 cuil. à soupe d'huile d'arachide
le zeste râpé d'1/2 citron vert
1/2 cuil. à café de sucre roux

1 Commencez par la pâte. Mixez l'ail au robot avec les piments, le gingembre, la coriandre et le lait de coco.

2 Versez la pâte dans un petit bol et incorporez l'huile, le zeste de citron vert et le sucre roux. Préchauffez le four à 200 °C (th. 7).

3 Chauffez l'huile 5 min au four, dans un plat à rôtir. Ajoutez la patate douce, les betteraves, oignons et graines de coriandre, en les tournant dans l'huile. Faites rôtir 10 min.

4 Incorporez la pâte et les piments rouges entiers. Salez et poivrez bien et tournez les légumes pour les enrober de pâte.

5 Faites rôtir les légumes encore 25 à 35 min ou jusqu'à ce que les patates douces et les oignons soient bien tendres. Remuez deux ou trois fois pour empêcher la pâte de coller au plat. Servez aussitôt, parsemé d'un peu de coriandre fraîche hachée.

CONSEIL
Les patates douces à chair orange sont plus jolies et plus nutritives que les patates à chair blanche.

GUACAMOLE

CE PLAT EST PRESQUE DEVENU UN CLICHÉ DE LA CUISINE TEX-MEX. ON LE SERT EN ENTRÉE AVEC DU PAIN OU DES CHIPS. BIEN ASSAISONNÉ, C'EST UN BON ACCOMPAGNEMENT POUR LE POISSON, LA VOLAILLE OU LA VIANDE SIMPLEMENT GRILLÉS, SURTOUT LE STEAK.

POUR 4 PERSONNES

INGRÉDIENTS

2 gros avocats mûrs
1 petit oignon très finement haché
1 piment rouge ou vert épépiné
  et très finement haché
1/2 à 1 gousse d'ail écrasée avec
  un peu de sel (facultatif)
le zeste finement prélevé de 1/2 citron
  vert et le jus de 1 citron vert
une pincée de sucre en poudre
250 g de tomates épépinées
  et hachées
2 cuil. à soupe de coriandre fraîche
  grossièrement hachée
1 cuil. à café de graines de cumin
  grillées et moulues
1 cuil. à soupe d'huile d'olive
1 ou 2 cuil. à soupe de crème acidulée
  d'un jus de citron (facultatif)
sel et poivre noir du moulin
quartiers de citron vert, trempés
  dans de la fleur de sel et brins de
  coriandre fraîche, en garniture

1 Partagez, dénoyautez et pelez les avocats. Réservez une moitié et écrasez grossièrement le reste à la fourchette dans une jatte.

CONSEIL
En laissant une partie de l'avocat en dés, on ajoute une texture différente. Si vous préférez, vous pouvez écraser tout l'avocat. Les avocats trop durs s'assouplissent en quelques secondes au four à micro-ondes. Vérifiez fréquemment le degré de moelleux.

2 Ajoutez oignon, piment, ail (facultatif), zeste de citron vert, jus d'1 citron vert, sucre, tomates, coriandre, cumin moulu. Ajoutez sel, poivre et jus de citron vert à votre goût. Incorporez l'huile d'olive.

3 Coupez en dés la moitié d'avocat, ajoutez au guacamole, couvrez et laissez reposer 15 min. Incorporez la crème (facultatif). Servez aussitôt avec des quartiers de citron vert trempés dans du sel, et des brins de coriandre.

DHAL DE LENTILLES À L'AIL RÔTI ET AUX ÉPICES ENTIÈRES

CE DHAL ÉPICÉ AUX LENTILLES FORME UN REPAS CHALEUREUX ET NOURRISSANT, AVEC DU RIZ OU DES PAINS INDIENS ET DU CHOU-FLEUR OU DES POMMES DE TERRE.

POUR 4 À 6 PERSONNES

INGRÉDIENTS

- 40 g de beurre ou de ghee
- 1 oignon haché
- 2 piments verts épépinés et hachés
- 1 cuil. à soupe de racine de gingembre frais haché
- 225 g de lentilles jaunes ou orange
- 90 cl d'eau
- 3 cuil. à soupe de purée d'ail rôti
- 1 cuil. à café de cumin moulu
- 1 cuil. à café de coriandre moulue
- 200 g de tomates détaillées en dés
- un peu de jus de citron
- sel et poivre noir du moulin
- 3 ou 4 cuil. à soupe de brins de coriandre et des tranches d'oignon et d'ail frits, en garniture

Pour le mélange d'épices
- 2 cuil. à soupe d'huile d'arachide
- 4 ou 5 échalotes émincées
- 2 gousses d'ail finement émincées
- 15 g de beurre ou ghee
- 1 cuil. à café de graines de cumin
- 1 cuil. à café de graines de moutarde
- 3 ou 4 petits piments rouges séchés
- 8 à 10 feuilles fraîches de curry

1 Faites fondre le beurre ou le ghee dans une grande casserole et faites dorer 10 min oignon, piments et gingembre.

2 Ajoutez les lentilles et l'eau et portez à ébullition, baissez le feu et couvrez à demi. Laissez frémir 50 à 60 min, en remuant de temps en temps, jusqu'à consistance de soupe très épaisse.

3 Incorporez la purée d'ail, le cumin et la coriandre moulue, salez et poivrez à votre goût. Laissez cuire encore 10 à 15 min, à découvert, en remuant souvent.

4 Incorporez les tomates et rectifiez l'assaisonnement, en ajoutant un peu de jus de citron, à votre goût.

5 Pour le mélange d'épices, chauffez l'huile dans une petite casserole à fond épais. Ajoutez les échalotes et faites revenir à feu moyen, en remuant de temps à autre, jusqu'à ce qu'elles soient dorées. Ajoutez l'ail et faites cuire en remuant souvent, jusqu'à ce qu'il soit doré. Retirez avec une écumoire et réservez.

6 Faites fondre le beurre ou le ghee dans la même casserole. Faites frire les graines de cumin et de moutarde. Ajoutez les piments, les feuilles de curry et les échalotes réservées, et versez aussitôt le mélange dans le dhal cuit. Garnissez de coriandre, oignons et ail et servez.

RIZ AU SAFRAN, À L'OIGNON ET LA CARDAMOME

*CE DÉLICIEUX PILAF CRÉMEUX ET PARFUMÉ EST EXCELLENT AVEC DES PLATS INDIENS
OU DU MOYEN-ORIENT, SURTOUT LES PLATS À BASE DE FRUITS DE MER, POULET OU AGNEAU.*

POUR 4 PERSONNES

INGRÉDIENTS
  350 g de riz basmati
  une bonne pincée de filaments
    de safran (environ 15 filaments)
  25 g de beurre
  1 oignon finement haché
  6 gousses vertes de cardamome
    légèrement écrasées
  1 cuil. à café de sel
  2 ou 3 feuilles de laurier frais
  60 cl de bouillon de poulet
    ou de légumes bien parfumé,
    ou d'eau

1 Mettez le riz dans une passoire et rincez sous l'eau froide courante. Versez dans une jatte, couvrez d'eau froide et laissez tremper 30 à 40 min. Égouttez dans la passoire.

2 Faites griller les filaments de safran à sec dans une poêle, 1 ou 2 min à feu doux, puis mettez dans un bol et ajoutez 3 cl d'eau chaude. Laissez tremper 10 à 15 min.

3 Faites fondre le beurre dans une casserole et laissez cuire l'oignon avec la cardamome 8 à 10 min à feu très doux, jusqu'à ce qu'il soit souple et jaune.

4 Ajoutez le riz égoutté et mélangez pour enrober les grains. Ajoutez sel et laurier, puis le bouillon et le safran avec son eau. Portez à ébullition, remuez, et baissez le feu à très doux et couvrez. Laissez cuire 10 à 12 min, jusqu'à ce que le riz ait absorbé tout le liquide.

5 Posez un torchon plié sur la casserole sous le couvercle et appuyez pour le fixer en place. Laissez reposer 10 à 15 min.

6 Détachez les grains à la fourchette. Versez dans un plat de service chaud et servez aussitôt.

CONSEIL
Après avoir bouilli et quand tout le liquide est absorbé, le riz basmati finit de cuire et s'attendrit dans sa propre chaleur. En glissant un torchon plié sous le couvercle, la chaleur reste dans le riz et la vapeur est absorbée.

RIZ À LA CIBOULETTE ET AUX CHAMPIGNONS

LE RIZ EST PÉNÉTRÉ DE L'ARÔME PIQUANT DE LA CIBOULETTE AILLÉE, EN DONNANT UN PLAT SAVOUREUX. SERVEZ AVEC DES PLATS VÉGÉTARIENS, DU POISSON OU DU POULET.

3 Ajoutez le riz aux oignons et faites revenir 4 à 5 min à feu doux, en remuant souvent. Versez le bouillon puis ajoutez 1 cuil. à café de sel et un tour de moulin à poivre. Portez à ébullition, mélangez et baissez le feu à très doux. Couvrez hermétiquement et laissez cuire environ 15 à 20 min, jusqu'à ce que le riz ait absorbé tout le liquide.

4 Posez un torchon plié sous le couvercle et appuyez pour le fixer en place. Laissez reposer 10 min, pour que le torchon absorbe la vapeur et que le riz devienne très tendre.

POUR 4 PERSONNES

INGRÉDIENTS
350 g de riz à longs grains
4 cuil. à soupe d'huile d'arachide
1 petit oignon finement haché
2 piments verts épépinés
  et finement hachés
25 g de ciboulette aillée, hachée
15 g de coriandre fraîche
60 cl de bouillon de légumes
  ou de champignons
1 cuil. à café de sel
250 g de champignons mélangés,
  émincés en tranches épaisses
50 g de noix de cajou grillées
  dans 1 cuil. à soupe d'huile
poivre noir du moulin

1 Lavez et égouttez le riz. Chauffez la moitié de l'huile dans une casserole et faites cuire l'oignon et les piments à feu doux 10 à 12 min, en remuant de temps à autre, ils doivent être souples.

2 Réservez la moitié de la ciboulette. Retirez les tiges de la coriandre et réservez les feuilles. Mixez le reste de la ciboulette et les tiges de coriandre avec le bouillon au robot.

CONSEIL
Les champignons sauvages sont chers, mais très parfumés. Il est plus économique de les mélanger avec des champignons cultivés. Choisissez des cèpes, chanterelles, girolles, morilles ou des pleurotes.

5 Chauffez le reste de l'huile dans une poêle et faites cuire les champignons 5 à 6 min, jusqu'à ce qu'ils soient tendres. Ajoutez le reste de la ciboulette et laissez cuire encore 1 à 2 min.

6 Incorporez les champignons et les feuilles de coriandre hachées au riz. Rectifiez l'assaisonnement, versez dans un plat chaud et servez aussitôt parsemé de noix de cajou.

PAIN AUX OIGNONS, AU PARMESAN ET AUX OLIVES

CE PAIN FAIT DE SAVOUREUX SANDWICHES ; COUPÉ EN TRANCHES ÉPAISSES ET TREMPÉ DANS L'HUILE, IL DONNE UN PARFAIT EN-CAS. IL EST EXCELLENT GRILLÉ, COMME BASE DE BRUSCHETTA PAR EXEMPLE, OU POUR DES DÉLICIEUX CROÛTONS DANS LA SALADE.

POUR UN GRAND PAIN OU DEUX PETITS

INGRÉDIENTS

   350 g de farine
   120 g de semoule jaune de maïs
   1 cuil. à café de sel
   15 g de levure de boulanger fraîche
     ou 2 cuil. à café de levure
     lyophilisée
   1 cuil. à café de sucre roux
   27 cl d'eau chaude
   1 cuil. à café de thym frais haché
   2 cuil. à soupe d'huile d'olive
     plus un peu pour graisser
     le moule
   1 oignon finement haché
   80 g de parmesan fraîchement
     râpé
   90 g d'olives noires dénoyautées,
     coupées en deux

1 Mélangez farine, semoule de maïs et sel dans une jatte. Si vous utilisez de la levure fraîche, écrasez-la en crème avec le sucre et incorporez peu à peu 12 cl d'eau chaude. Si vous utilisez de la levure lyophilisée, faites fondre le sucre dans l'eau puis saupoudrez la levure sur la surface. Laissez reposer 10 min dans un endroit chaud.

2 Faites un puits au centre des ingrédients secs et versez la levure en ajoutant 15 cl d'eau chaude.

3 Ajoutez le thym frais haché, 1 cuil. à soupe d'huile d'olive et mélangez intimement à la cuillère en bois, en incorporant peu à peu les ingrédients secs. Ajoutez un peu d'eau chaude, si nécessaire, pour obtenir une pâte souple mais non collante.

4 Pétrissez la pâte 5 min, sur une surface farinée, jusqu'à ce qu'elle soit souple et élastique. Mettez dans une jatte huilée puis dans un sac en plastique. Laissez lever dans un endroit chaud, 1 à 2 h ou jusqu'à ce qu'elle soit bien gonflée.

5 Chauffez le reste de l'huile d'olive dans une poêle à fond épais. Ajoutez l'oignon et faites cuire 8 min à feu assez doux, en remuant de temps à autre, jusqu'à ce qu'il soit souple, sans colorer. Laissez refroidir.

6 Huilez une plaque à pâtisserie. Retournez la pâte sur une surface farinée. Incorporez les oignons en pétrissant, puis le parmesan et les olives.

7 Formez la pâte en une ou deux miches ovales. Éparpillez un peu de semoule sur la surface de travail et roulez le pain sur la semoule, puis mettez-le sur la plaque. Faites plusieurs incisions sur le dessus.

8 Glissez la plaque dans le sac en plastique et laissez lever 1 h dans un endroit chaud, ou jusqu'à ce qu'il soit bien gonflé. Préchauffez le four à 200 °C (th. 6-7). Faites cuire 30 à 35 min, ou jusqu'à ce que le pain sonne creux quand vous tapotez le fond. Laissez refroidir sur une grille.

VARIANTE

Vous pouvez aussi former la pâte en pain rectangulaire, la rouler dans de la semoule et la mettre dans un moule à pain huilé. Laissez lever plus haut que le bord, comme à l'étape 8. Faites cuire 35 à 40 min.

PAIN À L'AIL ET AUX HERBES

EXCELLENT AVEC UNE SOUPE OU DES LÉGUMES EN ENTRÉE, LE PAIN À L'AIL SE SAVOURE ÉGALEMENT SEUL, À L'APÉRITIF PAR EXEMPLE. LA BAGUETTE DE BASE DOIT ÊTRE DE QUALITÉ.

POUR 3 OU 4 PERSONNES

INGRÉDIENTS
  1 baguette
Pour le beurre d'ail aux herbes
    110 g de beurre mou
    5 ou 6 grosses gousses d'ail
      finement hachées ou écrasées
    2 ou 3 cuil. à soupe d'herbes
      fraîches hachées (persil, cerfeuil
      et un peu d'estragon)
    1 cuil. à soupe de ciboulette fraîche
      ciselée
    fleur de sel et poivre noir du moulin

1 Préchauffez le four à 200 °C (th. 6-7). Faites le beurre d'ail aux herbes en battant le beurre avec l'ail, les herbes, la ciboulette, sel et poivre.

2 Coupez le pain en biais, en tranches épaisses de 1 cm, mais en les laissant solidaires à la base.

3 Étalez le beurre entre les tranches, en faisant attention à ne pas les détacher. S'il reste du beurre, étalez-le sur le dessus de la baguette.

4 Enveloppez le pain dans du papier d'aluminium et faites cuire 20 à 25 min, le beurre doit être fondu et la croûte croustillante. Servez en tranches.

VARIANTES
• Remplacez le beurre par de l'huile d'olive vierge extra.
• Parfumez le beurre d'ail, de piment frais haché, de zeste de citron vert râpé et de coriandre fraîche hachée.

• Ajoutez au beurre des olives noires dénoyautées hachées, ou des tomates séchées et un peu de zeste de citron râpé.
• Pour faire la bruschetta, faites griller des tranches épaisses de pain de campagne sur un gril cannelé en fonte puis frottez d'ail et arrosez d'huile d'olive vierge extra. Pour un goût plus aillé, grillez un côté du pain, puis étalez de l'ail finement haché sur le côté non grillé, arrosez d'huile et grillez.

PAIN À LA RICOTTA, CIBOULES ET CIBOULETTE

LA RICOTTA, LES CIBOULES ET LA CIBOULETTE DONNENT UN PAIN MOELLEUX, BIEN PARFUMÉ, EXCELLENT POUR DES SANDWICHES. FORMEZ LA PÂTE EN PETITS PAINS, EN MICHE RONDE OU MÊME EN TRESSE.

POUR 1 PAIN OU 16 PETITS PAINS

INGRÉDIENTS

15 g de levure fraîche ou 2 cuil.
à café de levure lyophilisée
1 cuil. à café de sucre en poudre
27 cl d'eau tiède
450 g de farine, plus quelques
cuillerées
1 cuil. à café et 1/2 de sel
1 gros œuf battu
110 g de ricotta
1 botte de ciboules finement émincées
2 cuil. à soupe d'huile d'olive
3 cuil. à soupe de ciboulette fraîche
ciselée
1 cuil. à soupe de lait
2 cuil. à café de graines de pavots
fleur de sel

1 Écrasez la levure fraîche avec le sucre et incorporez peu à peu 12 cl d'eau. Si vous utilisez de la levure sèche, faites dissoudre le sucre dans l'eau et éparpillez la levure en surface. Laissez 10 min dans un endroit chaud.

2 Mélangez farine et sel dans une jatte. Faites un puits et versez la levure et le reste de l'eau. Réservez un peu d'œuf battu, versez le reste dans la jatte. Incorporez la ricotta. Mélangez pour former une pâte, ajoutez un peu de farine si le mélange est très collant.

3 Pétrissez sur une surface farinée, la pâte doit être lisse et élastique. Mettez dans une jatte graissée, dans un sac en plastique. Laissez lever 1 à 2 h au chaud, la pâte doit doubler de volume.

4 Faites cuire les ciboules 3 à 4 min dans l'huile, elles doivent être souples, sans colorer. Laissez refroidir.

5 Écrasez la pâte levée et incorporez les ciboules en la pétrissant, avec leur huile de cuisson, et la ciboulette. Formez en petits pains, en pain long, en miche ou en tresse.

6 Mettez les petits pains sur une plaque à pâtisserie graissée, ou le pain long dans un moule à pain. Couvrez d'un film alimentaire huilé et laissez lever 1 h dans un endroit chaud. Préchauffez le four à 200 °C (th. 6-7).

7 Battez le lait avec l'œuf battu réservé et passez le mélange sur le pain. Saupoudrez de graines de pavot (facultatif), et d'un peu de fleur de sel, et faites cuire les petits pains 15 min, ou le pain entier 30 à 40 min, ou jusqu'à ce qu'ils soient dorés et bien gonflés. Le pain doit sonner creux quand vous tapotez le fond.

CONSEIL
Pour faire une tresse, divisez la pâte en trois longs boudins de 40 cm environ. Soudez-les ensemble à une extrémité puis tressez, et soudez l'autre extrémité quand vous avez fini la tresse.

FOCACCIA À L'OIGNON ROUGE ET AU ROMARIN

CE PAIN, RICHE EN HUILE D'OLIVE, EST COURONNÉ DE ROMARIN FRAIS (LE ROMARIN SÉCHÉ NE CONVIENT PAS), D'OIGNONS ROUGES ET DE FLEUR DE SEL. IL EST EXCELLENT AVEC LES SALADES DE TOMATES OU DE POIVRONS, ET AVEC TOUTES SORTES DE PLATS MÉDITERRANÉENS.

POUR 4 OU 5 PERSONNES

450 g de farine, plus quelques
   cuillerées
1 cuil. à café de sel
10 g de levure de boulanger fraîche
   ou 1 cuil. à café de levure lyophilisée
1/2 cuil. à café de sucre roux
25 cl d'eau tiède
4 cuil. à soupe d'huile d'olive
1 cuil. à café de romarin frais haché
   très finement, plus 6 à 8 petits brins
1 petit oignon rouge, coupé en deux
   et finement émincé
fleur de sel

1 Mélangez farine et sel dans une jatte. Écrasez la levure fraîche et le sucre et incorporez peu à peu la moitié de l'eau. Levure lyophilisée : faites fondre le sucre dans l'eau et saupoudrez la levure en surface. Laissez reposer 10 min dans un endroit chaud, jusqu'à ce qu'elle mousse.

2 Ajoutez la levure, le reste de l'eau, 1 cuil. à soupe d'huile et le romarin à la farine. Formez une pâte, pétrissez en boule et travaillez 5 min sur une surface farinée, pour obtenir une pâte souple et élastique. Ajoutez de la farine si la pâte est très collante.

3 Mettez la pâte dans une jatte légèrement huilée, glissez dans un sac en plastique et laissez lever. Laissez toute la journée dans un endroit frais, toute la nuit dans le réfrigérateur, ou 1 à 2 h dans un endroit tiède.

4 Huilez légèrement une plaque à pâtisserie. Pétrissez la pâte pour former une miche plate, ronde ou carrée, de 30 cm. Posez sur la plaque, couvrez d'un film plastique graissé et laissez lever 40 à 60 min dans un endroit tiède.

5 Préchauffez le four à 220 °C (th. 7-8). Tournez l'oignon dans 1 cuil. à soupe d'huile et éparpillez sur le pain avec les brins de romarin.

6 Arrosez du reste de l'huile et parsemez de fleur de sel. Faites cuire la focaccia 15 min, puis baissez la température à 190 °C (th. 6-7) et laissez cuire encore 10 à 15 min. Laissez refroidir sur une grille.

VARIANTE
Pour la focaccia à l'ail et au thym, pelez 1 ou 2 têtes d'ail en laissant les gousses entières. Faite frire à feu doux dans 1 ou 2 cuil. à soupe d'huile d'olive, puis au four 30 min, à 180 °C (th. 6), en remuant une ou deux fois. L'ail doit être doré mais non brûlé. Laissez refroidir. Incorporez l'ail caramélisé et 1 cuil. à café de thym haché à la pâte avant de mettre le pain au four. Supprimez les oignons, mais enduisez d'huile d'olive et parsemez de brins de thym frais et de fleur de sel. Faites cuire comme ci-dessus.

SCONES À L'OIGNON CARAMÉLISÉ ET AUX NOIX

CES PETITS PAINS SONT DÉLICIEUX BEURRÉS, AVEC DU CANTAL OU DU CHEDDAR, OU AVEC DE LA SOUPE OU UN ROBUSTE RAGOÛT DE LÉGUMES. POUR UN BUFFET OU UN APÉRITIF, FAITES DE PETITS SCONES QUE VOUS SERVIREZ COURONNÉS DE FROMAGE DE CHÈVRE.

4 Ajoutez l'oignon cuit, les noix et le thym frais, puis liez le tout avec le lait aigre, pour former une pâte molle mais non collante.

5 Roulez la pâte ou aplatissez-la à la main, sur 1,5 cm d'épaisseur. Découpez les scones à l'emporte-pièce (5 à 6 cm).

POUR 10 À 12 SCONES

90 g de beurre
1 cuil. à soupe d'huile d'olive
1 oignon d'Espagne haché
1/2 cuil. à café de graines de cumin légèrement écrasées, plus quelques-unes
200 g de farine avec poudre levante
1 cuil. à café de levure chimique
25 g de flocons d'avoine
1 cuil. à café de sucre roux
90 g de noix hachées
1 cuil. à café de thym frais haché
12 à 15 cl de lait aigre (lait Ribot)
un peu de lait
sel et poivre noir du moulin
fleur de sel

1 Faites fondre 15 g de beurre avec l'huile dans une petite casserole et faites cuire l'oignon à feu doux, sous couvercle, 10 à 12 min. Continuez la cuisson à découvert à feu doux, jusqu'à ce qu'il commence à colorer.

2 Ajoutez les graines de cumin écrasées et montez un peu le feu. Laissez cuire, en remuant de temps à autre, jusqu'à ce que l'oignon commence à caraméliser sur les bords. Laissez refroidir. Préchauffez le four à 200 °C (th. 7).

3 Mélangez la farine, la levure et les flocons d'avoine dans une grande jatte et ajoutez 1/2 cuil. à café de sel et le sucre roux. Incorporez le reste du beurre en frottant du bout des doigts avec la farine, jusqu'à ce que le mélange ressemble à du gros sable.

6 Mettez sur une plaque farinée, dorez au lait et parsemez d'un peu de fleur de sel et de graines de cumin. Faites cuire 12 à 15 min, ils doivent être gonflés et dorés. Laissez tiédir sur une grille et servez aussitôt.

Tant de sauces, des plus classiques de la haute cuisine aux salsas parfumées de la cuisine moderne, reposent sur la famille des oignons ! Les échalotes ajoutent leur piquant aux sauces et aux pickles. Oignons, échalotes et ail confits dans le vinaigre sont appréciés dans le monde entier, des oignons au vinaigre à l'anglaise, aux échalotes thaï pimentées au vinaigre. Ils sont aussi indispensables à de nombreuses sauces et condiments, comme la salsa verde italienne, la sauce aux cacahuètes indonésienne ou les pâtes épicées indiennes.

Sauces, pickles
et condiments

SAUCE AU PAIN ANGLAISE, À L'ANCIENNE

SAUCE CLASSIQUE DU GIBIER OU DU POULET RÔTI, LA SAUCE AU PAIN ACCOMPAGNE PRESQUE TOUJOURS LA DINDE DE NOËL. ELLE EST ÉGALEMENT EXCELLENTE AVEC DES SAUCISSES.

POUR 6 À 8 PERSONNES

INGRÉDIENTS

50 cl de lait
1 oignon piqué de 4 clous de girofle
1 branche de céleri hachée
1 feuille de laurier frais, déchirée
  en deux
6 baies roses
1 copeau de macis
100 g de mie de pain blanc
  de la veille, émiettée
muscade fraîchement râpée
2 cuil. à soupe de crème entière
15 g de beurre
sel et poivre noir du moulin

1 Portez à ébullition dans une casserole le lait, l'oignon, le céleri, le laurier, les baies roses et le macis. Retirez du feu, à demi couvert, et réservez 30 à 60 min.

2 Passez le lait et versez dans le bol d'un robot. Retirez et jetez les clous de girofle de l'oignon et ajoutez l'oignon au lait, avec le céleri. Mixez en purée lisse, puis passez le liquide dans la casserole lavée.

3 Portez à ébullition et ajoutez la mie de pain. Laissez frémir, en fouettant avec un petit fouet, jusqu'à ce que la sauce épaississe et soit lisse. Ajoutez du lait si elle est trop épaisse.

4 Assaisonnez à votre goût de sel, poivre et muscade. Avant de servir, incorporez la crème et le beurre au fouet. Servez chaud mais non brûlant.

VARIANTE

Muhammara, sauce au pain, aux poivrons et à l'ail du Moyen-Orient Cette sauce est bonne avec du poisson ou du poulet grillé ou en dip avec des crudités. Écrasez 2 ou 3 gousses d'ail et mettez dans un robot avec 3 gros poivrons rouges, grillés, pelés et épépinés, 90 g de noix et 50 g de mie de pain. Mixez pour donner une pâte, puis incorporez le jus d'1/2 citron et 1/2 cuil. à café de sel, de poivre et sucre roux. Le moteur étant en action, incorporez en filet 15 cl d'huile d'olive vierge extra. Assaisonnez de jus de citron, sel, sucre et un peu de cumin grillé et moulu, puis ajoutez 2 cuil. à soupe de persil haché. Si nécessaire, allongez la sauce avec de l'huile ou de l'eau ou du bouillon chaud.

SAUCE À L'OIGNON

VOICI UNE DÉLICIEUSE SAUCE À L'OIGNON POUR ACCOMPAGNER LES SAUCISSES, LE FOIE OU LES CÔTES DE PORC. ELLE EST BONNE ÉGALEMENT AVEC UNE PURÉE CRÉMEUSE.

2 Ajoutez le sucre, montez légèrement le feu et laissez cuire encore 20 à 30 min, jusqu'à ce que les oignons soient doré foncé.

3 Incorporez la farine, laissez cuire quelques minutes en remuant, et ajoutez peu à peu 40 cl de bouillon chaud. Laissez frémir, en remuant, pour obtenir un jus épais. Ajoutez du bouillon si la sauce est trop épaisse.

4 Ajoutez le thym. Salez et poivrez, puis laissez cuire 10 à 15 min à feu très doux, en remuant fréquemment.

5 Incorporez la sauce de soja, la sauce Worcestershire (facultatif) et assaisonnez, si nécessaire. Ajoutez un peu de bouillon si la sauce est trop épaisse, retirez le thym et servez aussitôt.

POUR 4 PERSONNES

INGRÉDIENTS
40 g de beurre
450 g d'oignons coupés en deux et finement émincés
1/2 cuil. à café de sucre roux
3 cuil. à soupe de farine
40 à 50 cl de bouillon chaud de bœuf ou de légumes
1 brin de thym frais
2 cuil. à café de sauce de soja sombre
1 cuil. à café de sauce Worcestershire (facultatif)
sel et poivre noir du moulin

1 Faites fondre le beurre à feu doux. Ajoutez les oignons et faites cuire 15 à 20 min, en remuant de temps à autre. Ils doivent être souples et à peine dorés.

VARIANTES
• Vous pouvez faire brunir l'oignon dans le four, à l'huile, de préférence. Mettez les oignons émincés dans un plat à four et tournez avec 3 cuil. à soupe d'huile. Faites cuire à 190 °C (th. 6-7) 15 à 25 min, jusqu'à ce que les oignons soient brun foncé et caramélisés.
• Vous pouvez remplacer une partie du bouillon de bœuf ou de légumes par du vin rouge ou de la bière brune. Vous devrez sans doute ajouter un peu de sucre pour équilibrer l'acidité du vin ou de la bière.

SAUCE SOUBISE

SAUCE BLANCHE À L'OIGNON, CLASSIQUE DE LA CUISINE FRANÇAISE. EXCELLENTE AVEC LE VEAU, LE POULET, LE PORC OU L'AGNEAU, ELLE ACCOMPAGNE AUSSI TRÈS BIEN DES ŒUFS DURS OU POCHÉS. LES OIGNONS PEUVENT RESTER EN MORCEAUX OU ÊTRE MIXÉS.

POUR 4 PERSONNES

INGRÉDIENTS
    40 g de beurre
    350 g d'oignons hachés
    25 g de farine
    50 cl de lait chaud ou de bouillon,
     ou un mélange des deux
    1 feuille de laurier frais
    quelques tiges de persil
    12 cl de crème entière liquide
    muscade fraîchement râpée
    sel et poivre noir du moulin

1 Faites fondre le beurre dans une grande casserole à fond épais. Ajoutez les oignons et laissez cuire 10 à 12 min à feu doux, en remuant de temps en temps, jusqu'à ce qu'ils soient souples et jaune d'or, mais sans brunir.

2 Ajoutez la farine et faites cuire 2 ou 3 min, en remuant constamment.

3 Ajoutez peu à peu le lait chaud (bouillon ou mélange lait/bouillon), portez à ébullition. Ajoutez laurier et persil. Couvrez à demi, laissez cuire 15 à 20 min à feu très doux, en remuant souvent.

4 Retirez et jetez ensuite le laurier et le persil, puis mixez la sauce au robot ou passez-la au moulin à légumes si vous voulez une sauce lisse.

5 Incorporez la crème et réchauffez la sauce à feu doux, puis assaisonnez à votre goût de sel et de poivre. Ajoutez un peu de lait ou de bouillon si la sauce est très épaisse. Assaisonnez avec de la muscade râpée à votre goût, juste avant de servir.

VARIANTES
• Pour une sauce aux poireaux, remplacez les oignons par du blanc de poireaux. Faites cuire 4 à 5 min dans le beurre avant d'ajouter la farine. Supprimez la muscade et ajoutez 1 cuil. à soupe de moutarde de Dijon, juste avant de servir.
• Assaisonnez la sauce avec 2 cuil. à soupe de moutarde de Dijon à la fin de la cuisson, pour obtenir une sauce Robert, sauce classique servie avec des côtes de porc et qui se marie aussi très bien avec du jambon ou du lapin.

CONSEIL
La sauce doit être cuite suffisamment longtemps pour faire disparaître le goût de la farine crue. Le diffuseur de chaleur est très utile pour la cuisson de ces sauces délicates.

SAUCE AUX TOMATES, À L'HUILE D'OLIVE, AUX HERBES, À L'AIL ET À L'ÉCHALOTE

CETTE SAUCE EST INSPIRÉE DE LA SAUCE VIERGE, SAUCE CLASSIQUE UTILISÉE EN NOUVELLE CUISINE ET INVENTÉE PAR MICHEL GUÉRARD. ELLE EST DÉLICIEUSE CHAUDE MAIS NON BRÛLANTE, AVEC DU POISSON GRILLÉ OU POCHÉ. SERVEZ DU BON PAIN POUR SAUCER L'HUILE.

POUR 4 À 6 PERSONNES

INGRÉDIENTS

   250 g de tomates
   1 cuil. à soupe d'échalote hachée
   2 gousses d'ail finement émincées
     ou hachées
   12 cl d'huile d'olive vierge extra
   1 cuil. à soupe de jus de citron
   sucre en poudre
   1 cuil. à soupe de cerfeuil frais haché
   1 cuil. à soupe de ciboulette fraîche
     ciselée
   2 cuil. à soupe de feuilles de basilic
     frais déchirées
   sel et poivre noir du moulin

VARIANTE

Remplacez les tomates par du poivron rouge. Grillez, pelez, épépinez et coupez en petits dés. Remplacez le jus de citron par du vinaigre balsamique et l'échalote par de l'oignon rouge ou de la ciboule, le cerfeuil par du basilic. Ajoutez une pincée de graines de cumin grillées et moulues.

1 Pelez et épépinez les tomates, puis détaillez-les en petits dés.

2 Mettez l'échalote, l'ail et l'huile dans une petite casserole à feu très doux et laissez infuser quelques minutes. Les ingrédients doivent être chauds mais ne pas cuire ni dorer.

CONSEIL

Il est essentiel pour la saveur de cette sauce de n'employer que la meilleure qualité d'huile d'olive vierge extra.

3 Incorporez au fouet 2 cuil. à soupe d'eau froide et 2 cuil. à café de jus de citron. Retirez du feu et ajoutez les tomates, une pincée de sel, poivre et sucre, puis le cerfeuil et la ciboulette.

4 Laissez reposer 10 à 15 min. Rectifiez l'assaisonnement, en ajoutant du jus de citron, du sel et du poivre noir, si nécessaire.

5 Réchauffez à feu doux, puis incorporez le basilic juste avant de servir.

SAUCE AUX NOIX ET À L'AIL

CETTE SAUCE, DONT IL EXISTE PLUSIEURS VERSIONS AUTOUR DE LA MÉDITERRANÉE, EST EXCELLENTE AVEC DU POULET RÔTI, OU DU CHOU-FLEUR ET DES POMMES DE TERRE À LA VAPEUR.

POUR 4 PERSONNES

INGRÉDIENTS

   2 tranches de 1 cm de bon pain
     de mie, sans croûte
   4 cuil. à soupe de lait
   150 g de noix épluchées
   4 gousses d'ail hachées
   12 cl d'huile d'olive peu fruitée
   1 ou 2 cuil. à soupe d'huile de noix
   le jus d'1 citron
   sel et poivre noir du moulin
   huile de noix ou d'olive pour arroser
     la sauce
   paprika, pour poudrer la sauce

VARIANTE

Pour une *salsa di noci* italienne pour les pâtes, mixez 90 g de noix avec 2 gousses d'ail et 15 g de persil plat. Incorporez 1 tranche de pain de mie (sans croûte), trempé dans du lait, et 12 cl d'huile d'olive fruitée. Assaisonnez de sel, poivre et de jus de citron. Allongez avec du lait ou de la crème liquide si la sauce est très épaisse.

1 Faites tremper les tranches de pain de mie 5 min dans le lait, puis mixez au robot avec les noix et l'ail haché, pour obtenir une pâte grossière.

2 Le moteur étant toujours en action, ajoutez peu à peu l'huile d'olive à la pâte, jusqu'à ce que le mélange forme une sauce épaisse et lisse. Ajoutez l'huile de noix (facultatif).

3 Versez la sauce dans une jatte et ajoutez du jus de citron à votre goût, salez et poivrez et battez bien.

4 Transférez dans une saucière, arrosez d'un peu d'huile de noix ou d'olive, poudrez de paprika (facultatif).

CONSEIL

Une fois ouverte, l'huile de noix se conserve mal. Achetez de petites bouteilles et gardez-la au réfrigérateur. Délicieuse dans les vinaigrettes.

SALSA VERDE

CETTE SIMPLE SAUCE ITALIENNE EST UNE PURÉE DE FINES HERBES FRAÎCHES ET D'HUILE D'OLIVE. ELLE SE MARIE BIEN AVEC DU BŒUF ET DU POULET RÔTIS OU DE LA POLENTA GRILLÉE.

POUR 4 PERSONNES

INGRÉDIENTS

   1 ou 2 gousses d'ail finement hachées
   25 g de feuilles de persil plat
   15 g de basilic frais, menthe ou
     coriandre ou un mélange de fines
     herbes
   1 cuil. à soupe de ciboulette ciselée
   1 cuil. à soupe de câpres salées,
     rincées
   5 filets d'anchois à l'huile d'olive,
     égouttés et rincés
   2 cuil. à café de moutarde
     (à l'estragon ou aux fines herbes)
   12 cl d'huile d'olive vierge extra
   un peu de zeste de citron râpé
     et de jus (facultatif)
   poivre noir du moulin

1 Mixez au robot, l'ail, le persil, le basilic, la menthe ou la coriandre, la ciboulette, les câpres, les anchois, la moutarde et 1 cuil. à soupe d'huile.

2 Ajoutez peu à peu le reste de l'huile, le moteur étant toujours en action.

3 Transférez dans une jatte et rectifiez l'assaisonnement à votre goût (le sel des câpres et des anchois devrait être suffisant). Ajoutez un peu de jus et de zeste de citron (facultatif), surtout avec du poisson. Servez aussitôt.

VARIANTES

• Ajoutez 2 ou 3 cuil. à soupe de crème fraîche pour donner une sauce douce qui se marie bien avec la polenta grillée, le chou-fleur et les pommes de terre.
• Remplacez basilic, menthe ou coriandre par du cerfeuil, de l'estragon, de l'aneth ou du fenouil, ou un mélange d'herbes anisées, pour donner une sauce qui accompagne du poisson poché ou au four, comme le colin ou le bar, les crevettes et les langoustines.

Yaourt au Concombre, à l'Ail et à la Menthe

On trouve différentes versions de ce frais condiment à la menthe en Grèce (tzatziki), en Turquie (cacik) et dans tout le Moyen-Orient. En Inde, il porte le nom de raita.

POUR 4 PERSONNES

INGRÉDIENTS

- un tronçon de concombre de 15 cm
- 1 cuil. à café de sel de mer
- 30 cl de yaourt grec
- 3 ou 4 gousses d'ail écrasées
- 3 cuil. à soupe de menthe fraîche hachée
- poivre noir du moulin
- menthe fraîche hachée et/ou graines de cumin grillées et moulues

1 Émincez, hachez ou râpez le concombre, mettez dans une passoire et saupoudrez de la moitié du sel. Laissez s'égoutter 30 min sur une assiette creuse.

2 Rincez le concombre à l'eau froide, séchez avec du papier absorbant et mélangez avec le yaourt, l'ail et la menthe. Salez et poivrez. Laissez reposer 3 min, puis incorporez la menthe fraîche et parsemez de menthe et/ou de cumin en poudre, pour décorer.

VARIANTE

Sauce pour salade au yaourt et à l'ail : remplacez le concombre par 15 cl de yaourt grec. Ajoutez 1 gousse d'ail très finement hachée, 1 cuil. à café de moutarde, sel et poivre noir du moulin à votre goût et une pincée de sucre. Pour finir, incorporez 2 cuil. à soupe d'huile d'olive vierge extra et 1 à 2 cuil. à soupe de fines herbes hachées, comme l'estragon, la menthe et la ciboulette, à votre goût.

MAYONNAISE À L'AIL

VOUS POUVEZ BIEN SÛR AJOUTER DE L'AIL ÉCRASÉ À UNE BONNE MAYONNAISE DU COMMERCE.
MAIS UNE VRAIE MAYONNAISE, FAITE MAISON, OÙ VOUS INCORPOREREZ DE L'AIL,
SERA CENT FOIS MEILLEURE.

POUR 4 À 6 PERSONNES

INGRÉDIENTS

2 gros jaunes d'œufs
une pointe de couteau de moutarde
jusqu'à 30 cl d'huile d'olive peu
   fruitée ou d'un mélange d'huiles
   d'olive et de pépins de raisins
1 ou 2 cuil. à café de jus de citron,
   vinaigre de vin blanc ou eau chaude
2 à 4 gousses d'ail
sel et poivre noir du moulin

1 Avant de commencer, assurez-vous
que les jaunes d'œufs et l'huile sont
à température ambiante. Mettez les
jaunes dans une jatte avec la moutarde
et une pincée de sel et fouettez.

2 Versez l'huile goutte à goutte.
Quand la moitié de l'huile est
incorporée, versez en filet continu.

3 Quand la mayonnaise commence
à épaissir, allongez-la avec quelques
gouttes de jus de citron ou de vinaigre
ou quelques cuil. à café d'eau chaude.

4 Quand la mayonnaise a la consistance
de beurre mou, cessez de verser l'huile.
Assaisonnez et ajoutez du jus de citron
ou du vinaigre, si nécessaire.

ATTENTION !
Les jeunes enfants, les personnes âgées,
fragiles ou dont le système immunitaire
est déficient, et les femmes enceintes
éviteront de consommer des œufs crus
ou des plats contenant des œufs crus.

5 Écrasez l'ail avec la lame d'un couteau
et incorporez à la mayonnaise. Pour une
saveur moins prononcée, blanchissez
l'ail deux fois dans l'eau bouillante, puis
réduisez les gousses en purée avant de
les incorporer à la mayonnaise.

VARIANTES
• Aïoli : écrasez 3 à 5 gousses d'ail
avec une pincée de sel dans une jatte et
incorporez les jaunes d'œufs. Supprimez
la moutarde et continuez comme
ci-dessus, en utilisant toute l'huile.
• Mayonnaise épicée à l'ail : supprimez
la moutarde et ajoutez à l'ail 1/2 cuil.
à café de harissa ou de pâte de piment
rouge et 1 cuil. à café de pâte de
tomates séchées.
• Pour un parfum différent, prenez
de la purée d'ail rôti ou d'ail fumé.
• Incorporez 15 g d'herbes fraîches
mélangées, estragon, persil, cerfeuil et
ciboulette. Blanchissez 20 à 30 s à
l'eau bouillante, égouttez, séchez sur
du papier absorbant et hachez finement.

SAUCE AUX CACAHUÈTES

CETTE SAUCE EST INSPIRÉE DE LA CÉLÈBRE SAUCE INDONÉSIENNE QUI ACCOMPAGNE LE PORC GRILLÉ, LE POULET OU LE SATAY DE FRUITS DE MER. LÉGÈREMENT ALLONGÉE D'EAU, ELLE ACCOMPAGNE AUSSI LE GADO-GADO, MERVEILLEUSE SALADE DE LÉGUMES ET DE FRUITS CRUS OU CUITS.

POUR 4 À 6 PERSONNES

INGRÉDIENTS

2 cuil. à soupe d'huile d'arachide
80 g de cacahuètes non salées, émondées
2 échalotes hachées
2 gousses d'ail hachées
1 cuil. à soupe de racine de gingembre frais hachée
1 ou 2 piments verts épépinés et finement émincés
1 cuil. à café de coriandre moulue
1 tige de lemon grass (citronnelle indonésienne), la base tendre seulement, hachée
1 à 2 cuil. à café de sucre roux
1 cuil. à soupe de sauce soja sombre
10-12 cl de lait de coco en boîte
1 à 2 cuil. à soupe de sauce de poisson thaï (nam pla)
1 à 2 cuil. à soupe de purée de tamarin
jus de citron vert
sel et poivre noir du moulin

3 Transférez le mélange dans un robot et ajoutez les cacahuètes, le lemon grass, 1 cuil. à café de sucre, la sauce de soja, 10 cl de lait de coco et la sauce de poisson. Mixez pour obtenir une sauce lisse.

4 Goûtez et ajoutez sauce de poisson, purée de tamarin, sel et poivre, jus de citron vert et sucre à votre goût.

CONSEIL
Pour faire la purée de tamarin, faites tremper 30 min, 25 g de pulpe de tamarin dans 12 cl d'eau bouillante dans une jatte non métallique, en l'écrasant à la fourchette. Pressez à travers une passoire en acier inoxydable. Cette purée se garde plusieurs jours au réfrigérateur dans un récipient couvert.

5 Incorporez le reste de lait de coco et un peu d'eau si la sauce est trop épaisse (elle ne doit pas être liquide).

6 Servez froid ou réchauffez la sauce à feu doux, en remuant souvent pour l'empêcher d'éclabousser. Décorez avec le reste de piment émincé et servez.

1 Chauffez l'huile dans une petite poêle et faites griller les cacahuètes à feu doux, en remuant souvent, jusqu'à ce qu'elles soient dorées. Retirez avec une écumoire et égouttez sur du papier absorbant. Laissez refroidir.

2 Ajoutez dans la poêle les échalotes, l'ail, le gingembre, presque tous les piments émincés et la coriandre moulue et laissez cuire 4 à 5 min, en remuant de temps à autre, les échalotes doivent être souples mais non dorées.

SAUCE AU POIVRON ROUGE ET À L'AIL

CETTE SAUCE EST DÉLICIEUSE AVEC DE LA SALADE DE POULET OU DES PÂTES CHAUDES OU FROIDES,
OU ENCORE AVEC DES LÉGUMES GRILLÉS, SURTOUT LES AUBERGINES ET LES OIGNONS.

POUR 4 PERSONNES

INGRÉDIENTS

2 grosses têtes d'ail laissées
entières, pelure extérieure retirée
3 brins de thym frais ou 2 brins
de romarin frais
15 cl d'huile d'olive
2 poivrons rouges partagés en deux
et épépinés
le jus d'1/2 citron ou 1 cuil. à soupe
de vinaigre balsamique
une pincée de sucre en poudre
1 cuil. à soupe de ciboulette fraîche
ciselée ou de basilic
sel et poivre noir du moulin

CONSEIL

Si la sauce se sépare, incorporez au fouet
1 ou 2 cuil. à soupe de crème fraîche.
Cette sauce est excellente avec des pâtes.

1 Préchauffez le four à 190 °C
(th. 6-7). Mettez l'ail sur du papier
d'aluminium avec les herbes et 1 cuil. à
soupe d'huile. Enveloppez l'ail et faites
cuire 45 à 60 min, l'ail doit être souple
sous le doigt. Mettez les poivrons sur
une plaque, côté coupé vers le bas,
et faites cuire en même temps que
l'ail, la peau doit être boursouflée.

2 Mettez les poivrons dans une jatte,
couvrez et laissez reposer 10 min.
Pelez, et mettez la chair dans le bol
d'un robot.

3 Laissez l'ail refroidir puis pressez
les gousses pour faire sortir la purée et
mettez dans le robot avec les poivrons.
Ajoutez le jus de cuisson du papier
d'aluminium, en jetant les herbes
et les pelures d'ail, puis mixez jusqu'à
obtention d'une purée lisse.

4 Versez en filet le reste de l'huile,
le moteur étant toujours en action.
Ajoutez peu à peu le jus de citron ou
le vinaigre balsamique à votre goût.
Salez et poivrez, et ajoutez une pincée
de sucre (facultatif). Incorporez alors
la ciboulette ciselée ou le basilic
et utilisez aussitôt.

PÂTE DE CURRY VERTE THAÏ

CETTE PÂTE DE CURRY, FORT APPRÉCIÉE CES DERNIÈRES ANNÉES, PEUT ÊTRE TRÈS PIQUANTE,
À LA MODE THAÏ, OU MOINS FORTE, EN RÉDUISANT LE NOMBRE DE PIMENTS.

POUR 12 CL ENVIRON

INGRÉDIENTS

3 échalotes thaïs hachées
3 ou 4 gousses d'ail hachées
4 piments verts forts, épépinés
(facultatif) et hachés
2 tiges de lemon grass (citronnelle thaï),
le cœur tendre seulement, hachées
1 morceau de 3 cm de racine fraîche
de galangal ou de gingembre, hachée
15 g de coriandre fraîche, avec
les racines si possible, hachée
2 feuilles de citron vert kaffir
1 cuil. à café de graines de coriandre
grillées et moulues
1/2 cuil. à café de graines de cumin
grillées et moulues
3 à 5 cuil. à café de sauce
de poisson thaï (nam pla)
1 à 2 cuil. à soupe d'huile d'arachide
1 pincée de sucre roux
sel et poivre noir du moulin

1 Mettez échalotes, ail, piments,
lemon grass, galanga ou gingembre,
coriandre fraîche, feuilles de citron vert,
coriandre moulue et cumin moulu dans
un petit robot ou un moulin à café.
Ajoutez la sauce de poisson. Mixez.

2 Ajoutez assez d'huile pour faire une
pâte. Salez, poivrez, ajoutez une pincée
de sucre. La pâte se garde 2 ou 3 jours
au réfrigérateur.

VARIANTE

Pâte de curry rouge : mixez 3 échalotes
émincées, 3 à 4 gousses d'ail hachées,
6 à 10 piments oiseaux, 2 tiges de
lemon grass hachées, 1 cuil. à soupe
de galanga hachée ou de racine de
gingembre, 2 cuil. à soupe de coriandre
hachée (racine ou tige), 2 feuilles de
lime kaffir, 1 cuil. à café de graines
de coriandre grillées et autant de graines
de cumin et de paprika, 1/2 cuil. à café
de grains de poivre noir et 1 cuil. à café
de pâte de crevettes (trassi). Ajoutez
huile et sucre comme pour la pâte de
curry verte. Salez à votre goût. Pour une
pâte authentique, remplacez le paprika
par du piment en poudre fort.

Page ci-contre en haut (dans le sens
horaire à partir de la gauche) : Sauce
au poivron rouge et à l'ail, vinaigre au
romarin et à l'ail, pâte de curry verte thaï.

VINAIGRE À L'AIL ET AU ROMARIN

LE VINAIGRE PARFUMÉ À L'AIL REMPLACE AGRÉABLEMENT L'AIL CRU DANS LES SAUCES DE SALADE.
IL PERMET AUSSI DE DÉGLACER LA POÊLE APRÈS LA CUISSON DE VOLAILLE OU DE VIANDE.

POUR 50 CL ENVIRON

INGRÉDIENTS
    8 ou 9 grosses gousses d'ail pelées
    2 ou 3 brins de romarin frais
    1 long brin de romarin frais
     ou une longue brochette en bois
     (voir méthode)
    50 cl de bon vinaigre de vin blanc

1 Blanchissez l'ail et le romarin 30 à
60 s à l'eau bouillante et séchez. Retirez
les feuilles du long brin de romarin
(facultatif), en laissant quelques feuilles
au sommet. Blanchissez le brin dénudé
ou la brochette en bois.

2 Enfilez les gousses d'ail sur le brin
dénudé ou la brochette (cela est plus
facile si vous taillez en pointe l'extrémité
du brin de romarin).

3 Mettez l'ail enfilé et les petits brins
de romarin dans une bouteille de 55 cl,
à large col, stérilisée. Chauffez le
vinaigre jusqu'à ébullition et versez-le
dans la bouteille et laissez refroidir
avant de fermer. Laissez reposer
3 ou 4 semaines avant usage.

VARIANTE
Remplacez le romarin par d'autres
herbes parfumées, en enfilant les
gousses d'ail sur une mince brochette
en bois. Essayez la marjolaine, le basilic
ou l'estragon, ou un mélange de fines
herbes. Remplacez le vinaigre de vin
blanc par du vinaigre de vin rouge.

Oignons Rouges au Vinaigre, à l'Aneth, à la Coriandre et au Genièvre

LES OIGNONS ROUGES DOUX SONT LES MEILLEURS POUR CES PICKLES RAPIDES, INSPIRÉS D'UNE RECETTE MEXICAINE TRADITIONNELLE.

POUR UN BOCAL

INGRÉDIENTS

500 g d'oignons rouges émincés
25 cl de vinaigre de vin de riz
   ou de vinaigre d'estragon
1 cuil. à café de sel
1 cuil. à soupe de sucre en poudre
6 baies de genièvre légèrement écrasées
2 cuil. à soupe d'aneth frais haché
1 cuil. à soupe de graines de
   coriandre écrasées

VARIANTE

Oignons rouges mexicains : faites blanchir 1 gros oignon rouge émincé puis tournez dans 1 cuil. à café de sucre et 7 cuil. à soupe de jus de citron vert ou de vinaigre de vin de riz et un peu de piment rouge ou vert haché. Laissez 2 ou 3 h, égouttez, assaisonnez et servez. Ces oignons sont très bons avec du concombre émincé.

1 Mettez les oignons dans une grande jatte et couvrez d'eau bouillante. Versez aussitôt dans une passoire, puis réservez et laissez complètement égoutter. Remettez les oignons dans la jatte sèche.

2 Dans une autre jatte, mélangez le vinaigre avec le sel, le sucre, les baies de genièvre et l'aneth haché.

3 Chauffez les graines de coriandre à sec dans une poêle jusqu'à ce que l'arôme sorte. Ajoutez les graines grillées au vinaigre et mélangez. Versez le vinaigre épicé sur les oignons, mélangez, puis laissez 1 h à température ambiante. Les oignons sont prêts à l'usage et se garderont jusqu'à une semaine au réfrigérateur dans un bocal couvert. Égouttez pour les utiliser.

PICKLES D'OIGNONS À L'ANGLAISE

LES PICKLES SONT UN CONDIMENT TRADITIONNEL DES PUBS BRITANNIQUES, SERVIS AVEC LES VIANDES FROIDES, LES PIES ET SURTOUT DU PAIN ET DU FROMAGE. FAITS AVEC DU VINAIGRE DE MALT, ILS DOIVENT ATTENDRE AU MOINS 6 SEMAINES AVANT D'ÊTRE CONSOMMÉS.

POUR 3 OU 4 BOCAUX DE 450 G

INGRÉDIENTS

   1 kg de petits oignons à confire
   115 g de sel
   75 cl de vinaigre de malt
   1 cuil. à soupe de sucre
   2 ou 3 piments rouges séchés
   1 cuil. à café de graines de moutarde
     brune
   1 cuil. à soupe de graines de coriandre
   1 cuil. à café de cinq-épices
   1 cuil. à café de grains de poivre noir
   un morceau de 5 cm de racine
     de gingembre frais émincée
   2 ou 3 copeaux de macis
   2 ou 3 feuilles de laurier frais

1 Pour peler les oignons, coupez la base, mais laissez les rondelles solidaires. Coupez une mince tranche dans le haut (collet). Mettez les oignons dans une jatte, couvrez d'eau bouillante. Laissez environ 4 min, puis égouttez. La peau devrait se peler facilement avec un petit couteau aiguisé.

2 Mettez les oignons pelés dans une jatte, couvrez d'eau froide, puis versez l'eau dans une grande casserole. Ajoutez le sel et chauffez un peu pour le dissoudre, laissez refroidir et versez sur les oignons.

3 Couvrez la jatte avec une assiette et lestez légèrement pour que les oignons restent complètement immergés dans la solution d'eau salée. Laissez macérer ainsi 24 h.

4 Mettez le vinaigre dans une grande casserole. Mettez le reste des ingrédients, excepté le laurier, dans un sachet de mousseline ou cousez-les dans un filtre à café, et ajoutez au vinaigre avec le laurier. Portez à ébullition, laissez frémir 5 min, retirez du feu. Laissez refroidir et infuser toute la nuit.

5 Égouttez les oignons, rincez et séchez. Versez dans des bocaux stérilisés. Ajoutez tout ou partie des épices, sauf le gingembre. Les pickles seront plus forts si vous ajoutez les piments. Couvrez de vinaigre, ajoutez le laurier. Gardez le vinaigre qui reste pour vos prochains pickles. Couvrez les bocaux avec un couvercle non métallique. Laissez dans un endroit frais et sombre. Attendez 6 semaines avant de consommer.

CONSEIL
Pour stériliser, posez les bocaux propres et rincés à l'envers sur une grille ou une plaque et mettez au four 20 min, à 180 °C (th. 6).

VARIANTES
• La recette ci-dessus donne des pickles croquants. Pour qu'ils soient plus tendres, laissez frémir 2 ou 3 min les oignons rincés et salés dans le vinaigre de malt, avant de les mettre en bocal et de les couvrir de vinaigre bouillant. Laissez refroidir et fermez.
• Pour faire des oignons sucrés, suivez la même méthode, mais ajoutez au vinaigre 50 g de sucre roux, 2 morceaux de bâton de cannelle et 1 cuil. à café de clous de girofle.

ÉCHALOTES THAÏS PIMENTÉES AU VINAIGRE

LES ÉCHALOTES THAÏS ROSES RÉCLAMENT UNE LONGUE PRÉPARATION, MAIS ELLES SONT TRÈS DÉCORATIVES DANS CES PICKLES ÉPICÉS, ET FORMENT D'EXCELLENTS CONDIMENTS.

POUR 2 OU 3 BOCAUX

INGRÉDIENTS

5 ou 6 petits piments oiseaux rouges
   ou verts, partagés en deux et épépinés
500 g d'échalotes roses thaïs pelées
2 grosses gousses d'ail pelées,
   coupées en deux et le germe retiré
Pour le vinaigre
   60 cl de vinaigre de cidre
   3 cuil. à soupe de sucre en poudre
   2 cuil. à café de sel
   un morceau de 5 cm de racine
      de gingembre frais, émincée
   1 cuil. à soupe de graines de coriandre
   2 tiges de lemon grass (citronnelle thaï),
      coupées en deux dans la longueur
   4 feuilles de citron vert kaffir ou
      des lanières de zeste de citron vert
   1 cuil. à soupe de coriandre hachée

1 Si vous laissez les piments entiers (ils seront plus forts si vous laissez les graines), piquez-les plusieurs fois avec un pique-olive. Portez une grande casserole d'eau à ébullition. Faites blanchir les piments, échalotes et ail 1 à 2 min, puis égouttez. Rincez à l'eau froide et laissez égoutter.

2 Préparez le vinaigre : portez à ébullition le vinaigre de cidre, sucre, sel, gingembre, graines de coriandre, lemon grass et 1 feuille ou zeste de citron vert. Laissez frémir 3 à 4 min à feu doux. Laissez refroidir.

3 Jetez le gingembre puis faites reprendre l'ébullition. Ajoutez alors la coriandre fraîche, l'ail et les piments et laissez cuire 1 min.

4 Mettez les échalotes dans les bocaux stérilisés, en intercalant lemon grass, feuilles de citron, piments et ail. Couvrez de vinaigre bouillant. Laissez refroidir, fermez bien et laissez dans un endroit sombre 2 mois avant de consommer.

CONSEILS

• Veillez à ce que les jattes et casseroles utilisées ne réagissent pas à l'acidité du vinaigre. Les jattes en porcelaine et en verre et les casseroles en acier inoxydable conviennent.
• Assurez-vous que les couvercles en métal ne sont pas en contact avec les pickles. Utilisez de préférence des bocaux en verre à joints de caoutchouc. Vous pouvez aussi couvrir le dessus du bocal avec un rond de cellophane ou de papier sulfurisé pour éviter le contact direct avec un couvercle en métal.
• Laissez tiédir les bocaux brûlants après les avoir stérilisés et avant de les remplir, pour ne pas vous brûler. Mais ne les laissez pas refroidir complètement, ils risqueraient de casser quand vous versez le vinaigre bouillant.

CHAMPIGNONS AU VINAIGRE, À L'AIL ET À L'OIGNON ROUGE

CETTE FAÇON DE CONSERVER LES CHAMPIGNONS EST POPULAIRE DANS TOUTE L'EUROPE.
VOUS POUVEZ N'UTILISER QU'UNE SEULE SORTE DE CHAMPIGNONS.

POUR 60 CL

INGRÉDIENTS

500 g de champignons en mélange
(petits cèpes, champignons de Paris
rosés, shiitake et girolles par
exemple)

30 cl de vinaigre de vin blanc
ou de cidre

1 cuil. à soupe de sel marin

1 cuil. à café de sucre en poudre

30 cl d'eau

4 ou 5 feuilles de laurier frais

8 grands brins de thym frais

15 gousses d'ail pelées et coupées
en deux, germe vert retiré

1 petit oignon rouge coupé en deux
et finement émincé

2 ou 3 petits piments rouges séchés

1 cuil. à café de graines de coriandre
légèrement écrasées

1 cuil. à café de grains de poivre noir
quelques lamelles de zeste de citron

25 à 35 cl d'huile d'olive vierge extra

1 Épluchez et essuyez tous les
champignons (Il vaut mieux ne pas les
laver, ils absorbent facilement l'eau et
pourraient devenir aqueux. Essuyez-les
simplement avec un torchon). Coupez
les gros champignons en deux.

2 Mettez le vinaigre, le sel, le sucre
et l'eau dans une casserole et portez
à ébullition. Ajoutez le reste des
ingrédients, sauf les champignons
et l'huile. Laissez frémir 2 min.

3 Ajoutez les champignons, laissez
frémir 3 à 4 min, égouttez dans une
passoire. Gardez herbes et épices.

4 Remplissez un grand bocal stérilisé
(ou 2 petits) avec les champignons.
Répartissez l'ail, l'oignon et les épices
entre les champignons. Ajoutez assez
d'huile d'olive pour les recouvrir d'1 cm.
Pour 2 bocaux, il vous faudra peut-être
davantage d'huile.

5 Laissez les pickles s'installer, puis
tapotez sur le plan de travail pour chasser
les bulles d'air. Couvrez et laissez reposer
au moins 2 semaines avant usage, dans
un endroit frais et sombre.

CONSEIL
Pour que les champignons restent
sous l'huile, coincez deux pique-olives
ou deux brochettes en bois, en croix
dans le goulot du bocal.

CHUTNEY DE NOIX DE COCO, OIGNON ET PIMENT

SERVEZ CE CHUTNEY RAFRAÎCHISSANT POUR ACCOMPAGNER DES PLATS À L'INDIENNE OU AVEC UN RAITA, D'AUTRES CHUTNEYS ET DES POPPADUMS, AU DÉBUT DU REPAS.

POUR 4 À 6 PERSONNES

INGRÉDIENTS

200 g de pulpe de noix de coco
  fraîche, râpée
3 ou 4 piments verts épépinés et hachés
20 g de coriandre fraîche hachée
2 cuil. à soupe de menthe fraîche
  hachée
3 cuil. à soupe de jus de citron vert
1/2 cuil. à café de sel
1/2 cuil. à café de sucre en poudre
1 à 2 cuil. à soupe de lait de coco
2 cuil. à soupe d'huile d'arachide
1 cuil. à café de kalonji
1 petit oignon très finement haché
brins de coriandre fraîche

CONSEIL
Ajouter quelques piments si vous préférez un chutney au goût plus relevé.

1   Mettez la noix de coco, les piments, la coriandre et la menthe dans le bol d'un robot. Ajoutez 2 cuil. à soupe de jus de citron vert et mixez.

2   Versez dans une jatte et ajoutez du jus de citron vert, sel et sucre à votre goût. Si le mélange est sec, ajoutez 1 ou 2 cuil. à soupe de lait de coco.

3   Chauffez l'huile dans une poêle et faites griller le kalonji jusqu'à ce qu'il commence à sauter, baissez le feu, ajoutez l'oignon. Faites cuire 4 à 5 min, en remuant souvent.

4   Incorporez au mélange de noix de coco et laissez refroidir. Décorez de coriandre et servez.

CHAAT D'OIGNON, MANGUE ET CACAHUÈTES

LES CHAATS INDIENS SONT DES CONDIMENTS ÉPICÉS DE LÉGUMES ET DE NOIX. L'AMCHOOR (POUDRE DE MANGUE) LEUR AJOUTE UNE AMERTUME DÉLICIEUSEMENT FRUITÉE.

POUR 4 PERSONNES

INGRÉDIENTS

90 g de cacahuètes non salées
1 cuil. à soupe d'huile d'arachide
1 oignon haché
1 tronçon de concombre de 10 cm,
  épépiné et coupé en dés de 5 mm
1 mangue pelée, coupée en dés
1 piment vert épépiné et haché
2 cuil. à soupe de coriandre hachée
1 cuil. à soupe de menthe hachée
1 cuil. à soupe de jus de citron vert
une pincée de sucre roux
Pour le chaat masala
2 cuil. à café de graines de cumin
  grillées et moulues
1/2 cuil. à café de poivre de cayenne
1 cuil. à café de poudre de mangue
  (amchoor)
1/2 cuil. à café de garam masala
une pincée d'asa fœtida moulue
sel et poivre noir du moulin

1   Chaat masala : écrasez toutes les épices au pilon et assaisonnez de 1/2 cuil. à café de sel et autant de poivre.

2   Faites griller les cacahuètes dans l'huile jusqu'à ce qu'elles soient dorées, égouttez sur du papier absorbant.

CONSEIL
Le chaat masala restant se gardera entre 4 et 6 semaines dans un pot fermé.

3   Mélangez oignon, concombre, mangue, piment, coriandre et menthe fraîches. Saupoudrez d'1 cuil. à café de chaat masala. Ajoutez les cacahuètes, puis du jus de citron vert et/ou du sucre à votre goût. Laissez reposer 20 à 30 min pour que les parfums se développent.

4   Versez dans une coupe de service, poudrez de 1 cuil. à café de chaat masala et servez.

CONFIT D'OIGNONS

*CE CONFIT D'OIGNONS CARAMÉLISÉS DANS DU VINAIGRE BALSAMIQUE AIGRE-DOUX SE GARDE
PLUSIEURS JOURS AU RÉFRIGÉRATEUR. VOUS POUVEZ UTILISER DES OIGNONS ROUGES, JAUNES
OU BLANCS, MAIS LES OIGNONS JAUNES DONNENT UN MEILLEUR RÉSULTAT.*

POUR 6 À 8 PERSONNES

INGRÉDIENTS

  2 cuil. à soupe d'huile d'olive
  15 g de beurre
  500 g d'oignons émincés
  3 à 5 brins de thym frais
  1 feuille de laurier frais
  2 cuil. à soupe de sucre roux,
   plus un peu à votre goût
  50 g de pruneaux moelleux, hachés
  2 cuil. à soupe de vinaigre
   balsamique, plus un peu
   à votre goût
  12 cl de vin rouge
  sel et poivre noir du moulin

1 Réservez 1 cuil. à café d'huile et
chauffez le reste avec le beurre. Ajoutez
les oignons, couvrez et faites cuire
15 min à feu doux.

2 Salez et poivrez, puis ajoutez
le thym, le laurier et le sucre. Laissez
cuire encore 15 à 20 min à feu doux,
à découvert, jusqu'à ce que les oignons
soient très tendres et doré foncé.

3 Ajoutez les pruneaux, le vinaigre
et le vin avec 4 cuil. à soupe d'eau,
et laissez cuire encore 20 min à feu
doux, en remuant souvent, ou jusqu'à
réduction presque complète du liquide.
Ajoutez un peu d'eau et baissez le feu
si le mélange sèche trop vite.

4 Rectifiez l'assaisonnement, en
ajoutant sucre et/ou vinaigre à votre
goût. Laissez le confit refroidir puis
incorporez le reste de l'huile (1 cuil.
à café). Attendez 24 h avant de
consommer. Servez chaud ou froid.

VARIANTE
Petits oignons à la tomate et à l'orange
Faites dorer à feu doux dans 4 cuil. à
soupe d'huile d'olive, 500 g de petits
oignons à confire pelés, puis saupoudrez
de 3 cuil. à soupe de sucre roux.
Laissez caraméliser et ajoutez 1 cuil.
à café de graines de coriandre écrasées,
25 cl de vin rouge, 2 feuilles de laurier,
3 brins de thym, 3 lamelles de zeste
d'orange, 3 cuil. à soupe de purée
de tomates et le jus d'1 orange. Faites
cuire 1 h à feu très doux, couvert,
jusqu'à épaississement. Découvrez
les 20 dernières minutes de cuisson.
Acidulez avec 1 ou 2 cuil. à soupe
de vinaigre de xérès et servez froid,
parsemé de persil haché.

CONDIMENT À L'OIGNON, À L'AIL ET AU CITRON

CE PUISSANT CONDIMENT EST PARFUMÉ PAR DES ÉPICES D'AFRIQUE DU NORD ET DES CITRONS EN CONSERVE, QUE VOUS TROUVEREZ DANS LES BOUTIQUES DE PRODUITS DU MOYEN-ORIENT.

3 Ajoutez une pincée de sel, beaucoup de poivre et le sucre et laissez cuire 5 min à découvert. Faites tremper le safran 5 min dans 3 cuil. à soupe d'eau chaude, puis ajoutez aux oignons avec l'eau de trempage. Ajoutez la cannelle, les piments séchés (facultatif), et le laurier. Incorporez 2 cuil. à soupe de vinaigre de xérès et le jus d'orange.

4 Laissez cuire à feu doux, à découvert, les oignons doivent être très souples et le liquide presque évaporé. Ajoutez le citron haché et laissez cuire encore 5 min. Rectifiez l'assaisonnement, en ajoutant du sel, du sucre et/ou du vinaigre à votre goût.

5 Servez chaud ou froid, mais ni brûlant ni glacé. Laissez reposer 24 h avant de consommer.

POUR 6 PERSONNES

INGRÉDIENTS

3 cuil. à soupe d'huile d'olive
3 gros oignons rouges émincés
2 têtes d'ail séparées en gousses, pelées
2 cuil. à café de graines de coriandre écrasées mais non réduites en poudre
2 cuil. à café de sucre roux plus un peu à votre goût
une pincée de filaments de safran
un morceau de cannelle de 5 cm
2 ou 3 petits piments rouges entiers séchés (facultatif)
2 feuilles de laurier frais
2 ou 3 cuil. à soupe de vinaigre de xérès
le jus d'1/2 petite orange
2 cuil. à soupe de citron en conserve haché
sel et poivre noir du moulin

1 Chauffez l'huile dans une casserole. Ajoutez les oignons, remuez, couvrez et baissez le feu au plus bas. Laissez cuire 10 à 15 min, en remuant de temps à autre, les oignons doivent être souples.

2 Ajoutez l'ail et les graines de coriandre. Couvrez et laissez cuire 5 à 8 min jusqu'à ce que l'ail soit souple.

VARIANTE

Condiment libanais rapide à l'oignon : hachez 500 g de tomates mûres et mélangez avec 1 botte de ciboules émincées (ou 4 à 6 oignons grelots). Écrasez 2 gousses d'ail avec une pincée de sel et ajoutez peu à peu 1 cuil. à soupe de jus de citron et 3 ou 4 cuil. à soupe d'huile d'olive. Tournez tomates et oignons dans la sauce et ajoutez un petit bouquet de pourpier haché ou 2 cuil. à soupe de marjolaine ou de thym citron haché. Rectifiez l'assaisonnement avec sel, poivre, 1 ou 2 pincées de sucre et un peu de jus de citron. Servez avec de l'agneau grillé ou du poulet, ou une salade de couscous.

INDEX

CRÉDITS PHOTO ET REMERCIEMENTS

Les photographies sont de
William Lingwood, sauf celles
des pages suivantes : p. 6b,
p. 7b, p. 18 The Anthony Blake
Photo Library ; p. 7h, p. 19b
Cephas ; p. 8, p. 13hd, p. 14h,
p. 17b, p. 20 The Bridgeman
Art Library ; p. 9h, p. 10h,
p. 10b The Ancient Egypt
Picture Library ; p. 9b, p. 10b,
p. 11h, p. 11b, p. 13tl, p. 14b,
p. 16h, p. 16b, p. 21h, p. 21b,
p. 22b, p. 23h Mary Evans
Picture Library ; p. 12, p. 14b,
p. 15 e.t. archive ; p. 13b,
p. 22h, p. 23b AKG
Photographic Library ; p. 17h
Hulton Getty Picture Library ;

p. 19h Food Features ; p. 24,
p. 28b John Freeman ; p. 28d,
p. 36g, A-Z Botanical Collection
Ltd ; p. 37hg Michelle Garrett.
L'auteur désire remercier les
personnes suivantes pour leurs
informations : John Ayto,
A Gourmet's Guide (Oxford,
1994) ; Lindsey Bareham,
Onions Without Tears (Londres,
1995) ; Barbara Ciletti, *The
Onion Harvest Cookbook*
(Newtown, CT, 1998) ; Bruce
Cost, *Foods from the Far East*
(Londres, 1990) ; William
J. Darby et Paul Ghalioungui,
Food : The Gift of Osiris,
2 volumes (Londres, 1977) ;

Alan Davidson, *The Oxford
Companion to Food* (Oxford,
1999) ; John Edwards, *The
Roman Cookery of Apicius*
(Londres, 1984) ; John Evelyn,
Acetaria : A Discourse of Sallets
(1699), publié par Christopher
Driver et Tom Jaine (Totnes,
1996) ; *Four Seasons of
the House of Cerruti*, publié
et traduit par Judith Spencer
(New York, NY, 1983) ;
M. Grieve, *A Modern Herbal*,
publié par C. F. Leyel (Londres,
1931, 1998) ; Dorothy Hartley,
Food in England (1954, 1996) ;
Katy Holder et Gail Duff, *A Clove
of Garlic* (Londres, 1996) ;

C. F. Leyel et Hartley, Olga *The
Gentle Art of Cookery* (Londres,
1925, 1974) ; Harold McGee,
*On Food and Cooking : The
Science and Lore of the Kitchen*
(Londres, 1991) ; Charmaine
Solomon, *The Encyclopedia
of Asian Food* (Londres, 1998) ;
Colin Spencer, *Vegetable Book*
(Londres, 1995) ; Tom Stobart,
The Cook's Encyclopaedia
(London, 1998) ; Waverley Root,
Food (New York, NY, 1980) ;
J. G. Vaughan et C. A. Geissler,
*The New Oxford Book of Food
Plants* (Oxford, 1997).